PEDRO HENRIQUE PEIXOTO

IDENTIDADE FROTA
A ESTRELA E A ESCURIDÃO
5.0

BB EDITORA

1.ª EDIÇÃO

SÃO PAULO
2013

"QUANDO FALO DA ESCURIDÃO QUERO FALAR QUE ELA EXISTE SIM, O LADO NEGRO ESTÁ AQUI. EU ESTIVE DO LADO NEGRO, PROCURANDO A MORTE, DE MÃOS DADAS COM MEUS FANTASMAS E ASSOMBRAÇÕES."

IDENTIDADE FROTA
A ESTRELA E A ESCURIDÃO
5.0

AGRADECIMENTO

À minha família maravilhosa:

Meu paizão, meu grande herói e amigo;

Minha querida mãe, tão zelosa e generosa;

Minha amada Adriana, minha companheira, incentivadora e confidente;

Minha filha Clara, meu amor, minha felicidade, minha alegria, minha vida;

Meu irmão Felipe, botafoguense e pai do Lulu;

Obrigado por tudo.

Esse livro é dedicado à vocês.

PREFÁCIO

ALEXANDRE FROTA E SEU CAMINHO

POR JAMES AKEL

Se você, caro leitor, entrar em uma selva, daquelas bem cheias de mato com armadilhas da natureza, com certeza vai atravessar esta selva da maneira que puder para sobreviver e vai ter que se defender de muitas situações desagradáveis e quem sabe até terá a tentação de certas experiências.
Ao final da travessia, isso se atravessar de verdade até o outro lado, vai chegar com marcas de muitos tipos, algumas que vão ficar para sempre e outras que o tempo vai se incumbir de diminuir a lembrança.

Assim foi Alexandre Frota em sua travessia pela vida das artes cênicas e comunicação.
Alexandre fez uma travessia por sua floresta da vida e agora, aos 50 anos de idade, acumula uma série de experiências que fazem sua atual personalidade ser mais madura e positiva.
Daqui para frente o seu passado será sua base de conteúdo para boas realizações.
Seu talento nato para a criação e desenvolvimento de produtos das artes cênicas e da comunicação estão mais sólidos e certamente vai saber aproveitar cada espaço de oportunidade que lhe aparecer.
Alexandre Frota saiu da grande travessia da floresta de sua vida muito mais forte e com grande capacidade de realizações que foram aliadas ao seu talento.
Li uma vez em algum lugar que a vida é tudo aquilo que acontece com a gente enquanto estamos fazendo outros planos.

Que os futuros acontecimentos de Frota sejam prósperos e de grandes realizações.
James Akel é jornalista e escritor

IDENTIDADE FROTA
A ESTRELA E A ESCURIDÃO
5.0

NOTA DO AUTOR
PEDRO HENRIQUE PEIXOTO

Escrever a biografia do Alexandre Frota, para quem gosta de desafios, é um prato cheio, quase sempre cheio de clichês, como dizer que sua vida dava um filme (vide algumas citações nos títulos dos capítulos). Falar de um cara cercado de polêmicas e preconceitos, um cara que sempre bancou suas decisões, sejam certas ou erradas, um cara facilmente amado e odiado, um cara que foi do topo da fama ao fundo do poço, um cara que até hoje busca respostas para um monte de coisas referentes à sua vida e, enquanto elas não vem, segue em frente derrubando portas e atropelando o que estiver no caminho. Esse cara é Alexandre Frota, uma sucessão de clichês ambulante. Só que aí, quando você junta todas as peças desse quebra-cabeça maluco que é a vida dele, misturando sexo, drogas, rock and roll, Tarcísio Meira, Teatro O Tablado, Mário Gomes, Roque Santeiro, Cláudia Raia, Casa dos Artistas, filme pornô, travesti, Flamengo, Corinthians, mais sexo, G Magazine, máfia, polícia, Batman e Robin, mais drogas, funk e... (ufa), família, tendo como plano de fundo as principais emissoras de tv, a cultura pop em geral e a sarjeta, você descobre um cara único, com uma história única, que vai muito além da truculência e do sotaque carioca imitado e zoado por todos. Você descobre a verdadeira identidade de Alexandre Frota.

Conheci o Frota em 1989, em uma pequena academia de musculação que existe até hoje na Rua Teixeira de Melo em Ipanema. Na época, vários globais "pegavam ferro" lá: Diogo Vilela, Luiz Fernando Guimarães, Raul Gazolla, Rômulo Arantes, Gerson Brenner, entre outros. Eu ainda estudava

Comunicação na PUC e nem sonhava em trabalhar na televisão. Era uma época anterior ao advento das celebridades, o povo carioca, especialmente na Zona Sul, fazia questão de olhar os artistas da Rede Globo como "pessoas normais", sem dar muita bola, então eles podiam malhar e andar na rua sossegados, sem fotógrafos paparazzi à espreita. Meu contato com o Frota foi mínimo, mas suficiente para perceber que era um cara tranquilo bem distante do sujeito marrento e agressivo que sua imagem sugeria. Anos depois, já como roteirista do Vídeo Show da Tv Globo, fui responsável pelo quadro "Falha Nossa" que mostrava erros de gravação, e lembro bem de uma cena hilária com o Frota: em uma externa de sua primeira novela, "Livre Para Voar", ele gravou várias vezes uma cena de beijo com uma atriz iniciante e não escondia seu "entusiasmo" até que em um determinado momento, o câmera Ricardo Gonzaga grita em tom de gozação:

- Beija direito, rapaz! Isso é uma mulher, não é um picolé não!!

Volta e meia inseria essa cena no "Falha Nossa". Mas só fui reencontrar o Frota mesmo em 2001, época em que dirigia o "Tv Fama" da Rede Tv . Ele estava lançando o funk carioca em São Paulo e ficou super agradecido pela oportunidade de divulgar sua nova empreitada. Anos depois, quando dirigi o "Pânico na Tv", logo em um dos primeiros programas, ele e Tiazinha eram os convidados.

A entrevista com a Tiazinha estava rendendo, ela insistia em ser chamada de "Suzana Alves", queria ser vista como atriz, por isso fui esticando. Não demorou muito e uma das produtoras me chamou pelo rádio para dizer que o Alexandre Frota estava incomodado e gostaria de ter uma palavrinha comigo. Pedi para passar o rádio para ele que foi direto ao ponto:

- Pedrão, não é por nada não, mas eu estou me sentindo mal aproveitado no programa.

Expliquei rapidamente o que estava acontecendo enquanto o programa transcorria ao vivo, que ele já seria chamado, e voltei minhas atenções para o que estava no ar. Minutos depois, a mesma produtora volta a me chamar pelo rádio.

- O Alexandre Frota pegou a mochila e foi embora...

IDENTIDADE FROTA
A ESTRELA E A ESCURIDÃO
5.0

Vida que segue, programa que segue, e, logo em seguida, a Tiazinha também foi embora quando percebeu que seu relato sobre um disco voador sobrevoando a Marginal Pinheiros não estava sendo levado à sério. Dias depois, procurei o Frota e lancei um desafio: perguntei se ele tinha coragem de saltar de parapente com uma câmera e descer na casa do Big Brother Brasil, dentro do Projac, durante o programa. Ele topou desde que fosse com o Sabiá, um especialista em voos radicais e figurinha fácil nos programas da Zona de Impacto do Sportv. Disse também que precisaria "combinar" com o Roberto Talma, seu grande amigo e diretor de núcleo da Tv Globo, ou, pelo menos, avisá-lo. Para alívio do Talma, o bom senso prevaleceu e desistimos daquela ideia insana.

Mas o que viria a seguir seria bem mais bombástico do que uma invasão no Big Brother: filmes pornôs com sexo explícito. Quando um cara como o Alexandre Frota te liga para falar que vai entrar no ramo dos filmes adultos, com todos os argumentos a favor, plenamente convencido de que vai valer a pena, não sobra muito o que fazer. Desejei boa sorte e ele "soltou o pino da granada", uma de suas expressões favoritas.

Apesar da distância e de alguns longos intervalos sem nos falar, eu e Frota sempre tivemos uma relação de amizade e respeito mútuo. Nunca questionei seus atos, acredito mesmo que cada um sabe de si. No final de 2011, nos reencontramos no SBT. Ele estava feliz na direção de um núcleo de novos projetos e queria produzir um programa humorístico para as noites de sábado. A ideia era bater de frente com o "Legendários", do Marcos Mion. Me chamou para dirigir o piloto desse novo programa que batizou de "A Tribo". Frota estava convicto de que o projeto iria emplacar, montamos um belo time de atores comediantes e gravamos. Dias se passaram e a euforia inicial foi dando lugar ao silêncio. Como nessa mesma época eu estava no Rio de Janeiro gravando um *reality show* com o Sérgio Mallandro para o Multishow, não acompanhei de perto os bastidores, só fui sabendo pela imprensa nas semanas seguintes que o programa tinha mudado de direção, fato confirmado por um decepcionado Frota por e-mail e, meses depois, que tanto o projeto como seu próprio núcleo estavam extintos.

Um revés como esse (e tiveram vários outros) acabaria com a carreira de muita gente, mas não desse cara. Alexandre Frota gosta de se definir como um guerreiro, uma fênix que renasce das cinzas. De fato, ele está sempre se reinventando: ator, diretor, apresentador, produtor, modelo, cantor, DJ, *gogo boy*, jogador de futebol americano, participante de *reality show* e "o que mais pintar na reta". Por isso, não teve dúvida em aceitar o convite para dirigir e apresentar um programa na Rede Brasil em 2013, uma pequena emissora de São Paulo com pouco mais de 5 anos de existência. E diante de mais um recomeço, prestes a completar 50 anos intensamente vividos, resolveu lançar sua biografia. O convite para que eu escrevesse sua história veio em um e-mail típico do Frota, direto ao assunto, título em caixa alta: **PEDRÃO, TENHO UM DESAFIO LEGAL PRA VC! ESCREVER MEU LIVRO DE 50 ANOS. NÃO ACEITO NÃO COMO RESPOSTA. VC VAI GOSTAR. VOU CONTAR TUDO!!**

Pois é, não dava para dizer não. Boa leitura.

Pedro Henrique Peixoto é diretor e roteirista de tv, jornalista e agora escritor.

Estreou na televisão na Rede Record dirigindo o programa "Top Tv" em 1992, depois foi roteirista da Tv Globo e fez parte da equipe de criação que implantou o Vídeo Show diário em 1994., depois trabalhou criando e dirigindo programas para a tv aberta e fechada, entre eles, "Pânico na Tv", "Tv Fama" e "Noite Afora" (Rede Tv), "Pisando na Bola", "Jogos Para Sempre" e "FootBrasil" (Sportv), "Fama" (Tv Globo), "Um Minuto com Pelé" (SBT), "RecBola (Record Rj) e "Vida de Mallandro" (Multishow). Em 2011 foi diretor artístico da Record Rj.

IDENTIDADE FROTA
A ESTRELA E A ESCURIDÃO
5.0

SUMÁRIO

14	A MORTE PEDE CARONA PARA ALEXANDRE FROTA
18	NASCIDO PARA MATAR EM VILA ISABEL
20	QUERO SER TARCÍSIO MEIRA
23	JUVENTUDE TRANSVIADA
27	HISTÓRIAS QUE NOSSAS BABÁS NÃO CONTAVAM
30	UMA VEZ FLAMENGO, SEMPRE FLAMENGO
34	O ADMIRÁVEL MUNDO NOVO DO TEATRO O TABLADO
37	BASTARDOS INGLÓRIOS NAS ARQUIBANCADAS DO MARACANÃ
42	**X-MEN** PRIMEIRA CLASSE: JOÃO GRANDE E OS CAPITÃES DA AREIA
47	SURFANDO NA ONDA DO MENINO DO RIO
50	AS DOZE ENCRENCAS DE HÉRCULES
55	MATOU O CINEMA E FOI À FAMÍLIA
59	MARCANDO MÁRIO GOMES EM VEREDA TROPICAL
64	ENFIM, LIVRE PARA VOAR NA TV GLOBO

INSTINTO SELVAGEM NOS EMBALOS DE POÇOS DE CALDAS	66
ROCKY BALBOA EM ROQUE SANTEIRO	72
RETROCEDER NUNCA, FUGIR DA RAIA, JAMAIS!	77
O CASAMENTO DO SÉCULO, AO VIVO E A CORES	82
A MELHOR LUA PARA SE PLANTAR MANDIOCA É A LUA DE MEL	85
SPLISH SPLASH: TRAÍDOS PELO DESEJO	89
AFUNDANDO NO BATEAU MOUCHE	94
DIVIDINDO CELA COM ERI JOHNSON	97
ROBERTO TALMA: AMIGO DE FÉ, IRMÃO E DIRETOR CAMARADA	101
ALEXANDRE F, DROGADO E PROSTITUÍDO NOS PALCOS	107
O REENCONTRO COM O PAI E O ÚLTIMO ADEUS	113
APRONTANDO TODAS EM PERIGOSAS PERUAS	116
O RETRATO DE UM ASSASSINO E UMA ESTRELA NO CÉU	123

IDENTIDADE FROTA
A ESTRELA E A ESCURIDÃO
5.0

SUMÁRIO

129	UM **BAD BOY** CURTINDO A VIDA ADOIDADO EM SÃO PAULO
136	GALERA, O CALDEIRÃO DO FROTA NA RECORD
144	A ÚLTIMA CHANCE NA GLOBO COM O JIU-JITSU
150	UM FILHO COM O DOM DE VOAR
156	O PROIBIDO DO FUNK E A LOIRINHA NA BOQUINHA DA GARRAFA
164	O RINOCERONTE DE SUNGA NA CASA DOS ARTISTAS E SEM SUNGA NA G
173	UM VILÃO DE CORAÇÃO PARTIDO
180	OH! REBUCETEIO!
188	UM **REALITY SHOWMAN** CONQUISTA PORTUGAL
194	**WARRIORS**, OS SELVAGENS DA NOITE
198	CORRA QUE A POLÍCIA VEM AÍ
201	DEU NO JN: ALEXANDRE FROTA INDICIADO PELA NARCÓTICOS DE SÃO PAULO
210	BRILHO ETERNO DE UMA MENTE COM LEMBRANÇAS

A BÍBLIA QUEIMADA E A PROFECIA	219
NA RECORD, A CAMINHO DA LIDERANÇA E DE MAIS UM TOMBO	223
UM ESPANTALHO ELIMINADO DA FAZENDA	230
ENCONTROS COM FABI, ENZO E DEUS	237
VAI, CORINTHIANS!!!	245
BATMAN E ROBIN NO SBT	252
UM CACIQUE SEM TRIBO NA ALDEIA DE SILVIO SANTOS	261
O DESTEMIDO SENHOR DA GUERRA AOS 50 ANOS	266
ENZO, MEU ANJO	271
ÁREA 51	275

IDENTIDADE FROTA
A ESTRELA E A ESCURIDÃO
5.0

A MORTE PEDE CARONA PARA ALEXANDRE FROTA

A notícia da morte do cantor Chorão, líder da banda Charlie Brown Jr., por overdose de cocaína, em 6 de março de 2013, abalou muito Alexandre Frota. "Muito triste com a morte do grande parceiro", enviou por e-mail, direto do velório do músico. Para alguém que já flertou de perto com a morte, e tem como uma de suas frases preferidas "a morte sorri para todos, tudo que podemos fazer é sorrir de volta" pronunciada por Maximus, personagem de Russel Crowe no épico "Gladiador", é muito difícil sorrir em uma hora dessas. No livro "Casagrande e seus Demônios", de Casagrande (amigo de Frota) e Gilvan Ribeiro, Casão conta que a cocaína o deixava frio em relação as pessoas. Em Alexandre Frota, o efeito foi a paranoia. Um de seus piores pesadelos sempre foi o de ser encontrado morto, sozinho em um hotel de quinta categoria ou em casa, exatamente o que aconteceu com Chorão.

"Eu descobri que não podia morar sozinho, então, quando não estava casado, sempre chamava amigos para morar comigo. A cocaína dá muita paranoia. Eu entendo o que o Chorão passou. Sei o que é misturar cocaína com lexotan (tranquilizante). Tinha vezes que eu estava com a mulher mais gata da balada, levava ela para um flat, começava a trepar, aí batia uma paranoia que a mulher ia passar mal (Frota se levanta, fala agitado), que ela podia morrer na minha cama, aí mandava ela embora. Depois, sozinho, entrava em desespero achando que ia morrer, mas eu não queria morrer pelado ao lado de um prato de cocaína (para por alguns instantes, relembrando essa cena e volta a se agitar), aí botava uma roupa porque eu não queria ser encontrado morto nu, pegava o celular, começava a ligar para o resgate, depois desistia, a polícia iria vir, ficava pensando se ligava ou não para a minha irmã para dizer que eu ia morrer, aí decidia dormir, mas não conseguia, tinha que apelar para o dormonid (medicação usada para induzir ao sono), tomava 3 comprimidos. Eu não sei como não tive uma parada cardíaca, tomava dormonid depois da cocaína, aí na noite seguinte, eu estava de novo em uma balada com uma outra gata, vinha a vontade, acabava dando um teco de novo (cheirar cocaína na gíria) e lá vinha a mesma paranoia... era a visão da loucura. Tinha pânico de morrer, pânico de, a qualquer momento, a porta explodir, entrar a polícia. Eu detestava que alguém me visse assim, por isso, quando eu cheirava, rebocava alguma gata e já ia embora imediatamente de onde estivesse. Mas para evitar algum flagrante, eu preferia mesmo ir para um flat e cheirar no quarto, sempre acompanhado de alguma mulher. A cocaína comigo, igual ao ecstasy, sempre foi relacionada ao sexo, sempre.."

Alexandre Frota está com Aids. Alexandre Frota está mal. Alexandre Frota está morrendo. Quantas vezes você já não ouviu alguma dessas frases na última década? O fato é que no dia 03 de julho de 2006, Frota foi internado no Hospital Albert Einstein com um quadro gravíssimo de sépsis (ou sepse), uma infecção generalizada por todo o organismo, e também broncopneumonia, uma inflamação aguda no tecido pulmonar.

Chegou em uma ambulância vinda do Hospital Alvorada, no bairro de Moema, em São Paulo, onde tinha acabado de dar entrada na emergência. **UM DOS MÉDICOS QUE O ATENDEU NO INTERIOR DA AMBULÂNCIA, SE MANTEVE À POSTOS COM UM DESFIBRILADOR DURANTE TODO O TRAJETO, CONVERSAS SUSSURRADAS APOSTAVAM QUE ELE IRIA MORRER NO CAMINHO.**

"Um dos médicos disse para eu ficar calmo, mas eu estava calmo, na verdade gelado, meu pulso estava 7 por 3, 6 por 3, já estava morto e não sabia. E os caras metendo coisa na minha veia, tentando me acalmar..."

IDENTIDADE FROTA
A ESTRELA E A ESCURIDÃO
5.0

Como uma pessoa atlética, que parecia vender saúde, chega a esse ponto? A resposta está na vida que Alexandre Frota levava não só naquele período, mas também no conjunto da obra. Foram mais de 20 anos quase ininterruptos viciado em vários tipos de droga: maconha, bebida alcoólica, esteróides anabolizantes, energéticos, ácido, ecstasy, e, principalmente, cocaína. Uma vida de sexo regado a muitas drogas ou de drogas regado a muito sexo, não fazia diferença. E olha que ele sempre trabalhou muito, buscou novos projetos na tv, no teatro e no cinema, mas sua carreira sempre se caracterizou como uma montanha russa de altos e baixos. Nunca se estabilizou. E foi em uma descida vertical que ele descarrilou e encontrou o fundo do poço. Em outubro de 2005, depois dos polêmicos filmes de sexo explícito e do sucesso inesperado no *reality show* "Quinta das Celebridades" em Portugal, Alexandre Frota volta das terras lusitanas e se vê sem grandes perspectivas, até que surge o convite para dançar como *gogo boy* em boates gays.

"Resolvi me aventurar como *gogo boy*. Entrei em um grupo de jovens, todos sarados, meu corpo estava no mesmo nível desses caras, mesmo aos 42 anos. Eu subia no queijo para dançar e, de repente, estava rodeado de um monte de gente. Eu ficava sem camisa, estimulava os fetiches e o público adorava. Isso fazia muito bem ao meu ego. Comecei a dançar em uma casa, depois em outra, quando vi, estava sendo chamado para dançar em um monte de festas... (pensativo) é foda, de ator da Globo a *gogo boy*."

Ao longo do livro, vamos mostrar o que leva um ator de sucesso de novelas da Tv Globo a descer tanto de patamar a ponto de se tornar *gogo boy* de boates gays.

"EU GANHAVA DINHEIRO COM ESSA PARADA, FUI PATROCINADO POR UMA GRANDE MARCA DE BEBIDAS ENERGÉTICAS. ENQUANTO OS DANÇARINOS TIRAVAM 150 REAIS POR NOITE, EU EMBOLSAVA CINCO, SEIS MIL REAIS POR MÊS E GASTAVA TUDO COM MULHERES E DROGAS. QUANDO EU VOLTO PARA O BRASIL, EU CONTINUO NESSA ACELERADA, TOMANDO MUITA BALA, MUITO ECSTASY E CHEIRANDO. A COCAÍNA JÁ VINHA COMIGO DESDE OS ANOS 80, MAS NESSA ÉPOCA, ENTRE 2004 E 2006, FORAM TRÊS ANOS DE MUITO ECSTASY EM SÃO PAULO. O ECSTASY É A DROGA DO AMOR, NÉ? SE NÃO TIVER NINGUÉM PARA TU COMER, TU COME A FECHADURA

DA PORTA. FOI TAMBÉM NESSA ÉPOCA QUE FUI ACUSADO DE TRÁFICO DE DROGAS."

Uma época de fortes emoções, ladeira abaixo. Internação no Hospital Albert Einstein, infecção generalizada, broncopneumonia e uma cena que marcou Alexandre Frota para o resto de sua vida: no primeiro dia na UTI, olhou para o teto e viu seu reflexo na luminária espelhada do teto, deitado, muito inchado, com tubos enfiados por todo o corpo. Aos poucos, aquela imagem foi se esvanecendo, dando lugar a uma visão única, inconfundível, a visão da morte. Durante minutos, segundos, impossível precisar, Frota viu a morte de perto. Sentiu paz. Ele a encarou e assim permaneceu até apagar, sob efeito dos sedativos. No dia seguinte, foi avisado que sua mãe e sua irmã tinham chegado e queriam vê-lo. Angela entrou primeiro. Os médicos já haviam alertado, nada de fortes emoções. Ali, diante do irmão todo entubado e assustadoramente deformado, Angela ficou estática, paralisada. Algumas lágrimas escorreram e sua única frase, sucedida por um breve silêncio ensurdecedor, foi:

- O QUE VOCÊ FEZ COM SUA VIDA, ALEXANDRE?

É o que veremos a seguir...

IDENTIDADE FROTA
A ESTRELA E A ESCURIDÃO
5.0

NASCIDO PARA MATAR EM VILA ISABEL

O ano de 1963 foi rico em grandes acontecimentos: Martin Luther King fez seu famoso discurso "*I have a dream*" ("eu tenho um sonho") nos degraus do Lincoln Memorial em Washington, durante a marcha pelos direitos civis; os Beatles lançaram seu primeiro álbum "*Please, Please, Me*"; e o presidente dos Estados Unidos, John Kennedy, foi morto com um tiro na cabeça durante uma visita à cidade texana de Dallas. O suposto autor do atentado, Lee Oswald, foi preso e assassinado dias depois. No Brasil, Santos e Botafogo, que formavam a base da seleção bicampeã no Chile no ano anterior, disputaram a finalíssima da Taça Brasil, o Brasileirão da época, naquela que é considerada a maior final da história do futebol brasileiro, vencida pelos santistas em pleno Maracanã lotado, no terceiro jogo de uma melhor de três partidas (50 anos depois o santista Neymar conduziria a seleção brasileira ao tetracampeonato da Copa das Confederações em um Maracanã reformado); Ieda Maria Vargas se tornava a primeira brasileira a conquistar o título de Miss Universo; e a televisão brasileira viveria um ano histórico com a exibição de sua primeira telenovela diária, "2-5499 Ocupado", na Tv Excelsior, com Tarcísio Meira e Glória Menezes nos papéis principais, Lolita Rodrigues e Neuza Amaral. No mesmo ano, a Tv Tupi realizou, em caráter experimental, a segunda transmissão a cores da TV brasileira, um episódio do seriado americano Bonanza. A Tv Excelsior já havia exibido no ano anterior um único programa do Moacyr Franco também a cores. E aqui começa uma série de coincidências do destino, já que Tarcísio Meira viria a se tornar o grande ídolo do jovem Alexandre Frota e Moacyr Franco é atualmente seu colega no humorístico "A Praça É Nossa" do SBT.

A propósito, transmissão a cores para valer no Brasil, só em 1972, direto do Túnel do Tempo como diria Cissa Guimarães em seus bons tempos de Vídeo Show. Voltando ao ano de 1963, em meio a uma atmosfera de liberdade ao som dos Beatles com a beleza da mulher brasileira despontando para um mundo cada vez mais colorido, nuvens carregadas de ódio teimavam em escurecer a tela em um "*fade in*" assustador. De um lado, paz e amor, do outro, intolerância e preconceito. De um lado, o irresistível futebol arte do ataque do Santos com Dorval, Coutinho, Pelé e Pepe, do outro, o inferno astral de Garrincha e Elza Soares, perseguidos e apedrejados no Rio de Janeiro. Foi nesse cenário turbulento, cheio de contrastes e teorias da conspiração, véspera de um novo golpe de estado no Brasil, e, por consequência, da chegada dos anos de chumbo da ditadura militar, que no dia 14 de outubro de 1963 nascia Alexandre Frota.

Filho de Antônio Carlos de Andrade e Laís Frota, libriano, Alexandre Frota de Andrade nasceu na Casa de Saúde de Laranjeiras pesando 5,2 kg e foi morar em Vila Isabel, bairro da zona norte do Rio de Janeiro. A visão daquele bebê enorme, com a pele bem morena, olhos castanhos escuros e muito cabeludo assustou sua mãe, Dona Laís. Dois anos depois, veio a irmã Angela, pele clara, olhos azuis e motivo de muitos ciúmes de um menino, que aos três anos, chegou a jogar sal nos olhinhos da pequena irmã, talvez um prenúncio da dificuldade em lidar com certos sentimentos. A família por parte da mãe era bem numerosa: eram cinco irmãs casadas, todas com filhos, totalizando 12 primos, que sempre se reuniam na casa dos avós maternos, todos ali de Vila Isabel. Frota se orgulhava de ser o preferido da avó e muitas vezes pedia para dormir na casa dela. Teve uma infância normal típica de um moleque criado na zona norte do Rio: jogava bola na rua, soltava pipa na Praça Tobias Barreto, pulava o muro para roubar manga na árvore, andava de carrinho de rolimã e de vez em quando se metia em algumas brigas, nada muito sério, mas que já revelavam um garoto com personalidade forte que não se intimidava nem levava desaforo para casa. Estudou na escola pública Argentina na Avenida 28 de Setembro, principal corredor do bairro de Noel Rosa. Foi um aluno mediano, nunca teve um desempenho escolar brilhante, apenas o suficiente para passar de ano. Foi na escola que viveu seu primeiro amor platônico, uma coleguinha de sala do ensino primário chamada Elizabeth, em quem deu seu primeiro beijo, um singelo e inesquecível selinho.

IDENTIDADE FROTA
A ESTRELA E A ESCURIDÃO
5.0

QUERO SER TARCÍSIO MEIRA

Desde criança, Frota era agarradíssimo ao pai. Muitas vezes ele acordava de madrugada e o chamava para ver as estrelas pela janela. Conhecido como Formigão nos bastidores das emissoras dos anos 60, Antônio Carlos foi um grande produtor de TV, mas também um pai e um marido ausente. Trabalhou nas principais emissoras do Rio e de São Paulo, principalmente com o diretor Carlos Manga, que costumava dizer que Formigão era o único produtor capaz de botar silêncio em um estúdio. Era tido como um profissional rígido no set de gravação, um dos poucos que conseguia controlar o caos da televisão ao vivo. Sério e mulherengo ao mesmo tempo, adorava um "rabo de saia" e costumava sumir de casa por vários dias, às vezes semanas, por conta do trabalho e das aventuras extraconjugais. Dona Laís fez o que pode para preservar o menino Alexandre, fascinado pelo pai, das brigas cada vez mais frequentes. Ele não presenciava discussão de seus pais, exceto uma única vez quando ouviu gritos atrás da porta, mas só foi entender o que acontecia muito tempo depois. Ainda criança, Alexandre visitou os estúdios da Tv Globo levado pelo pai e conheceu aquele que viria a se tornar seu grande ídolo na televisão: o super galã Tarcísio Meira. Frota se lembra até hoje do encontro e não se conforma de ter perdido a fotografia.

"Eu tinha uma fixação pelo Tarcísio Meira. Com quatro anos de idade fui ver a gravação da novela Sangue e Areia e fiquei cara a cara com o Tarcísio Meira. Ele cumprimentou meu pai e me pegou no colo para tirar uma foto, fiz uma cara sem graça, estava cheio de vergonha, mas isso me marcou muito. Depois, passei a acompanhar todas as suas novelas, Gata de Vison, Irmãos Coragem, Cavalo de Aço e Semideus. Eu queria ser aquele cara, aquele herói. Na época de Irmãos Coragem, eu estava tão fissurado, que criei na escola uma encenação de uma disputa entre a minha turma e a turma da sala ao lado, imitando as cenas daquela novela, só que para valer. Rolou briga de verdade, teve até guerra de pedra. Todo intervalo tinha briga, foi ali que eu percebi que levava jeito para essa coisa de líder, afinal estava liderando minha turma contra a turma rival."

Depois da visita inesquecível às gravações da novela Sangue e Areia em 1967, a primeira estrelada pelo casal Tarcísio Meira e Glória Menezes na Tv Globo e também a primeira escrita integralmente por Janete Clair, Frota não perdeu mais Tarcísio Meira de vista. Em sua novela seguinte, Gata de Vison, Tarcísio fez par romântico com Yoná Magalhães, a mesma Yoná que viria a ser par do próprio Alexandre Frota em Roque Santeiro quase 20 anos depois. Coincidências de um mundo pequeno, que dá muitas voltas, chamado televisão. Mas se teve uma novela que marcou a vida de Alexandre Frota, essa novela foi Irmãos Coragem.

Dirigida por Daniel Filho (outro que será bastante citado mais à frente) e Milton Gonçalves, Irmãos Coragem consagrou Janete Clair como a grande autora das telenovelas brasileiras. Foi também o primeiro grande sucesso da Tv Globo nesse formato. Para Frota, além da figura do herói João Coragem, vivido por Tarcísio Meira, que ele idolatrava, a novela também despertou uma nova paixão, o futebol, através do outro irmão Coragem, o personagem Duda de Cláudio Marzo, que se torna jogador de futebol do Flamengo. Ao final da novela, ele entra em campo com o time rubro-negro em um Maracanã lotado e faz um golaço no clássico contra o Botafogo. Frota viu e gostou, ainda mais, quando se deu conta que aquele jogo, aquela festa em preto e branco na tv, era a cores ao lado de casa.

"Meus amigos da rua, da escola, a grande maioria era Flamengo. Em dia de jogo era uma loucura, aquela multidão caminhando em direção ao Maraca, os bares da Vila lotados desde cedo, todo mundo escutando o radinho de pilha, vestindo aquelas camisas antigas do Flamengo, surradas, desbotadas, era contagiante".

IDENTIDADE FROTA
A ESTRELA E A ESCURIDÃO
5.0

O bairro de Vila Isabel fica muito próximo ao Maracanã. Em uma época em que a molecada só queria saber de jogar bola na rua, os clássicos do futebol carioca levavam 100, 150 mil pessoas ao maior estádio do mundo, embalados pela conquista do Tri na Copa do México em 1970. Frota sempre apreciou espetáculos grandiosos, então, nada mais natural que se encantasse pela festa das arquibancadas com fogos de artifício, papel picado, bateria, cantos, gritos de guerra e bandeiras gigantes tremulando. A paixão pelo Flamengo foi imediata e coincidiu com a chegada do maior ídolo da história do clube, um menino franzino de Quintino, subúrbio carioca, chamado Zico. Seu pai ainda tentou convencê-lo a trocar o vermelho e preto pela cruz de malta, mas não teve jeito.

"MEU PAI ERA VASCAÍNO DOENTE E QUERIA QUE EU FOSSE. TEVE UM VASCO E BOTAFOGO NO MARACANÃ, MEU PAI ME FEZ VESTIR A CAMISA DO VASCO E DEPOIS DO JOGO ME LEVOU NO VESTIÁRIO PARA CONHECER O ROBERTO DINAMITE, QUE HOJE É PRESIDENTE DO VASCO. O ROBERTO FOI LEGAL COMIGO, MAS EU NÃO ME SENTIA BEM COM AQUELA CAMISA. O VERMELHO E PRETO É QUE ERA A MINHA ONDA..."

"Uma vez Flamengo, Flamengo até morrer", já dizia o hino de Lamartine Babo. Naquele ano de 1972 o Flamengo, treinado por Zagallo, foi campeão carioca justamente em cima do Vasco. Além do "Galinho de Quintino", que dava seus primeiros passos e fazia seus primeiros gols, o time da Gávea contava com um ataque infernal: Caio Cambalhota, Paulo Cézar Caju e o argentino Doval, os dois últimos, craques no campo e nas noitadas cariocas. Foi o primeiro grito de campeão do flamenguista Alexandre Frota, mas nem deu para comemorar. **DIAS DEPOIS, SEU PAI FOI EMBORA DE CASA. AOS NOVE ANOS DE IDADE E, A PARTIR DAQUELE MOMENTO, FILHO DE PAIS SEPARADOS, FROTA VIU "A CASA CAIR" PELA PRIMEIRA VEZ. AS IMPLOSÕES ESTAVAM APENAS COMEÇANDO.**

JUVENTUDE TRANSVIADA

O impacto provocado pela separação de seus pais foi enorme. O menino Alexandre Frota chorou muito e passou vários dias em silêncio. Dona Laís preferiu não expor as razões da separação. Antônio Carlos foi para Copacabana morar com sua mãe (a querida avó Jandira de Frota), mas sua relação com Alexandre nunca mais foi a mesma. Frota se decepcionou com seu pai. Mesmo sem saber o que tinha acontecido, logo percebeu que só podia contar com a mãe e assumiu o papel de homem da casa. Dona Laís se desdobrava para sustentar sua família, trabalhava durante o dia como secretária do reitor da Universidade Federal do Estado do Rio de Janeiro, a UNIRIO, no campus localizado no bairro da Urca e nas horas vagas, costurava para fora.

"Meu pai foi morar em Copacabana, na rua Barata Ribeiro, pertinho da academia de jiu-jitsu do Carlson Gracie, foi daí que eu conheci o Carlson, desde pequeno, mas eu não gostava de passar o final de semana com meu pai, pegar o ônibus, atravessar o Túnel Rebouças. Meu mundo era o subúrbio e tinha minha mãe, que fazia das tripas coração para ser pai e mãe ao mesmo tempo, costurava até altas horas da madrugada."

Depois de um período recluso, Frota retomou sua vida na escola e, principalmente, na rua. Como era muito magro, sua mãe o botou para fazer natação e ele logo foi encorpando. As brigas se tornaram frequentes, a medida que ele demarcava seu território. Em uma delas, encarou um garoto bem mais velho e chegou em casa com dois pregos cravados na cabeça, resultado de uma paulada.

"Minha mãe ficava apavorada com as minhas brigas, imagina chegar com dois pregos na cabeça? Teve outra vez que briguei com um garoto chamado Vagner, apelido "Pé de Vaca". Minha mãe estava chegando em casa com a minha avó e presenciaram ele me espancando, eu no chão todo ensangüentado. No dia seguinte, a gente se encontrava e se cumprimentava normalmente. Briguei muito na rua e no morro. Uma vez eu estava passando na rua Silva Pinto, em Vila Isabel, tinham dois neguinhos da favela sentados, um deles me provocou, eu virei, fui até ele e chutei a sua cara. Em minutos desceu a favela toda atrás de mim, mais de 20 caras. Eu estava com alguns amigos, a gente correu muito. Até chegar em casa, tomei vários socos, mas continuei correndo."

Alexandre Frota foi à luta. A saída de casa do pai acabou antecipando seu grito de liberdade. Ainda em Vila Isabel, ele juntou os amigos e foi acampar na praia de Ponta Negra em Maricá, litoral norte do estado do Rio.

"FOI MINHA PRIMEIRA VIAGEM SOZINHO, COM APENAS 13 ANOS DE IDADE. A GENTE PEGOU UM TEMPORAL ASSUSTADOR, INUNDOU TODA A BARRACA, ACABOU QUE NINGUÉM DORMIU. FOI A PRIMEIRA VEZ QUE VIREI À NOITE ACORDADO. CHEGUEI EM CASA CANSADO, SEM DORMIR, MAS AMARRADÃO COM A EXPERIÊNCIA."

Seus horizontes começavam a se ampliar. Foi estudar no colégio ADN, no tradicional bairro do Méier, e passou a viajar com sua turma de amigos nos finais de semana para a Granja Comary, na cidade serrana de Teresópolis, local do futuro centro de treinamento da seleção brasileira de futebol. Um lugar cercado por montanhas, rios e cachoeiras, um cenário perfeito para rituais de iniciação.

"A GENTE DESCOBRIU A MACONHA. EU TINHA DEZESSEIS ANOS E COMECEI A FUMAR MACONHA LÁ NA GRANJA COMARY EM TERESÓPOLIS. Nunca fumei dentro de casa, não queria que minha mãe visse ou achasse nada, ela jamais comentou nada sobre isso. Era sempre aos finais de semana quando a gente viajava. Para não passar perrengue, eu fazia compras com o dinheiro contado e acordava cedinho para preparar o café da manhã da galera. Nós éramos uns oito caras, eu preparava oito copos de Nescau e oito pães com manteiga. Eu organizava toda a parada, acho que foi ali que eu descobri, além da maconha, o prazer da produção, eu gostava de organizar tudo."

E havia também a febre da disco music com Bee Gees, ABBA, Jackson 5, Gloria Gaynor e Donna Summer chegando com tudo ao Brasil nos anos 70, competindo com os bailes mais tradicionais e suas orquestras que tocavam rock and roll dos anos 50 e 60, valsa e música lenta. Uma trilha sonora marcante para alguém prestes a viver seu primeiro amor.

"A Célia foi minha primeira namorada, Célia Bocão era o apelido dela. Eu sempre gostei de mulheres com boca grande, olha só, teve a Cláudia Raia, a Daniela Freitas, a própria Fabiana, minha atual mulher. Eu era apaixonado pela Célia, tinha várias crises de ciúme, chorava, aquela coisa toda. A gente ia nos bailes, dançava de rosto colado, embora o que eu mais gostava eram as discotecas. Vivi intensamente essa época, vi várias vezes no cinema "Os Embalos de Sábado à Noite", com o John Travolta, adorava dançar. Décadas depois, produzi um especial sobre a disco music para o programa Hoje em Dia, da Record."

Os Embalos de Sábado continuaram por muito tempo, ainda mais quando Frota descobriu que tinha vocação para fazer arte, ou melhor, artimanhas.

"Eu sabia que meu pai trabalhava na televisão. Passou pela Globo, Tupi, Excelsior e Bandeirantes. Tive a ideia de passar na casa dele, pegar algumas credenciais de Tv e falsificar. Botei minha foto e de 2 amigos mais chegados. Eu chegava nos bailes e nas discotecas de Teresópolis, mostrava as credenciais, dizia que era produtor de Tv e ainda botava um monte de amigo para dentro. No principal baile de Terê, tinha até camarote vip para mim. Isso é uma arte, um cara tem que ser artista para fazer isso. Foi nesse cambalacho que eu percebi que me destacava com as mulheres, inclusive. Meu namoro foi para o espaço e eu comecei a ficar com um monte de meninas. Arte de garoto."

IDENTIDADE FROTA
A ESTRELA E A ESCURIDÃO
5.0

A palavra arte, no latim, significa técnica e/ou habilidade. Está ligada a manifestações de ordem estética ou comunicativa. Não demoraria para o arteiro Alexandre Frota aprimorar seu talento na arte de chamar atenção.

HISTÓRIAS QUE NOSSAS BABÁS NÃO CONTAVAM

A primeira vez a gente nunca esquece: primeiro baseado, primeira namorada, primeiro jogo de futebol no Maracanã e a primeira briga. Na descoberta do sexo, Frota nem precisou ir para a rua. Nada de zona ou prostíbulos, como era praxe entre os meninos com hormônios em erupção naquela época. A iniciação sexual de Alexandre Frota, com apenas treze anos de idade, foi em casa mesmo, com sua empregada doméstica, um rito de passagem clássico dos anos 70.

"**A GENTE TINHA UMA EMPREGADA, A EUNICE, NEGRA, BEM GOSTOSA, PELO MENOS PARA MIM. FOI COM ELA QUE EU DESCOBRI MINHA SEXUALIDADE, EU ME EXCITAVA VENDO ELA ANDAR NAQUELAS ROUPAS APERTADAS, AQUELA BUNDA ENORME, ELA SACOU QUE EU FICAVA DE PAU DURO. ATÉ QUE UM DIA, FUI PARA CIMA, ELA GOSTOU E EU PERDI MINHA VIRGINDADE**. Durante um ano inteiro transei muito com ela, às vezes de noite no seu quarto depois de Saramandaia (novela de Dias Gomes dirigida por Walter Avancini e seu grande amigo Roberto Talma, exibida na Globo no horário das 22 horas em 1976), ou à tarde, quando não tinha ninguém em casa. Bastava ela vacilar com aquele bundão na minha frente que eu pegava. Vou confessar uma coisa: tenho tesão em mulata, negra. Conheci um monte de babaca que só queria saber de loira, diziam que não comiam negra de jeito nenhum, eu não. Tinha vezes naquela época que minha irmã estava dormindo e eu pegava a Eunice ali no chão mesmo, ao lado da cama que a minha irmã dormia. **DEPOIS SOUBE QUE ELA ENGRAVIDOU E TIROU O BEBÊ, TALVEZ UM FILHO MEU.**"

A experiência marcou Frota em vários sentidos, não apenas pela descoberta do prazer sexual em si, mas também da adrenalina que a situação provocava. A sensação do perigo, de fazer algo proibido, junto com o impulso quase animal de chegar e transar a qualquer hora, a qualquer momento, não importando como nem onde.

"Me tornei um cara insaciável. Queria trepar todos os dias e noites. Por muito tempo na minha vida, cansei de pegar mulheres depois do trabalho, nas festas, nas boates, e levar para casa ou para um hotel, dar uma rapidinha e depois dispensar. Fui viciado em sexo. Só quando estava apaixonado é que era diferente, porque aí eu fazia tudo pela mulher, me entregava. Levava café da manhã na cama, mas quando era só sexo, eu trepava em qualquer lugar, no camarim, atrás da cortina. Meu grande fetiche foram as dançarinas, sempre fui louco por dançarinas, sou alucinado pelas roupas que elas usam nos programas de tv, nos musicais, que valorizam as pernas, a bunda."

Está explicada a química da atração de Alexandre Frota, ainda que novos ingredientes fossem adicionados a essa receita com o passar do tempo.

Na mesma época da descoberta do sexo, Frota conheceu violência também. Alexandre e sua família foram vítimas de uma invasão dentro de casa. Acontecimento brutal que deixou marcas.

"A Eunice foi embora depois de um assalto que sofremos dentro de casa. Foi uma situação bem barra pesada, ninguém está preparado para uma coisa dessas, assistir impotente a sua irmã indefesa nas mãos de um bandido. O cara entrou pelos fundos da nossa casa, estávamos somente a Eunice, nossa empregada, minha irmã e eu. Fui trancado no banheiro enquanto o invasor ficou com a minha irmã durante 10, 15 minutos até roubar tudo. Impossível descrever a agonia que eu senti durante todo aquele tempo, sem saber o que estava acontecendo, se minha irmã estava viva. Felizmente o ladrão não encostou nela, mas foi foda para minha cabeça. Mais tarde, depois que minha mãe chegou, começamos a perceber que o ladrão sabia exatamente o que roubar e onde estavam as coisas. Ficou a sensação de que foi coisa combinada, mas não tinha como provar. Aí minha mãe preferiu dispensar a empregada."

Depois dessa experiência traumática, Dona Laís decidiu mudar de ares e de bairro. E lá foram eles para a Tijuca, na rua Carmela Dutra. Foi nesse período que Alexandre Frota se viu na primeira das muitas encruzilhadas de sua vida: marinha ou teatro? Mas antes, mergulhou na selvageria das arquibancadas do Maracanã. Frota teria um desgosto profundo se faltasse o Flamengo no mundo.

IDENTIDADE FROTA
A ESTRELA E A ESCURIDÃO
5.0

UMA VEZ FLAMENGO, SEMPRE FLAMENGO

Entre 15 e 17 anos, a vida de Alexandre Frota era estudar o suficiente para passar, viajar no fim de semana, fumar maconha com os amigos, azarar as gatinhas e ir aos jogos do Flamengo de Zico, Cláudio Adão, Toninho Baiano e o falecido Geraldo. A essa altura, a paixão pelo Flamengo era tanta que ele e seus amigos voltavam de Teresópolis sempre a tempo de ir ao jogo no Maracanã. Na antológica final do carioca de 1978, Frota estava bem atrás do gol quando Zico bateu o escanteio e o zagueiro Rondinelli, apelidado de "Deus da Raça", subiu mais alto que o zagueiro Abel (atualmente técnico de futebol) e cabeceou sem chances para o goleiro Leão aos 41 minutos do segundo tempo. Esse título marcou a arrancada do time rubro-negro que viria a conquistar em sequência o campeonato brasileiro, a Taça Libertadores e o Mundial de Interclubes, em Tóquio. Frota se tornou integrante da Torcida Jovem e acompanhou de perto toda essa jornada. O gol de Rondinelli ficou guardado na memória até que um dia.

"Aos 35 anos de idade, vi uma matéria com o Rondinelli na televisão, já aposentado, morando em Santa Rita de Passa Quatro, no interior de São Paulo. Era o ano de 1998, fazia 20 anos daquele gol histórico. Fiquei olhando aquele sujeito todo humilde que tinha proporcionado uma das maiores emoções da minha vida e resolvi ir até ele. No dia seguinte peguei um carro, um mapa e caí na estrada, sozinho. Cheguei na cidade, parei em um posto de gasolina e perguntei onde o "Deus da

Raça" morava. Foram me indicando o caminho e finalmente encontrei sua casa. Bati na porta, ele atendeu, me reconheceu da televisão e eu falei:

- Vim aqui te ver e te agradecer por aquele gol em 1978. Muito obrigado.

Ele ficou emocionado, me convidou para entrar e ficamos conversando a tarde toda. Fui embora à noite com aquela sensação bacana de ter feito uma coisa legal."

A MUDANÇA DE VILA ISABEL PARA A TIJUCA MARCOU UM PERÍODO DE TRANSIÇÃO NA VIDA DE ALEXANDRE FROTA, QUE MUDA TAMBÉM DE TURMA. DEIXA DE ANDAR COM SEUS AMIGOS DA VILA E PASSA A FAZER PARTE DE UMA NOVA GALERA OU UMA GANGUE, COMO ELE GOSTA DE CHAMAR. A TUCAT, INICIAIS DE TURMA CALOTEIRA TIJUCANA. ALGUNS DE SEUS INTEGRANTES ERAM LÍDERES DA TORCIDA JOVEM DO FLAMENGO O QUE JUNTAVA A FOME COM A VONTADE DE COMER.

"A gente ia para o bar, comia, bebia muito e fugia sem pagar. Pegava ônibus para a Barra, o 233 e o 234, levava chave de fenda para desparafusar o vidro de trás e se mandava sem passar pela roleta. Foi com essa galera que eu comecei a pegar onda de jacaré na praia. A gente fumava maconha e frequentava umas festas bem barra pesada. Aí eu passo a ir direto aos jogos do Flamengo, viajar com a Torcida Jovem e acabo me tornando uma liderança."

Foi nesse período também que o Colégio Naval da Tijuca surgiu como uma opção para o futuro de um jovem dinâmico e cheio de energia. Sua família via com gosto essa possibilidade, não só pela carreira em si, mas também pelo temor das más companhias que já o rondavam. Além disso, seu avô materno Francisco Geraldo da Frota era primo do General Sylvio Frota, ministro do exército do Governo Ernesto Geisel, um proeminente militar representante da linha dura que desejava ser presidente do Brasil e que acabou exonerado após uma crise no governo. Menos pela influência do seu tio avô ministro e mais pelo fascínio do uniforme branco da Marinha, o jovem Alexandre Frota se inscreveu no tradicional curso Tamandaré, preparatório para formar os futuros oficiais do Exército, Marinha e Aeronáutica. Durante quase um ano ele acalentou esse sonho, mas quis o destino que seu caminho tomasse outro rumo. A exemplo do slogan do canal Multishow, a vida de Alexandre Frota sempre foi sem roteiro.

> **FERNANDO MEIRELLES**
>
> NÃO CONHECI PESSOALMENTE O ALEXANDRE QUE APARECE NESTE LIVRO, MAS É ÓBVIO QUE TRATA-SE DE ALGUÉM QUE ATÉ AQUI SOUBE ENTRAR SEM MEDO NA VIDA E QUE SABE SE REINVENTAR. AGORA VAMOS TRABALHAR JUNTOS, EM NOSSOS PRIMEIROS ENCONTROS ELE JÁ DEIXOU CLARO DO QUE É FEITO: UMA MISTURA DE ENTUSIASMO, FORÇA E CORAÇÃO. DESTA COMBINAÇÃO, TUDO PODE SAIR. PRETENDO SURFAR NESTA ONDA E VER ATÉ AONDE, ELA E ELE, PODEM NOS LEVAR.

No filme A Força do Destino, o rebelde e indisciplinado Zack Mayo, personagem do jovem Richard Gere, desafia seus superiores, amadurece com os erros e se torna um oficial da Marinha dos Estados Unidos. Prestes a seguir o mesmo caminho na vida real, Alexandre Frota resolveu mudar o script. Filho de um respeitado produtor de tv, ele nunca esqueceu do passeio que fez pelos estúdios da Globo ainda criança. Lá conheceu seu ídolo Tarcísio Meira e passou a acompanhar todas as suas novelas. Mais do que um galã, Tarcísio Meira personificava a figura do herói que ele queria ser, seu papel na novela Irmãos Coragem, o destemido João Coragem, foi decisivo para a escolha de Frota. O fato de sua mãe, Dona Laís, trabalhar como secretária da principal faculdade de teatro do Rio de Janeiro, a UNIRIO também ajudou. Quando tudo se encaminhava para uma carreira militar, ele comunicou a sua mãe que iria fazer teatro no Tablado. Sai o garbo cinematográfico de "Top Gun", entra a literatura brasileira de Jorge Amado e Monteiro Lobato, uma reviravolta que se tornaria frequente em sua caminhada profissional. Lógico que tudo seria diferente, a história desse livro e do país teriam sido bem diferentes se o tio avô de Alexandre Frota, o General Sylvio Frota, tivesse se tornado Presidente da República. O sonho da Marinha foi à pique e as cortinas do teatro se abriram.

O ADMIRÁVEL MUNDO NOVO DO TEATRO O TABLADO

O Teatro O Tablado, fundado por Maria Claro Machado, em 1951, ainda hoje é um grande centro de formação de atores. No início dos anos 80, se destacou pela montagem de peças infantis e revelou dezenas de talentos que se consagraram na tv. Além disso, sua localização é estratégica, bem ao lado da Tv Globo no bairro do Jardim Botânico. Durante muitos anos, em uma época anterior ao Projac, quando novelas e programas de auditório eram gravados em estúdios no Jardim Botânico e no saudoso Teatro Fênix, era comum a ida de diretores da Globo ao Tablado para assistir ensaios e garimpar novos talentos. Alexandre Frota chegou ao Tablado levado pelo próprio reitor da UNIRIO, Benedito Cunha, que nesse período viveu um romance com sua mãe e conseguiu uma bolsa de estudos para Frota. Logo nos primeiros dias de Tablado, ele conheceu o premiado ator e diretor Sérgio Britto, que estava completando seu elenco de apoio para a montagem da ópera O Guarani, no Teatro Municipal. Uma oportunidade única. Com a bola quicando na cara do gol, Frota não hesitou em chutar.

"Foi tudo muito rápido, eu tinha acabado de entrar no Tablado e o Sérgio Britto estava ali, cheguei nele, me apresentei e ele se encantou comigo. Todo mundo sabia que ele era gay. Ele me viu, um moleque alto, moreno, bronzeado de praia, ficou impressionado e me ofereceu uma vaga no elenco de apoio da ópera. Foi o máximo! Ensaiei no Teatro Municipal durante 8 meses. Ensaio de dança, corporal, canto, convivendo com aqueles barítonos, oito horas de ensaio por dia. Fiquei na panelinha do Britto. As pessoas falavam que eu era o garoto dele, mas eu não estava nem aí. Tinha emprego, comida e um monte de curso por causa dele. Sempre caguei para esse tipo de coisa, essas fofoquinhas."

Foram duas óperas em sequência, O Guarani, no papel de um índio e Don Giovanni, como um soldado. Nos ensaios, Alexandre em início de carreira, conheceu um figurante, Maurício Monteiro, que anos depois viria a se casar com sua irmã, Angela. Só que após ela engravidar, o casamento se desfez. Mariana nasceu e Frota assumiu sua sobrinha como se fosse sua própria filha.

"A MARIANA SIGNIFICA MUITO PARA MIM. ANTES DA CHEGADA DO ENZO, MEU ANJO SALVADOR FILHO DA FABI (FABI FROTA, ESPOSA), A MARIANA ERA MEU GRANDE AMOR. AMO DEMAIS MINHA SOBRINHA, FIZ UMA TATUAGEM COM O NOME DELA NO MEU ABDÔMEN COM AS LETRAS DO IRON MAIDEN (POPULAR BANDA INGLESA DE HEAVY METAL)."

Mesmo ensaiando no Municipal, Frota continuava frequentando as aulas do Tablado, cada vez mais convicto de que sua vocação era atuar. E nesse embalo, vai se aprimorando mais e mais em uma de suas grandes especialidades: a capacidade de envolver as pessoas, em uma autêntica "ópera do malandro". Depois de Sérgio Britto, ele conheceu também no Tablado a atriz e diretora Lupe Gigliotti, irmã de Chico Anysio, a Dona Escolástica, da Escolinha do Professor Raimundo. Lupe gerenciava um pequeno grupo de atores iniciantes que se apresentava em festas infantis. Naquele momento, Alexandre Frota estava à cata de oportunidades, não importava o tamanho.

"Cheguei na Lupe, falei que estava interessado em participar dessas pequenas apresentações e caímos dentro, Maurício (Mattar) e eu. Ensaiávamos no Flamengo, na casa da Lupe, estava amarradão, mas logo na primeira apresentação, comecei a cair na real. Era a história do Pato Grande. Ficava vestido de pato e só tinha uma cena, a final. Porra, era foda. Ficava pensando naquela situação: eu era o Pato Grande, que merda. Tiveram várias pecinhas assim, tipo Dom Ratão com a Dona Baratinha, mas aí eu pensava: foda-se, eu estou colado na Lupe, tem o Chico Anysio, vou segurar a onda. No fundo, eu estava fazendo o que gostava. Tenho muitas saudades da Lupe."

Lupe, Chico, Costinha, Rogério Cardoso, Francisco Milani, Walter D'Ávila, Grande Otelo, Rony Cócegas, Nádia Maria, Geraldo Alves, Zezé Macedo, José Vasconcelos, Zilda Cardoso, Dicró... a Escolinha do Professor Raimundo deu aula de humor durante décadas e imortalizou sua galeria de personagens inesquecíveis. Dá para imaginar todos eles reunidos no céu, em torno do mestre Chico Anysio, fazendo a festa e dando boas gargalhadas com a patrulha do politicamente correto aqui embaixo.

BASTARDOS INGLÓRIOS NAS ARQUIBANCADAS DO MARACANÃ

Tanto nas festinhas infantis quanto nas arquibancadas do Maracanã, o prestígio do Pato Grande não parava de crescer. Alçado ao posto de líder da Torcida Jovem, Frota vibrava com a constelação de estrelas do Flamengo de Zico, Júnior, Leandro, Andrade, Adílio, Tita, Paulo César Carpegiani, Júlio César "Uri Geller", Raul, Mozer, Nunes e Lico, ganhando tudo pela frente. Atrás do gol, na área das torcidas organizadas, a truculência imperava. Diversas vezes, garantiu seu lugar expulsando torcedores desavisados aos pontapés. Como seu porte atlético já chamava atenção, começou a participar de vários desfiles até que um dia veio o convite para um concurso...

"Foi o primeiro concurso que eu participei, "Menino Pão, Garota Broa", lá no Méier. Ganhei a porra do concurso, só que na hora de desfilar, quando eu entrei na passarela, estava um monte de gente da torcida Jovem do Flamengo, a maior galera, os caras me viram e não acreditaram, ficavam gritando, me aplaudindo, depois disso fiquei conhecido como Manequim. Se alguém perguntar para os mais antigos da Torcida Jovem, para o Capitão Léo, eles vão falar que o Manequim era o Alexandre Frota novinho."

Foi uma época inesquecível, com várias conquistas dentro e fora do campo, inclusive, sua grande paixão adolescente.

IDENTIDADE FROTA
A ESTRELA E A ESCURIDÃO
5.0

"**EU FICAVA ALI ATRÁS DO GOL, NO MEIO DA TORCIDA JOVEM E VI MEU PRIMEIRO AMOR ADOLESCENTE NASCER NA ARQUIBANCADA, A CLÁUDIA, UMA MORENA TODA SARADA, UM ESPETÁCULO.** Todo jogo que eu ia ela estava lá, torcendo, pertinho. Eu comandando a torcida e alucinado por aquela gata até que um dia, o irmão dela chega e fala para mim que gostaria de fazer parte da Torcida Jovem do Flamengo. Na mesma hora eu já fui apresentando ele para a galera, entrosando com todo mundo, e depois puxei um papo com sua irmã. **FICAMOS CONVERSANDO DURANTE O JOGO, DEPOIS DO JOGO, NO JOGO SEGUINTE, LOGO COMEÇAMOS A NAMORAR** e me apaixonei perdidamente por ela, que morava no Méier. Nessa época eu conheci Cabo Frio, na Região do Lagos, no litoral do Rio. Eles tinham casa lá e eu ia direto. Ficávamos eu e a Cláudia namorando no sofá da sala. **QUANDO A FAMÍLIA DELA SAÍA DE CASA, ERA MÃO POR DENTRO DA CALCINHA, AQUELAS COISAS DE ADOLESCENTE, FUI MUITO APAIXONADO POR ELA."**

Foi um período de paixões violentas e muita confusão. As brigas entre as torcidas organizadas se tornavam cada vez mais frequentes. Eram brigas sangrentas com soco, pedra, pedaço de pau e muitas ameaças. Frota foi jurado de morte pela TOV, a Torcida Organizada do Vasco, pela Young Flu e pela Folgada do Botafogo.

"No final dos anos 90, eu estava passando de moto por Copacabana e resolvi parar na oficina do Russão. O Russão, para quem não sabe, durante muito tempo foi o principal líder de torcida do Botafogo, um cara enorme, assustador, todo mundo tinha medo dele. Quando me viu chegando, tomou um susto. Aí eu falei para ele:

- Russão, você tá lembrado de um Flamengo e Botafogo que foi um a zero Botafogo, gol de um tal Renato Sá?".

Impossível para um torcedor do Botafogo não lembrar, ainda mais um botafoguense fanático como Russão, falecido em 2012. Naquele jogo em 1979, o Flamengo tinha igualado o recorde brasileiro de invencibilidade que era do próprio Botafogo, 52 jogos sem perder. Bastava um empate para ser o novo recordista. O Botafogo venceu. O gol da vitória foi do predestinado Renato Sá, o mesmo que tinha encerrado a campanha invicta do time alvinegro no ano anterior atuando pelo Grêmio, também no Maracanã. Apesar da lembrança agradável, Russão continuava sem entender o que Alexandre Frota, um badalado ator de novelas queria com ele.

"Estava todo mundo ligado no que rolava no campo, "Maraca" lotado e juntei um grupo de torcedores do Flamengo para uma ação de guerrilha: invadir a área do Botafogo e roubar uma faixa que estava pendurada. Fui na frente, só que a faixa ficou presa na ponta, e todo mundo correu.

- Russão, quando você viu uns torcedores do Flamengo tentando roubar uma faixa do Botafogo, você saiu correndo na direção dos caras e deu um socão bem na cara de um deles, que tinha ficado para trás, lembra disso?

O Russão ficou meio desconfiado, mas confirmou:

- Pô, eu lembro dessa parada sim... porque?

Aí eu mandei na lata:

- Russão, era eu. Tu me deu um soco na cara que eu nunca mais esqueci – falei rindo, mas olhando para ele.

O Russão não acreditou, coçou a cabeça sem graça, e tentou argumentar:

- Pelo amor de Deus, Frota! Eu te dei um socão? Um socão na cara? Como assim, irmão? Bati no cara da novela?

- Pois é, era eu... – confirmei, para em seguida subir na moto e ir embora."

Um dos episódios mais tristes da história recente do futebol foi a morte do jovem boliviano Kelvin

IDENTIDADE FROTA
A ESTRELA E A ESCURIDÃO
5.0

Espada, atingido em cheio no rosto por um sinalizador, supostamente disparado pela torcida do Corinthians em um jogo da Taça Libertadores, contra o San José. Por pouco Alexandre Frota não foi protagonista de uma tragédia semelhante nos anos 80. Durante um Flamengo e Santos pelo campeonato brasileiro de 1982, falta marcada na entrada da área a favor do time carioca. Enquanto Zico se preparava para bater, Frota, no alto da arquibancada atrás do gol, disparou um morteiro que explodiu muito próximo da cabeça do goleiro Marola. "Tá lá um corpo estendido no chão" diria o locutor Januário de Oliveira ao ver Marola deitado no gramado se contorcendo de dor. Nesse momento, Frota percebeu Zico olhando para as arquibancadas e balançando negativamente a cabeça, condenando aquele ato. No dia seguinte, a manchete do jornal O Globo era "Vandalismo Rubro-negro!" ao lado da foto de Marola ensanguentado caído em meio à fumaça. Na sequência, uma série de incidentes com a torcida do Atlético Mineiro culminou com a primeira prisão de Alexandre Frota, em Belo Horizonte, nos arredores do Mineirão. No jogo da volta, a torcida carioca deu o troco, montando uma emboscada para os torcedores atleticanos que vinham de ônibus, em uma autêntica operação de guerrilha idealizada pelo "General Manequim" que resultou em vários feridos. Dias depois, ele recebeu o aviso de que na próxima vez que fosse ao Mineirão em um jogo do Flamengo, não sairia vivo de Belo Horizonte. Por essas e outras, e motivado pelos novos ares do teatro, que em 29 de maio de 1983, diante de um Maracanã lotado com mais de 155 mil pessoas para assistir a final do Campeonato Brasileiro entre Flamengo e Santos, Frota olhou para os céus e fez uma promessa: se o Flamengo fosse campeão, abandonaria de vez as arquibancadas e encerraria sua trajetória como líder de torcida organizada.

"PRECISAVA PARAR. TEVE UM FLAMENGO E BANGU NO MARACANÃ QUE CEM TORCEDORES DO FLAMENGO PARTIRAM EM DIREÇÃO A UM PEQUENO GRUPO DE TORCEDORES DO BANGU, NO MÁXIMO UNS QUINZE CARAS, IA SER UM MASSACRE. QUANDO CHEGAMOS PERTO, EU CORRENDO NA FRENTE, UM DOS TORCEDORES DO BANGU SACOU UMA ARMA E APONTOU BEM NA MINHA DIREÇÃO. TRAVEI, FIQUEI IMÓVEL, À ESPERA DO PIOR. NÃO ACONTECEU NADA, DEMOS MEIA VOLTA, MAS AQUELE SUSTO ME FEZ PENSAR PELA PRIMEIRA VEZ EM DEIXAR A TORCIDA JOVEM. QUANDO O FLAMENGO FOI PARA FINAL COM O SANTOS NAQUELE MESMO ANO, SENTI QUE ERA A HORA."

Suas preces foram atendidas. O Flamengo venceu por 3 a 0, gols de Zico, Leandro e Adílio e conquistou o título. Ironicamente, após o apito final, Serginho Chulapa, um atacante de temperamento explosivo, que marcou época no futebol brasileiro com gols e confusões (além de uma incrível chance perdida na fatídica derrota do Brasil para a Itália na Copa de 1982), iniciou uma pancadaria sem precedentes na história do Maracanã, envolvendo jogadores santistas e vários profissionais da imprensa esportiva carioca. Alexandre Frota não teria feito melhor em sua despedida.

IDENTIDADE FROTA
A ESTRELA E A ESCURIDÃO
5.0

X-MEN PRIMEIRA CLASSE: JOÃO GRANDE E OS CAPITÃES DA AREIA

Não foi difícil para Alexandre Frota largar o Flamengo e sua vida de líder de torcida organizada. A paixão pelo teatro já falava mais alto. Frota estava fascinado por aquele mundo do *show business*. Observava atentamente tudo ao seu redor: iluminação, figurinos, ensaios, produção e direção. Ele queria viver aquilo e tinha que ser intensamente, como tudo em sua vida. Frota trazia consigo a agressividade das arquibancadas, sua personalidade tinha sido forjada lá para o bem ou para o mal. Isso o destacava em relação aos demais atores iniciantes.

"Estava muito focado naquele momento. Tive várias chances de cheirar cocaína, mas disse não. Só fumava maconha. No Tablado eu era considerado um cara meio careta, não bebia, não cheirava, mas o que mais me chamou atenção foi a percepção que no teatro as pessoas ficavam magoadinhas, melindradas. Porra, eu vinha de um mundo onde as pessoas ficavam putas de verdade e extravasavam seus sentimentos, que era o mundo das arquibancadas, da porradaria antes e depois do jogo."

É no Tablado que Alexandre Frota conhece uma das pessoas mais importantes de sua vida, o ator, diretor, cenógrafo e figurinista Carlos Wilson, mais conhecido no meio teatral como Damião. O apelido surgiu logo em sua chegada ao Tablado em 1970. No primeiro encontro com Maria Clara Machado, uma lenda do teatro brasileiro, veio o convite para atuar na montagem de "Cosme e

Damião". Sua atuação a impressionou e ela passou a chamá-lo pelo nome de seu personagem. O apelido pegou. Carlos Wilson, o Damião, foi responsável pelo surgimento de várias gerações de jovens atores como Andréa Beltrão, Malu Mader, Felipe Camargo, Guilherme Fontes e Cláudia Abreu. Com Damião, todos ali no Tablado respiravam teatro 24 horas por dia. Mestre na prática teatral, orientava exaustivamente expressões, gestos e posicionamento de cada um de seus alunos e costumava promover, à noite em sua casa, sessões de leitura de grandes autores. Não é exagero dizer que Damião foi mais do que um professor de teatro para Alexandre Frota e toda essa turma, ele foi um de seus mentores. Foi Damião quem forjou no Tablado o ator viril, bruto, que Frota viria a se tornar. Um ator com o "physique du rôle" perfeito para determinados papéis, como o de João Grande em "Capitães da Areia".

"Capitães da Areia" é um romance de Jorge Amado publicado em 1937. Ambientado na Salvador dos anos 30, retrata a vida de um grupo de menores de rua que pratica pequenos delitos. Entre os menores havia o João Grande, um personagem que mesmo sem ser o líder, é respeitado pelo grupo em virtude de sua coragem e da grande estatura, o equivalente ao herói mutante Colossus, dos *X-Men*. João Grande ajuda e protege os novatos do bando contra atos tiranos praticados pelos mais velhos, ou seja, perfeito para o grandalhão estreante Alexandre Frota.

Capitães da Areia teve grande repercussão literária. No ano de seu lançamento, em 1937, sob a infame alegação de que se tratava de uma obra "nociva à sociedade" e objeto de propaganda comunista, o romance foi recolhido das livrarias do Rio de Janeiro. Em Salvador, no mesmo ano, mais de 800 exemplares foram queimados em uma praça pública, no sentido literal da expressão, junto com outras obras consideradas ofensivas pelo governo federal.

A ideia de montar Capitães da Areia surgiu em uma dessas reuniões na casa de Damião ainda no ano de 1980. A partir daí, ele foi selecionando o elenco e realizando leituras, ensaios e laboratórios em sua própria casa no Humaitá.

Foi a primeira montagem de Damião fora do Tablado e um sucesso estrondoso entre os jovens. No elenco, Maurício Mattar, Roberto Bataglin, Felipe Camargo, Alexandre Frota, Roberto Bomtempo, Bianca Byington, Dedina Bernardelli, Roney Villela e Tiago Santiago (hoje autor de novelas), entre outros.

"Era uma galera bacana, ficamos mais de um ano trabalhando na peça, lendo o livro. A Andréa Beltrão foi nossa figurinista, o Cláudio Baltar e o Chico Diaz os nossos instrutores de capoeira. A gente convivia muito. Lembro que a primeira pessoa que eu conheci no Tablado foi o Maurício Mattar, no palco. Mais tarde, descubro que ele também morava na Tijuca e a gente passa a ir para casa juntos, de ônibus. Às vezes estávamos tão cansados dos ensaios que dormíamos e só acordávamos no ponto final na Usina (bairro próximo ao Alto da Boa Vista), na subida do Alto."

Capitães da Areia estreou no Teatro CEU no Flamengo, apenas cinco apresentações para acertar alguns detalhes e afinar o elenco. A estreia para valer aconteceu em seguida, no Teatro dos Quatro, na Gávea. Na plateia, sua mãe e sua irmã assistiram orgulhosas a atuação de Alexandre e tiveram uma surpresa ao reconhecer no cenário alguns lençóis de casa que ele havia levado na surdina junto com algumas peças de roupas de sua mãe que serviram de figurino em alguns momentos. Ao final, aplausos e uma certeza:

"Arrebentamos! A peça conquistou o público jovem, foi uma loucura. O teatro lotava com semanas de antecedência. A gente saía do teatro e tinha uma multidão nos esperando, parecia os Menudos. O Maurício Mattar fazia o Pirulito, o Roberto Bataglin era o Pedro Bala, o Felipe Camargo era o Gato, a Dedina Bernardelli era a Dora e eu o João Grande..Aí o Jorge Amado vem ao Rio ver a peça, ele e o Caetano Veloso. O teatro ficou lotado!"

Jorge Amado viu e aprovou. A peça entrou em cartaz em 1982 no Teatro dos Quatro, teve uma rápida passagem pelo Teatro Casagrande, no Leblon, mas se consagrou mesmo no Teatro Ipanema. No dia da reestreia, uma notícia chocante: sua avó paterna, Dona Jandira, faleceu em Copacabana nos braços de seu pai. Frota ficou abalado. Naquele momento veio a recordação de uma avó sempre carinhosa e que na separação dos pais, fez questão de apoiar sua mãe.

"Minha vó Jandira (emocionado) tinha paixão por mim e eu por ela. Meu pai quando se separou foi morar com ela. Foi uma guerreira, ajudou muito minha mãe. Eu soube porque ligaram para o Teatro Ipanema momentos antes da peça começar, tive que segurar muita a onda na hora de entrar no palco."

Alexandre Frota superou a dor e começou com o pé direito a nova temporada de Capitães da Areia, dessa vez, em Ipanema. Virou febre, cult, programa obrigatório dos jovens de 15, 16 e 17 anos que lotavam as sessões e formavam gigantescas filas nas ruas. Nessa época, tudo que fazia sucesso na zona sul carioca reverberava em todo o Brasil. Do Rio para Sampa, foi um pulo. Capitães da Areia fez temporada no Tuca, o Teatro da PUC de São Paulo, famoso por suas manifestações políticas. Depois, já sem Alexandre Frota e boa parte do elenco, excursionou por várias capitais.

Mesmo saboreando seu primeiro sucesso, Alexandre Frota já dava mostras do que iria se tornar uma constante em sua carreira, a instabilidade.

"Sempre tive uma coisa, que é um defeito meu, eu sempre vou até o fim das coisas, mas desapego muito fácil. O desapego das coisas vem quando elas estão fazendo o maior sucesso, no momento que eu não tinha que desapegar, eu desapego."

BINGO! MATOU A CHARADA. ALEXANDRE FROTA NUNCA TEVE PROBLEMA PARA ASSUMIR SEUS ERROS, MAS SEMPRE TEVE UMA ENORME DIFICULDADE DE COLOCAR TUDO EM PERSPECTIVA, OU EM UMA BALANÇA. UM CARA QUE NÃO COSTUMA OLHAR PARA TRÁS E NEM PARA FRENTE. AOS 50 ANOS, ESTA TALVEZ SEJA UMA DAS REFLEXÕES MAIS IMPORTANTES QUE ELE JAMAIS HAVIA FEITO. DE UM COMPORTAMENTO PADRÃO QUE TEVE INÍCIO EM CAPITÃES DA AREIA, SEU PRIMEIRO SUCESSO NO TEATRO.

No auge de Capitães da Areia, em 83, eu fui no Teatro Senac em Copacabana assistir a uma peça chamada Blue Jeans, com direção do Wolf Maia. Era um texto que falava da vida de garotos de programa, tinha o Fábio Mássimo e o Luciano Sabino no elenco. Me apaixonei pela peça, cismei que tinha que fazer, ainda mais com o meu porte físico. Devo ter visto aquela peça mais de 12 vezes. Como ainda não estava sindicalizado, não deu para fazer, mas logo depois, vi um musical, o Village New York, que o Wolf montou na antiga boate Papagaio na Lagoa com Guilherme Karan, Eduardo Martini, Liane Maya e o Julio César, o Pedrinho do Sítio do Pica Pau Amarelo. Eu era fascinado por musicais e surgiu uma oportunidade de fazer a montagem em São Paulo, no teatro Paiol e aí eu simplesmente abandonei Capitães da Areia. Falei para o Damião que estava indo embora e fui para São Paulo. Cheguei a passar fome no início, me hospedei na casa de uma tia na Vila Mariana, pegava ônibus para lá e para cá, mas consegui. Só que quando eu me dei conta do sucesso de Capitães da Areia no Rio, resolvi procurar o Damião. Tínhamos uma relação de amor e ele me aceitou de volta. Eu fazia Capitães da Areia às segundas e terças no Teatro dos Quatro, pegava o ônibus Expresso Brasileiro na quarta cedinho, e à noite já estava em cena no Teatro Paiol com o musical Village New York. Fiquei nessa loucura quase um ano, depois voltei para o Rio e fui fazer o Capitães da Areia, no Teatro Ipanema, justamente quando a peça vira um fenômeno entre a juventude."

TANTO BLUE JEANS COMO VILLAGE NEW YORK, ESPETÁCULOS TEATRAIS DIRIGIDOS POR WOLF MAYA, COM SUCESSO NOS ANOS 80 E 90, RETRATAVAM O SUBMUNDO DOS GAROTOS DE PROGRAMA, UM UNIVERSO QUE FASCINAVA ALEXANDRE FROTA. O MUSICAL NOVA-IORQUINO VILLAGE NEW YORK, AMBIENTADO EM UM BAR GAY EM GREENWICH VILLAGE, AO SUL DE MANHATTAN, MOSTRAVA A INICIAÇÃO SEXUAL DE UM JOVEM COM O PERSONAGEM DE FROTA, QUE FICAVA NU EM CENA TODAS AS NOITES.

Tirar a roupa nunca foi problema para ele, que desde cedo descobriu que o mais difícil para qualquer pessoa é despir-se de seus preconceitos. Nem sempre a vida imita a arte.

SURFANDO NA ONDA DO MENINO DO RIO

O sucesso da peça Capitães da Areia coincidiu com o grito de liberdade da juventude carioca nos anos 80 ávida por mudanças políticas e culturais. A mesma juventude que lotava teatros, salas de cinema e shows de rock brasileiro compareceu em massa aos comícios na Praça da Candelária no Centro do Rio para apoiar o movimento "Diretas Já", que clamava por eleições diretas para Presidente da República. Foi um período de muitas transformações.

O Rio de Janeiro confirmava sua tradição cosmopolita e inovadora, aglutinando novas tendências, misturando tudo e exportando para todo o Brasil. Moda e cultura influenciando o comportamento e a maneira de pensar. O Rio era o polo de todas essas novidades que falavam diretamente para o público jovem. No teatro, além de "Capitães da Areia", o grupo Asdrúbal Trouxe o Trombone com Regina Casé, Luiz Fernando Guimarães, Evandro Mesquita e Patrícia Travassos renovava a linguagem do humor e abria as portas para a "Tv Pirata" na Globo, influenciados pelo grupo inglês Monty Python; o rock nacional bombava na rádio Fluminense FM, a Maldita; os cariocas da Blitz, Barão Vermelho, Lobão e Lulu Santos se juntavam aos paulistas Ultraje a Rigor, Ira e Titãs, às bandas de Brasília Paralamas do Sucesso, Legião Urbana, Plebe Rude e Capital Inicial, aos baianos do Camisa de Vênus e aos catarinenses dos Engenheiros do Hawaii, entre muitos outros (Kid Abelha, RPM, Léo Jaime, Celso Blues Boy, Gang 90 e as Absurdettes, João Penca e os Miquinhos Amestrados,

Picassos Falsos etc.), uma época de ouro. O grande palco desses shows históricos foi o Circo Voador idealizado pelo "ex-Asdrúbal" Perfeito Fortuna, inicialmente no Arpoador, e depois em definitivo na Lapa. Nos finais de semana, toda essa galera subia o bondinho do Morro da Urca para tocar nas Noites Cariocas promovidas por Nelson Motta; e no cinema, o filme "Menino do Rio" com André de Biase, Cláudia Magno, Ricardo Graça Mello, Sérgio Mallandro, Cissa Guimarães e Evandro Mesquita retratava com perfeição todo esse momento mágico com lindas imagens da cidade maravilhosa e sua juventude dourada nas praias ao som de uma trilha sonora antológica. Destaque para as músicas "De Repente Califórnia", cantada por Lulu Santos, e "Garota Dourada", da banda paulista Rádio Táxi, que embalavam um verão sem fim. "Menino do Rio" foi o embrião para a chegada da série "Armação Ilimitada" na Tv Globo, e na sequência, o próprio Rock in Rio. Alexandre Frota viveu isso tudo em sua juventude. Criado no subúrbio da zona norte, surfou na onda do Menino do Rio e demarcou seu território nas areias escaldantes de Ipanema na zona sul carioca.

"EU ESTAVA DESLUMBRADO, FAZENDO UM SUCESSO QUE EU NUNCA TINHA EXPERIMENTADO, E OLHA QUE NEM FAZIA TV AINDA, MAS JÁ ERA RECONHECIDO NAS RUAS DE IPANEMA E DO LEBLON. ERA ÉPOCA DO POSTO 9 EM IPANEMA. AS MESMAS GATAS QUE FREQUENTAVAM A PRAIA ALI EM FRENTE IAM PARA O TEATRO DEPOIS E ASSISTIAM VÁRIAS VEZES A NOSSA PEÇA PARA PODER DISCUTIR À NOITE NO BAIXO LEBLON. A BIANCA BYINGTON VIRA A MUSA DAQUELE VERÃO, O CAETANO SE ENCANTA COM O MAURÍCIO MATTAR E UM DIA EU OLHO PARA A PLATEIA E TÁ LÁ O ANTÔNIO CALMON, QUE TINHA ACABADO DE DIRIGIR O MENINO DO RIO QUERENDO ME CONVIDAR PARA FAZER A CONTINUAÇÃO, EU, O ROBERTO BATAGLIN, O FELIPE MARTINS E A BIANCA. ISSO TUDO MEXEU MUITO COM A CABEÇA DA GENTE, NÃO ESTÁVAMOS PREPARADO PARA O SUCESSO."

Em meio a toda essa agitação cultural, Alexandre Frota e toda a juventude da época prestigiaram em massa o lendário show que Pepeu e Baby fizeram no Arpoador, nos primórdios do Circo Voador. Um cenário perfeito para as primeiras apresentações da Blitz com Evandro Mesquita e Fernandinha Abreu. Foi em um desses shows que Frota conheceu o estilista Simon Azulay, criador da Yes Brazil, e que revolucionou a moda nos anos 80.

"Estávamos no show da Blitz, um monte de gente bonita, aí alguém chega e me convida para fazer teste para desfilar na Yes Brazil. Cheguei lá e tinham dezoito modelos. O Simon apareceu, apontou para mim e disse:

- Esse garoto aí, qual é o nome dele?
- Alexandre! – respondi, olhando bem em seus olhos. O Simon me analisou de cima a baixo e falou em voz alta para todo mundo ouvir:
- Ele vai ser o garoto Yes Brazil, o resto vai desfilar atrás dele.

Meu ego explodiu. Lembro que fiz o grande desfile da Yes Brazil naquele ano no Morro da Urca junto com a Xuxa. A gente teve que tomar banho de roupa para entrar na passarela com a roupa molhada, foi um arraso. **O SIMON MANDOU FAZER SUNGAS PARA MIM, ROUPAS EXCLUSIVAS, ME ELEGEU SEU FAVORITO. SAÍAMOS JUNTOS, VIAJÁVAMOS PARA BÚZIOS, FREQUENTÁVAMOS GERIBA, PASSEÁVAMOS DE LANCHA. TODO MUNDO DIZIA QUE EU ERA O GAROTO DO SIMON AZULAY. ELE ME DAVA PRESENTES, CHEGOU A ME DAR UM CARRO, ME TRANSFORMOU EM UM MODELO.** Não sei bem o motivo de tantos presentes, mas fazer o que? O cara quer me dar dinheiro? Ok, me dá (enfático). Quer me dar um carro? Ok, me dá."

ANTES DAS CORTINAS DESTE ATO SE FECHAREM, PERGUNTEI AO FROTA QUE FIM LEVOU AQUELE CARRO PRESENTEADO POR AZULAY, JÁ QUE DURANTE TODO O PERÍODO EM CARTAZ COM CAPITÃES DA AREIA ATÉ AS PRIMEIRAS NOVELAS NA TV GLOBO, ELE SEMPRE MENCIONAVA QUE ANDAVA DE ÔNIBUS. PENSOU UM POUCO E RESPONDEU COM A FRANQUEZA HABITUAL.

- "CHEIREI ELE" – COMENTOU SEM DAR MUITA IMPORTÂNCIA.

IDENTIDADE FROTA
A ESTRELA E A ESCURIDÃO
5.0

AS DOZE ENCRENCAS DE HÉRCULES

No embalo do sucesso de "Capitães da Areia", Damião partiu para uma nova montagem teatral apostando no carisma de sua novíssima safra de jovens atores. Em 1983, o Teatro O Tablado anunciava "Os 12 Trabalhos de Hércules", de Monteiro Lobato, com direção de Carlos Wilson, o grande Damião. No elenco, mais de 30 atores com menos de 20 anos, alguns egressos de Capitães da Areia como Felipe Camargo, Maurício Mattar, Roberto Bataglin e o próprio Alexandre Frota, que viveu Hércules, o personagem título da peça. Além desses quatro, impressiona o número de atores que iria brilhar em novelas da Globo nas décadas seguintes, todos lançados por Damião em "Os 12 Trabalhos de Hércules": Malu Mader, Marcos Palmeira, Drica Morais, Marcello Novaes, Sílvia Buarque, Guilherme Fontes, Enrique Diaz, Cláudia Mauro, André Felippe Mauro, Carla Daniel, Felipe Martins e Paula Lavigne. Novamente, a peça estourou. Lotação esgotada e filas na porta. O barulho provocado pelo "vizinho" Tablado chamou atenção dos diretores da Tv Globo. Quando viu a jovem Malu Mader em cena, com apenas 16 anos, o diretor Dennis Carvalho não teve dúvida e a convidou ali mesmo no camarim para um dos principais papéis da novela "Eu Prometo" de Janete Clair naquele mesmo ano. Alexandre Frota tinha 19 anos e também estava apenas começando.

"Foi nessa época que eu comecei a me envolver com um monte de atrizes e arrumei várias encrencas. Aquele meu namoro com a Cláudia, do Méier, já tinha ficado para trás, aliás, o Méier, a Tijuca, a

Torcida Jovem do Flamengo, minha namorada, minha família, deixei tudo para trás, só queria viver aquele novo momento com tudo que eu tinha direito."

Dito e feito, Alexandre Frota começa a colecionar romances, casos, namoricos, tudo muito fugaz, como a assessora de imprensa de um dos grandes nomes da MPB, depois produtora, com quem ele vive uma tórrida paixão e praticamente se muda para o apartamento dela. A alegria durou pouco, até descobrir que ela também namorava uma famosa cantora da MPB, Marina Lima.

"ELA ERA MAIS VELHA QUE EU. A GENTE TRANSAVA DIRETO E ELA SEMPRE FALAVA QUE A VIDA NÃO ERA COMO EU PENSAVA, CHEIA DE REGRAS, QUE EU TINHA QUE SER MAIS LIVRE, TER A CABEÇA MAIS ABERTA. EM UMA NOITE, PELADOS NA CAMA, ELA ME CONFESSA QUE ESTAVA NAMORANDO TAMBÉM UMA MULHER. CARACA! EU NÃO SABIA SE FICAVA EMPOLGADO PORQUE ELA NAMORAVA UMA CANTORA QUE BOMBAVA NAS RÁDIOS E NA TV OU SE FICAVA PUTO COM ISSO. CHEGUEI A PENSAR: OBA! VOU COMER A MARINA TAMBÉM, MAS JÁ IMAGINOU SE ELA TOMA A MINHA MULHER? ERA DEMAIS PARA MINHA CABEÇA, AÍ TERMINEI TUDO."

Não houve tempo para lamentações. Frota logo se envolveu com uma colega de elenco de "Os 12 Trabalhos de Hércules" e lá foi ele de mala e cuia para a casa de sua nova "namorada", corrigindo, para as casas, já que o pai morava no Leme e a mãe na Urca. A essa altura, as paixões de Alexandre Frota cumpriam um mesmo ritual, reclusão e sexo, muito sexo. Se tiver que morar junto, ele até preferia, evita o tempo de deslocamento de ônibus, ainda mais morando na Tijuca do outro lado do Túnel Rebouças. Sua nova paixão é intensa, visceral, mas também cheia de atritos e discussões. Quem via aquele físico franzino, ainda mais diante de um jovem hercúleo como Frota, não imaginava a obstinação e a capacidade de trabalho que residiam naquela jovem, dona desde cedo de uma personalidade fortíssima. Mexer com ela seria arrumar uma senhora encrenca, um trabalho de Hércules. Frota estava certo que tinha encontrado sua cara metade, que ficaria com ela para o resto de sua vida. A "certeza" durou pouco.

"Fui muito apaixonado pela Paulinha Lavigne. Em determinado momento que achei que seria para sempre. Até que um dia, estava lá na casa dela quando seu pai veio me pedir para pegar no aeroporto uma prima distante da Paula que estava chegando dos Estados Unidos. Fui para o Galeão e fiquei esperando com aquela plaquinha ridícula na mão com o nome da moça. Aí surge uma gata caminhando na minha direção, um mulherão estilo Cindy Crawford. Fiquei louco. Era ela, a tal prima distante. Me apresentei e já saímos dali conversando super animados. Olhava dentro dos olhos dela, muito amarradão. Paramos para comer e daqui a pouco começamos a nos beijar. Foi tudo tão rápido que, quando percebi, já estávamos em um motel. Ficamos dois dias seguidos engalfinhados na cama. Faltei aos ensaios, só queria ficar transando com aquela mulher sensacional. Dois dias depois, eu finalmente apareci com ela no apartamento da Paula, sua prima, de manhã bem cedo. Quando a Paulinha nos viu chegando juntos, surtou. Foi para cozinha, pegou um copo de vidro enorme e arremessou na minha direção, na frente do pai dela. Por sorte, eu consegui desviar e desci correndo pelas escadas. A Paulinha talvez tenha sido a única mulher que me botou para correr. Quando eu já estava no calçadão do Leme, escutei seus gritos pela janela:

- Nunca mais eu te quero, você ouviu? Nunca mais! - E começou a jogar um monte de roupa minha pela janela, atirou um quadro meu de Hércules, que era da nossa peça. Tentei salvar, mas não deu, quebrou. Eu olhava aquelas roupas voando pela janela, parecia uma cena em câmera lenta, as pessoas na rua olhando aquele barraco, até que a polícia apareceu. Expliquei tudo e fui embora levando o quadro quebrado, com um monte de roupa na mão. Logo depois ela começou outro namoro, um namoro que ninguém botava fé, e se casou com o Caetano Veloso. No meu tempo era magrinha, depois virou um mulherão, em todos os sentidos, uma grande profissional. Hoje a gente é amigo, já nos encontramos várias vezes, conversamos em uma boa. Gosto muito dela e do Caetano, um artista maravilhoso. Na época em que eles eram casados, teve uma vez que a gente se cruzou em uma festa, o Caetano me cumprimentou com um beijo e um abraço. Sempre tivemos um grande carinho um pelo outro. Ele olhando para a Paula e para mim com um sorriso maroto e disse:

- Como vai, Grande? Olhe Paulinha... – e ficou rindo, tirando sarro da gente."

A fila andou para os dois, depois para os três. Frota seguiu com suas confusões amorosas, dentro e fora do Tablado, quase não dormia mais em casa.

"EU ME AFASTEI DA FAMÍLIA. ESQUECI MINHA MÃE, ESQUECI MINHA IRMÃ, JÁ NEM TINHA MAIS CONTATO COM MEU PAI, DORMIA ONDE DAVA. CAÍA NA CASA DO DAMIÃO, CAÍA NO "APÊ" DE ALGUM *BROTHER* OU DE ALGUMA GATA QUE EU ESTAVA COMENDO, EU COMIA VÁRIAS. NESSE PERÍODO, CHEGUEI A DIVIDIR UM APARTAMENTO NA RUA RAINHA ELIZABETH, EM COPACABANA, COM O ATOR ROBERTO BOMTEMPO, MEU AMIGO E COLEGA DE TABLADO. LEVEI MUITA MULHER PARA LÁ."

No teatro, viveu uma atração quase fatal com uma mulher casada. Foi flagrado pelo marido, de arma em punho, no carro dela. A esposa tinha procurado um curso de interpretação no Tablado para combater o tédio conjugal, o que só reforça a frase "cuidado com o que você deseja". Queria fugir do marasmo e encontrou pela frente um jovem garanhão pronto para entrar em cena. Mais um barraco no meio da rua com gritos e ameaças de morte. Felizmente, ninguém se feriu. O casal retomou sua rotina e Frota seguiu no Tablado, só que a euforia pelo sucesso nos palcos foi dando lugar a uma certa ansiedade, afinal, o pecado e a Globo moravam ao lado.

"Durante os 12 Trabalhos de Hércules, eu e o Maurício (Mattar) começamos a desejar a Globo. Estávamos ansiosos para fazer alguma novela. A gente andava direto na frente da portaria da emissora esperando encontrar alguém, esbarrar com algum diretor. Chegávamos de manhã, ficávamos na padaria da esquina, às vezes passava algum ator, algum diretor. Até que conhecemos o Moacyr Deriquém, ator, diretor e gay assumido. Ele ficou bem impressionado com a gente e nos convidou para entrar. Foi a primeira vez que entramos na Globo, quer dizer, eu já tinha entrado quando criança com meu pai, só faltava encontrar de novo com o Tarcísio Meira."

Tarcísio Meira não apareceu, mas Alexandre Frota já tinha uma senha para passar pela portaria da Globo, bastava chamar Moacyr Deriquém. Frota sempre soube tirar proveito do fascínio que causava tantos nas mulheres como nos homens.

IDENTIDADE FROTA
A ESTRELA E A ESCURIDÃO
5.0

"Eu sempre via a classe artística dos atores gays, me olhando, me cobiçando. Terminava os ensaios no Tablado e seguia para o La Trattoria, ao lado do Copacabana Palace, um point gay frequentado por gays mais velhos, por atores gays do teatro e da tv. Eles me bajulavam, pagavam bebidas, meu jantar, queriam mesmo me seduzir e se viam seduzidos por mim. Eu tinha 19, 20 anos nessa época. Andava muito com o Carlos Wilson, tinha gente que jurava que eu tinha um caso com ele, mas tanto eu como o Maurício Mattar, o Roberto Bataglin e o Felipe Camargo, amávamos o Carlos Wilson fraternalmente. Abraçava ele, beijava. Era um amor, um carinho, misturado com admiração, respeito, gratidão, afinal foi ele quem lançou a gente, ensinou um monte de coisa. O Carlos Wilson enxergava longe, tenho saudade dele, muita saudade."

MATOU O CINEMA E FOI À FAMÍLIA

Antes de realizar seu grande sonho de entrar para a televisão, no caso a Tv Globo, Alexandre Frota estreou no cinema. Com o mega sucesso alcançado pelo filme "Menino do Rio" em 1982, provavelmente o melhor filme de verão já produzido pelo cinema nacional, uma continuação era inevitável. O diretor Antônio Calmon não quis mexer em um time que estava ganhando e trouxe de volta o trio do primeiro filme: André de Biase, novamente como protagonista, Sérgio Mallandro e Ricardo Graça Mello. Em sua busca por novas caras, encontrou o que procurava no Tablado. Bianca Byington foi escolhida para ser o novo par romântico do surfista Valente, de André de Biase, e Roberto Bataglin foi escalado como o vilão. Completavam o elenco Alexandre Frota, Marcos Palmeira, Felipe Martins e o próprio Carlos Wilson, o Damião. A principal mudança foi a locação: em vez do Rio, a paradisíaca Garopaba, no litoral de Santa Catarina, com praias perfeitas para o surfe e morros que permitiam o voo livre, os dois esportes que marcaram "Menino do Rio". Só que ao contrário de seu antecessor, o resultado de "Garota Dourada" foi desastroso, constrangedor, como a maioria dos filmes nacionais feitos para o público jovem nos anos 80. Por sorte, o fracasso dessa continuação não respingou em ninguém do elenco, até porque todos eram muito jovens e ainda desconhecidos, mas praticamente sepultou a carreira de Calmon como diretor. Em contrapartida, o sucesso de "Menino do Rio" o levou para a Tv Globo, onde criou, em parceria com Guel Arraes, Nelson Motta, Patrícia Travassos e Euclydes Marinho, a premiada série de tv "Armação Ilimitada", direcionada para os jovens, com André de Biase, Kadu Moliterno, Andréa Beltrão e direção geral de Guel Arraes. Anos depois, como autor de novelas, Calmon se consagraria com "Vamp", lançando um punhado de jovens atores e arrebatando o público adolescente. Já a carreira de Alexandre Frota não decolou em "Garota Dourada", a não ser, no duplo sentido.

"A GENTE ACHAVA QUE IA FAZER O MESMO SUCESSO DE MENINO DO RIO. FUI PARA GAROPABA, FIQUEI QUASE TRÊS MESES POR LÁ EM 1983. TRÊS MESES PARA FILMAR DUAS CENAS DE MERDA. FOI NESSE PERÍODO QUE CONHECI A COCAÍNA. PRIMEIRO VEIO O ÁLCOOL, QUE CONSIDERO A PORTA DE ENTRADA PARA TODAS AS DROGAS. DESCOBRI QUE DEPOIS DA QUARTA CERVEJA BATIA UMA ONDA. ANTES DISSO EU NEM ERA MUITO CHEGADO EM BEBIDA ALCOÓLICA, SÓ FUMAVA BASEADOS. SEM TER O QUE FAZER EM GAROPABA, COMECEI A BEBER TODAS AS NOITES, DEPOIS VEIO O CHÁ DE COGUMELO E FINALMENTE A COCAÍNA, ROLOU MUITA COCAÍNA. MERGULHEI NO PÓ E NÃO ME DEI CONTA DA ROUBADA QUE TINHA ME METIDO. MEU PROBLEMA É QUE EU NUNCA TIVE UM GERENCIAMENTO NA MINHA CARREIRA, ALGUÉM PARA ME DIZER, POR EXEMPLO, PARA NÃO FAZER ESSE FILME. PORRA, EU E O BATAGLIN COMEÇAMOS JUNTOS NO TABLADO, SÓ QUE ELE FEZ UM DOS PRINCIPAIS PAPÉIS, O DE VILÃO, E EU FIQUEI COMO UM FIGURANTE. SE OLHAR MINHA PARTICIPAÇÃO VAI VER QUE ESTOU RIDÍCULO, NEM TENHO QUASE NENHUMA FALA. E PARA PIORAR, EMBARQUEI NA COCAÍNA. VOLTEI DE GAROPABA VICIADO EM COCA."

Falando em cinema convencional, não o cinema pornô, que viria bem depois, Alexandre Frota atuou em sete filmes ao longo de sua carreira, seis longas e um curta filmado em 2012. Detestou quase tudo que fez. Após a péssima experiência em "Garota Dourada", participou meses depois da pornochanchada "Os Bons Tempos Voltaram, Vamos Gozar Outra Vez", dirigida por Ivan Cardoso, que volta e meia é exibida no Canal Brasil. Aqui, vale uma explicação: a pornochanchada brasileira foi um gênero muito popular que lotou salas de cinema nos anos 70 e boa parte dos 80. Apesar do nome que remete às chanchadas brasileiras dos anos 50 e 60, na verdade eram filmes inspirados nas comédias eróticas italianas dos anos 70, com um humor mais malicioso, cenas de nudez e sexo encenado de forma bem teatral. Nada a ver com os filmes de sexo explícito estrelados por Frota entre 2004 e 2009. O enredo de "Os Bons Tempos Voltaram..." mostra bem isso. Dividido em dois episódios (Marcos Frota estrelou o primeiro, hilário), no segundo, uma jovem de família tradicional (Carla Camurati, linda) planeja perder a virgindade, mas se desencontra do namorado (Paulo César Grande), toma um pileque e resolve se entregar para o valentão da turma (Alexandre Frota, lógico). Na hora H, o garanhão falha e quem fica com ela é seu primo (Pedro Cardoso, também em início de carreira), um típico nerd, tímido e complexado pelas gozações do personagem marrento de Frota. Difícil saber quem detestou mais esse filme, se Pedro Cardoso, que já manifestou publicamente sua aversão, ou Alexandre Frota.

"Deu tudo errado! Eu estava impressionado com a Carla Camurati, já a tinha visto na Playboy, nas novelas, queria comer ela. Queria, mas não comi, nem no filme nem na vida real. Eu não devia ter aceitado participar. Se o Marcos Frota era o principal ator do outro episódio, eu tinha que ser também. E teve uma outra coisa que me irritou muito: não conseguia entender como eu, com a virilidade que eu tinha, ia fazer o papel de um cara que broxava. Porra! Broxar logo com a Carla Camurati?? Eu não entendia que isso era ser ator, na minha cabeça, eu só queria ser o Tarcísio Meira da parada."

Pelas razões erradas, Alexandre Frota detestou o filme. Seu raciocínio evidenciava a enorme dificuldade que tinha em compreender a verdadeira dimensão de atuar, se entregar a um personagem. Buscava suas próprias referências, sempre em atores másculos, viris, que admirava.

"Eu cresci com o Tarcísio Meira na cabeça. Achava que para me tornar o novo "Tarcísio Meira" tinha que fazer aqueles personagens heróicos, no máximo um papel cômico de vez em quando. Acreditava que ia entrar para a Globo, ser o centro das atenções e deu no que deu. Por pensar desse jeito e não ter ninguém para me orientar, acabei me fudendo depois."

Alexandre Frota seguiu filmando o que viesse pela frente. Depois de "Os Bons Tempos Voltaram…", topou participar de uma "pérola" do cinema nacional, "As Aventuras de Sérgio Mallandro", ao lado de Mara Maravilha, Pedro de Lara e o Palhaço Rolinha. O próprio Sérgio Mallandro, na época um dos apresentadores do "Povo na Tv" e jurado do "Show de Calouros", de Silvio Santos, dois clássicos do

IDENTIDADE FROTA
A ESTRELA E A ESCURIDÃO
5.0

SBT, se lembra bem daquele jovem ator, iniciando a carreira:

"FROTA MANDOU MUITO BEM. TEM UMA CENA HILÁRIA NO FILME QUE EU ESTAVA FUGINDO VESTIDO DE MULHER DA GANGUE DO SAUDOSO PEDRO DE LARA, O VILÃO DA HISTÓRIA. O FROTA PASSOU DIRIGINDO UMA MERCEDES CONVERSÍVEL E EU PULEI NO CARRO. ELE FICOU EMPOLGADO, TENTAVA ME BEIJAR PENSANDO QUE EU ERA UMA GATA. A CRIANÇADA MORREU DE RIR COM ESSA CENA, GLU-GLU, YEAH YEAH!"

Na sequência, na gíria do Mallandro, Frota "salci fufu". Encarou a "A Rota do Brilho", um policial trash de quinta categoria rodado em São Paulo, "contracenando" com Gretchen, o stripper dublê de ator Marcos Manzano e Lilian Ramos, a modelo que posou sem calcinha ao lado do então Presidente da República Itamar Franco em um camarote de carnaval. Sorte que ninguém viu o filme. Também fez uma pequena ponta em "Escorpião Escarlate", dirigido pelo mesmo Ivan Cardoso de "Os Bons Tempos Voltaram...", criador do gênero "terrir" misturando terror com comédia. Somente em 1990, Alexandre Frota experimentou o gostinho de ter realizado ao menos um bom trabalho no cinema. Fez o papel do assassino Bebeto em "Matou a Família e Foi ao Cinema" de Neville de Almeida, um remake do clássico de Júlio Bressane. No elenco, Louise Cardoso, Cláudia Raia e Ana Beatriz Nogueira...

"Esse eu gostei de fazer, já estava separado da Cláudia Raia, e adorei trabalhar com o Neville. O "Rio Babilônia", que ele dirigiu no início dos anos 80, retrata bem o Rio que eu vivi naquela época com festas, drogas circulando à vontade e muito sexo, muita suruba. Pena que o Neville parou de filmar. Se ele tivesse continuado, eu poderia ter feito vários filmes dele."

MARCANDO MÁRIO GOMES EM VEREDA TROPICAL

Estava chegando a hora de Alexandre Frota na televisão. E antes de mais nada, vale dizer que não foi em um "teste do sofá", ou seja, em troca de favores sexuais, como muitos imaginam. Até hoje se escuta que determinado ator ou atriz fez o tal teste do sofá, alguns até generalizam, afirmando que "com todo mundo é assim", ignorando completamente o profissionalismo das emissoras de tv. Lógico que o jogo de sedução sempre existiu, assim como sexo no ambiente de trabalho, paixões avassaladoras, traições e assédio, mas nunca foi privilégio da televisão ou do cinema, acontece em todas as atividades profissionais, nas melhores empresas, "nas melhores famílias". Pena que o ato de generalizar por ignorância e difamar pessoas seja um esporte nacional.

Alexandre Frota estava ansioso para entrar para a Globo. Acreditava que iria se tornar o grande astro da emissora. A oportunidade chegou no ano de 1984. O sucesso de suas peças no Tablado, os desfiles pela Yes Brazil e sua amizade com Moacyr Deriquém, ator e diretor da Tv Globo, renderam o convite para uma pequena participação na novela das 19 horas "Vereda Tropical" de Silvio de Abreu e Carlos Lombardi. Mário Gomes era o protagonista, o jogador de futebol Luca, e, logo no primeiro capítulo, briga com o personagem de Alexandre Frota durante um jogo. Quase no final da novela, Frota foi escalado novamente para marcar Luca no jogo Corinthians e Vasco no Morumbi. A Tv Globo aproveitou a realização desse jogo pelo campeonato brasileiro e gravou algumas cenas com Mário Gomes entrando em campo, se aquecendo e comemorando o gol. Depois gravou as cenas de um jogo fictício com Mário Gomes em planos mais fechados. No Corinthians jogavam Casagrande, hoje comentarista de futebol da Globo, Dunga, Wladimir e Serginho Chulapa, aquele mesmo da pancadaria na despedida de Frota da Torcida Jovem do Flamengo no ano anterior. Todos participaram da gravação e apareceram na novela como colegas de time de Luca. O locutor Osmar Santos improvisou uma narração do gol de Luca e quase não deu para ver Alexandre Frota em cena com a camisa do Vasco (camisa que ele rejeitou do pai quando criança), tentando marcar o Luca. Mesmo uma pequena ponta, foi o primeiro trabalho de Frota na Tv Globo, a realização de um sonho, e teve um significado ainda maior pelo encontro com Mário Gomes, seu novo ídolo. Se Tarcísio Meira foi o grande herói de Frota quando criança e adolescente, aquele que o inspirou a fazer teatro, Mário Gomes personificava o ator que ele queria ser na televisão, galã, atlético, pegador e bom de comédia também.

"Eu era apaixonado pelo Mário Gomes, fui com muito orgulho seu sucessor como o ator de cenas sem camisa. Ele fez muitas novelas do Silvio de Abreu, do Carlos Lombardi, gravando sem camisa. Depois, quem fez isso na Globo fui eu e na sequência, Humberto Martins, Marcello Novaes e Marcos Pasquim, então, gravar aquela cena com ele em Vereda Tropical foi muito especial. Aí o tempo passa, o Mário Gomes toma todas aquelas porradas, a gente se reencontra e grava juntos "Perigosas Peruas", como protagonistas, olha só que incrível, eu e Mário Gomes juntos. Depois disso a gente só volta a se reencontrar na Record."

Mário Gomes foi a grande referência, o espelho profissional do jovem Alexandre Frota. Ator, cantor, galã de várias novelas das sete e das oito, sofreu um duro golpe em um boato infame espalhado por Carlos Imperial que teria sido atendido na emergência de um hospital com uma cenoura enterrada em seu ânus. Mário Gomes nunca mais se livrou desse boato, virou alvo de chacotas, mesmo emplacando vários sucessos em novelas da Globo. Anos atrás, ele acusou Daniel Filho, um dos grandes nomes da história da tv brasileira, diretor de dezenas de telenovelas de grande sucesso, de assédio moral e ser o responsável pela calúnia junto com Imperial. O motivo seria uma vingança pelo romance extraconjugal que Mário Gomes viveu com a atriz Betty Faria, seu par romântico na novela "Duas Vidas" e casada com Daniel na época. Mário Gomes processou Daniel Filho e o caso está justiça.

"Eu estava na Record e recebi uma ligação da esposa do Mário Gomes. Me falou que ele queria me procurar mas estava sem coragem para ligar, que ele estava muito mal, em depressão. Pedi para ela passar o telefone para ele.

- E aí, Mariola? – é assim que o chamava desde os tempos de "Perigosas Peruas". Ele se emocionou, desabafou comigo, me contou que não sabia mais o que fazer da vida, que estava sem dinheiro, sem trabalho. Falei para ele me esperar e liguei imediatamente para o Hiran Silveira, diretor de teledramaturgia da Record na época. Expliquei a situação e o Mário foi contratado pela Record, um contrato de quatro anos (se emociona lembrando a história). Pouca gente sabe, mas já ajudei muito algumas pessoas, teve o Mário, o Eri Johnson, o Marcello Novaes..."

Mas aí é outra história, outro capítulo desse livro. De volta a "Vereda Tropical", tanto Alexandre Frota como Maurício Mattar foram convidados a fazer pequenas participações, Maurício gravou no último capítulo. Nessa época, a mãe e a irmã de Frota já tinham se mudado para Copacabana, na rua Belfort Roxo. Como Dona Laís trabalhava na Urca, Copacabana ficava bem mais perto que a Tijuca. Frota, mesmo "desligado" da família, dormia lá de vez em quando, muitas vezes levava Maurício junto para ele não voltar para a Tijuca sozinho.

MAURÍCIO MATTAR

FALAR DO FROTA É MUITO FÁCIL PARA MIM. EU CONHEÇO O FROTA, O GRANDE, COMO QUASE NINGUÉM. PASSAMOS JUNTOS POR MUITAS COISAS. DIVERSAS VEZES DORMI NA CASA DA MÃE DELE. FROTA ESTICOU A MÃO PARA MIM EM VÁRIAS OCASIÕES, É AMIGO FIEL, CORAÇÃO GRANDE, GOSTO DEMAIS DESSE CARA. EU O CONHEÇO E SEI COMO AS COISAS ACONTECERAM. TRABALHAMOS MUITAS VEZES JUNTOS, ELE SEMPRE FOI MUITO FIRME, FIEL E AMIGO. OBRIGADO FROTA, PELA CAMINHADA, SEI QUE POSSO CONTAR COM VOCÊ.

Gestos de amizade, solidariedade ou generosidade nunca foram muito associados a Alexandre Frota. Essa vontade de ajudar o próximo, seja um amigo ou até um estranho, rendeu algumas passagens curiosas.

"Minha mãe tinha uma Brasília, e como o apartamento da Belfort Roxo não tinha garagem, o carro ficava na rua. Nessa época, eu saía direto para a night (gíria carioca equivalente a paulista "balada") e quando voltava via aqueles mendigos dormindo na rua, aí eu subia, pegava a chave do carro e botava os mendigos para dormir dentro da Brasília. Acordei várias vezes com minha mãe me pedindo para tirar os mendigos do carro por que ela precisava ir para o trabalho. Eu descia, com a maior cara de sono, abria a porta do carro e falava:

- Vamos nessa, galera! Vamos sair que a minha mãe tem que trabalhar – aquela área que a gente morava, o Lido em Copacabana, era uma área de boemia, tinham vários inferninhos com shows de striptease. Passei a andar em Copacabana sozinho, conheci muita gente, muita bandidagem. Sempre fui um cara descolado com pegada de rua. Minhas brigas de sair na porrada sempre foram nos guetos."

Dona Laís até hoje se espanta quando se lembra dos sustos que levava ao encontrar dois, três, até quatro mendigos dormindo no interior de seu carro, cobertos com seus lençóis de cama. Ela sempre aceitou o jeito de ser do filho Alexandre Frota, sempre o amou incondicionalmente, mesmo não estando preparada para os sustos muito maiores que viriam mais tarde.

IDENTIDADE FROTA
A ESTRELA E A ESCURIDÃO
5.0

ENFIM, LIVRE PARA VOAR NA TV GLOBO

Depois das participações em Vereda Tropical, Alexandre Frota e Maurício Mattar foram chamados para fazer testes de elenco para a novela das 18hs "Livre Para Voar", de Walther Negrão, em 84. Os testes foram realizados nos estúdios da Herbert Richers, que a Tv Globo alugou durante muito tempo. Com direção de Wolf Maya e direção de núcleo de Paulo Ubiratan, Livre Para Voar contava com um grande elenco: Tony Ramos, Carla Camurati, Miguel Falabella, Laura Cardoso, Cássio Gabus Mendes, Nívea Maria, Jorge Dória, Vera Gimenez, e como é praxe nas novelas, alguns papéis são reservados para novas caras, atores iniciantes. Ao contrário de Maurício Mattar, Frota estava muito confiante.

"Passei o texto com o Maurício na noite anterior e percebi que ele estava inseguro. Segurei seu braço com força e falei:

- Maurício, eu não sei o que está passando na sua cabeça, mas eu vou voltar da Globo amanhã contratado!

No dia seguinte, acordamos cedo e pegamos o ônibus 415 que tinha seu ponto final bem ao lado da Herbert Richers. Chegamos lá e nos juntamos aos mais de 50 atores e 50 atrizes para fazer o teste.

SÓ QUE EU TIVE UMA SACADA ANTES, UMA IDEIA QUE MOSTRA BEM O LADO MARQUETEIRO QUE EU SEMPRE TIVE. FIQUEI VENDO A GLOBO A SEMANA TODA E OBSERVEI QUE A GLOBO ADORAVA A COR AZUL, A COR DA VITÓRIA. FUI NA BANCA E DEI UMA FOLHEADA EM ALGUMAS REVISTAS DE TV QUE MOSTRAVAM O BONI E OUTROS DIRETORES DA GLOBO VESTIDOS DE AZUL. PENSEI COMIGO: SE A FAMÍLIA MARINHO GOSTA DE AZUL, VOU FAZER O TESTE DE AZUL. NA VÉSPERA, COMPREI UMA CAMISA NA HERING, COR AZUL ROYAL, QUE VAI MUITO BEM NO VÍDEO E FUI PARA O TESTE, MORENAÇO COM AQUELE AZUL. O Paulo Ubiratan fez uma apresentação da novela, falou que procurava novos atores para um núcleo jovem e apresentou o Wolf Maya, que eu já conhecia do teatro, como o diretor da novela. No final, perguntou quem gostaria de fazer o teste primeiro e fui o único a levantar o braço."

O teste foi realizado em duplas, foram escolhidos casais para encenar um texto de uma conversa que terminava em discussão. Alexandre Frota fez o primeiro teste contracenando com a atriz Cássia Foureaux. Quando terminou, um produtor falou para que ele aguardasse no local, a pedido dos diretores. Frota esperou, viu vários conhecidos serem dispensados, inclusive o brother Maurício Mattar e, no fim do dia, foi chamado para um novo teste, dessa vez, com outra Cássia, Cássia Kiss. Restavam quatro duplas.

"Estava muito focado, texto na ponta da língua, foi super fácil. Minha cena com a Cássia Kiss ficou show. Fui embora confiante e, já no dia seguinte, a produção me ligou para dizer que eu tinha passado, eu e as duas Cássias. A Cássia Kiss pegou um papel grande na novela, já estreou arrebentando. Quem passou também foi o Tiago Santiago, meu colega do Tablado que depois virou autor de novela. Tivemos uma discussão feia na época do Capitães da Areia que já foi superada, mas o que importava é que finalmente eu ia estrear para valer em uma novela. O Roberto Bataglin foi chamado para fazer Partido Alto, a Malu (Mader) brilhava em Corpo a Corpo, eu era o próximo da fila."

Para Alexandre Frota, entrar na Globo aos vinte anos de idade significava a superação de um garoto do subúrbio que lutou muito e conseguiu o que tanto buscava. "Ao que Vai Chegar", cantada por Toquinho, foi a música tema da abertura de "Livre para Voar". Alexandre Frota chegou. Segura a fera.

IDENTIDADE FROTA
A ESTRELA E A ESCURIDÃO
5.0

INSTINTO SELVAGEM NOS EMBALOS DE POÇOS DE CALDAS

Com Tony Ramos e Carla Camurati nos papéis principais, a trama da novela "Livre Para Voar" se passava em Poços de Caldas, Minas Gerais. Em vista disso, elenco, produção, direção e toda a equipe técnica ficaram hospedados em hotéis da região durante todo o período de gravações. O iniciante Alexandre Frota estava radiante, mas sua alegria durou pouco.

"Minha primeira novela fez sucesso! Fiquei morando em Poços de Caldas, amarradão, adorava conversar com o Tony Ramos. Ele ficou muito meu amigo, sempre contava piadas, mas a principal lembrança que tenho dessa novela foi uma loucura que fiz. Logo na segunda semana, aluguei um ônibus, botei toda a equipe técnica, cinegrafistas, eletricistas, operadores de áudio e vt e fomos para o melhor puteiro da região, eu mesmo organizei tudo. A gravação do dia seguinte estava marcada para as sete da manhã, a gente só saiu do puteiro às cinco e meia da matina. Ali ganhei os caras. Só que depois, acabei tendo um atrito com o Wolf Maya e nossa relação ficou difícil. Foi na gravação de uma festa anos 50. Tive a ideia de produzir um topete, estilo John Travolta, outros dois atores fizeram o mesmo. Quando o Wolf viu, detestou. Perguntou direto para mim quem tinha feito isso. Não ia entregar ninguém da maquiagem, falei que eu mesmo tinha feito. Foram quinze minutos de esporro, humilhação, me esculachando na frente de todo mundo. No final, me tirou da cena. Os outros dois atores permaneceram e gravaram com o mesmo topete. A partir daí, ele passou a pegar no meu pé, era muito agressivo, mas como eu estava na Globo, minha primeira novela, deixei rolar."

Frota fez parte do núcleo jovem de "Livre Para Voar", contracenou com Cássia Kiss, Rodolfo Bottino, João Carlos Barroso, Tiago Santiago e Thaís de Campos. Seu personagem, o mecânico Cecílio, teve um romance com a Julinha, interpretada por Thaís de Campos, sobrinha do diretor Wolf Maya.

"Eu nunca gostei de decorar texto. Se tivesse que decorar eu decorava, mas preferia improvisar. Eu improvisei muita coisa nessa novela que funcionou. O Cecílio era sedutor, meio atrapalhado, ficou muito parecido com os personagens do Mário Gomes, que era minha grande inspiração."

De fato, em sua estreia na tv, Alexandre Frota já disse ao que veio.

"Tive um rolo escondido nos bastidores com uma atriz chamada Élida L'Astorina, ninguém soube. Ela foi uma grande amiga naquele período. Outro cara que me ajudou muito foi o João Carlos Barroso. Tivemos várias cenas juntos, sou muito grato a ele."

Para João Carlos Barroso, o memorável Toninho Jiló de "Roque Santeiro", o calouro Alexandre Frota estava "livre e pronto para voar".

"O Frota era um garoto cheio de vontade, chegou querendo conquistar o mundo, normal quando se é jovem. Eu dei uma força para ele em Poços de Caldas, ajudei com os textos, da mesma forma que o Sérgio Britto e a Fernanda Montenegro me ajudaram quando eu era jovem na Tv Tupi. Na época de Roque Santeiro, a gente fazia muito jogo de futebol e teve uma vez que o jogo atrasou porque ele ficou dando autógrafos para as meninas na arquibancada. Discuti com ele, cheguei a partir para briga, mas separaram a gente. Ainda bem, né? Fui um dos seus padrinhos de casamento com a Cláudia Raia. Eu também gostava muito do pai dele, o Formigão, que conheci garoto lá na Tupi. Aliás, toda a velha guarda tinha muito carinho pelo Formigão e tratava muito bem o Alexandre Frota."

IDENTIDADE FROTA
A ESTRELA E A ESCURIDÃO
5.0

Pena que o Formigão já não estava mais próximo do filho para dar bons conselhos em sua estreia na televisão, onde qualquer deslize pode manchar uma carreira para sempre.

"MEU PAI ESTAVA LONGE, A GENTE NEM CONVERSAVA MAIS. ENTÃO, NÃO TENHO IDEIA DO QUE ELE APRONTOU NOS BASTIDORES NA ÉPOCA DELE. EU PEGUEI VÁRIAS FIGURANTES EM LIVRE PARA VOAR E TINHA A COCAÍNA, QUE EU TOMAVA O MAIOR CUIDADO. JÁ IMAGINOU SER PEGO CHEIRANDO LOGO NA PRIMEIRA NOVELA? MAS EU SEMPRE FUI UM CARA ORGANIZADO COM ISSO, SÓ CHEIRAVA QUANDO SABIA QUE NÃO IRIA SUJAR PARA O MEU LADO, SEMPRE FUI MUITO CONTROLADO COM AS DROGAS NO AMBIENTE DE TRABALHO."

Deve ser chocante para muita gente a confissão de um ator que cheirava cocaína desde a sua primeira novela, mas Alexandre Frota nunca esteve preocupado com sua imagem e nem quis ser exemplo para ninguém. Sempre foi autêntico, sincero, doa a quem doer. E ninguém saiu mais machucado do que ele mesmo, que sempre se prejudicou com isso e foi o grande prejudicado em sua própria história.

"Acho que a ausência do meu pai tem muito a ver com isso. Minha família estava desestruturada, então, fui para o mundo sem retaguarda. As drogas colaboraram para que as coisas se degenerassem desde o início, né? Não pensava no futuro, não olhava para o passado, só vivia o presente."

E viver o presente naquele início significava para Alexandre Frota estar presente em todas as festas e "passar o rodo", ou seja, pegar o maior número de mulheres possíveis. Em seus primeiros anos de Globo, antes do casamento com Cláudia Raia, Frota colecionou várias conquistas entre atrizes globais, musas do carnaval, garotas do Fantástico, panteras do Zé Reynaldo, modelos famosas e principalmente, capas de Playboy. Algumas com as iniciais PB, DB, VS, ME, MP, MC, MD, AG, CE, CM, EP e NO que dariam um belo exercício de adivinhação para a geração que viveu essa época. De repente, vira um jogo no futuro. Frota calcula já ter ido para a cama com mais de 10 capas da Playboy e da extinta revista Ele Ela e mais de 20 capas da Revista Sexy, uma conta até modesta para alguém que dedicou sua vida para a arte da conquista e sempre apostou na quantidade. Mas quem estiver mesmo interessado em saciar esse tipo de curiosidade, certamente vai se surpreender com o quinteto que ele elegeu como o top five da sua lista de mulheres que ele adoraria, mas JAMAIS pegou: Letícia Spiller, Luma de Oliveira, Adriane Galisteu, Daniele Winits e Giovanna Antonelli.

"Já levei muito fora também. Tomei vários tocos, mas me diverti muito na vida. Fui viciado em sexo. Sexo com amor, sexo com paixão, sexo com drogas, sexo por sexo, sexo comprado, sexo 0800, sexo fiado. Quando entrei para Globo, peguei muita mulher. Naquela época tinha muita festa, muita paquera. Tive um caso com uma atriz muito gata que fazia par com o Mário Gomes em uma novela do Silvio de Abreu. Foi uma das grandes trepadas da minha vida. Também tirei a virgindade de uma cantora novinha, desconhecida, que hoje é uma das feras da MPB (faz uma pausa, rindo do casal improvável). Mesmo sequelado por causa das drogas, eu tenho umas lembranças muito loucas. Depois que separei da Cláudia, no Rock in Rio 2, eu troquei uns beijos com uma modela alta, magra, olhos lindos, estilo Sophia Loren. Foi o Serginho Mattos, dono da agência 40° Models, quem nos apresentou. A gente se beijou muito durante a música "Purple Rain" do Prince. Dez anos depois, ela se tornou protagonista de novela da Globo. Enfim, era muita mulher e olha que nunca precisei azarar mulher acompanhada. Mulher de amigo então, nem pensar (enfático), sempre respeitei. Se percebesse algum sinal de cantada, pulava fora, não tinha necessidade."

Além das conquistas, Frota guarda com carinho na memória, pelo menos parte dela, que a droga não conseguiu apagar, as noitadas no Baixo Leblon, os papos intermináveis até o dia amanhecer com Cazuza, Bebel Gilberto, Evandro Mesquita, Léo Jaime e um grande amigo em especial daqueles tempos: o ator Lauro Corona, falecido em 1989.

"Eu adorava o Laurinho Corona, um amigo muito querido. Lembro que eu e a Malu (Mader) corremos atrás de um remédio importado para ele, quando já estava muito doente. Teve uma vez que a gente fez um evento em Mato Grosso, ele estava no auge, galã da novela das oito, apresentador do Globo de Outro. Ficamos hospedados no mesmo andar do hotel, e na volta de uma festa, comecei a beijar uma gata ali mesmo no corredor, antes de entrar no quarto. Aí o Laurinho veio, parou do meu lado, ficou me olhando dando aquele amasso na gata e me pediu um beijo igual. Falei para ele:

"- VOCÊ QUER UM BEIJO? ENTÃO TÁ. – AFASTEI A GAROTA, ENCOSTEI ELE NA PAREDE E TASQUEI O MAIOR BEIJÃO NO LAURINHO, DE LÍNGUA E TUDO. QUANDO TERMINEI, ELE ESTAVA VIDRADO. PEGUEI A GATA PELA MÃO, DEI BOA NOITE PARA ELE E ENTREI NO QUARTO. BEIJAR HOMEM NUNCA FOI PROBLEMA PARA MIM, BEIJAVA TODA NOITE EM BLUE JEANS. MAS NÃO ME CONSIDERO HOMOSSEXUAL POR CAUSA DISSO, E, SE FOSSE, NÃO TERIA O MENOR PROBLEMA EM ASSUMIR. VI VÁRIOS ATORES NA GLOBO FAZENDO DE TUDO PARA ESCONDER SUA ORIENTAÇÃO, EU JAMAIS FARIA ISSO. PERDER O LAURINHO FOI UM GOLPE MUITO DURO."

De volta à época de "Livre Para Voar" (a novela, não o estilo de vida), o ator iniciante Alexandre Frota foi aprovado pela direção da Globo em sua estreia, mas os relatos de suas estrepulias em Poços de Caldas ligaram o sinal de alerta na cúpula da teledramaturgia da Globo. Quase no fim das gravações, foi comunicado que iria fazer Roque Santeiro, a nova novela das oito, mas nem deu para soltar fogos. Junto com a boa notícia veio também um recado de um dos diretores da nova novela, em tom de ameaça.

"O JAYME MONJARDIM ME PROCUROU EM UM DOS CAMARINS, ELE ESTAVA MUITO TENSO, E PRATICAMENTE BOTOU O DEDO NA MINHA CARA AVISANDO QUE A GLOBO NÃO IRIA CRIAR UM NOVO MÁRIO GOMES, QUE ERA PARA EU FICAR ESPERTO. FIQUEI CHOCADO, SEM ENTENDER NADA. AQUILO MEXEU MUITO COMIGO."

Não era para menos. Mário Gomes era o espelho do ator que Alexandre Frota desejava se tornar, mas, junto com o sucesso, trazia consigo, justa ou injustamente, uma fama de indisciplina e galanteador que desagradava a direção da Globo. Frota sentia que já não era bem visto por Paulo Ubiratan e Daniel Filho, supostamente o algoz de Mário Gomes. O destempero e a contundência de Monjardim o abalaram. Foi um soco no estômago de um jovem lutador que tinha acabado de subir ao ringue. Pensou em conversar com a direção mas preferiu se calar. Em um momento crucial, Alexandre não teve com quem se aconselhar, o pai estava longe e Damião já tinha ficado para trás. É certo que sua postura desafiadora, espaçosa e o físico imponente, criavam a imagem de um jovem destemido, arrogante até, e as histórias de Poços de Caldas só contribuíram para reforçar ainda mais essa imagem, exceto aquelas que porventura tenham sido varridas para debaixo do tapete.

"Em Livre Para Voar aconteceu um episódio no hotel que me afetou muito. Fui chamado para o quarto de um diretor que estava em Poços de Caldas, ele começou um papo furado cheio de segundas intenções e quando percebeu que eu não estava entendendo, abriu o jogo:

- Me faz um negócio, abre a calça e deixa eu te chupar.

O desconforto foi total. Fiquei tão nervoso que demorei alguns segundos para reagir. Fui me esquivando, me esquivando, até escapar daquele quarto. Que roubada! Me senti um cordeiro acuado fugindo do lobo (dá uma risada), se ainda fosse a Amora Mautner (diretora de novelas da Globo), eu daria para ela, já entraria pelado no quarto (dá uma gargalhada)."

Brincadeiras à parte, Frota estava sozinho, em uma corda bamba. E ainda tinha Daniel Filho, o todo poderoso diretor de teledramaturgia da emissora do Jardim Botânico. Frota nunca se sentiu à vontade com ele, acreditava que o motivo de tanta antipatia seria por conta de um breve flerte com sua filha, a atriz Carla Daniel, ainda nos tempos do Tablado, provavelmente à contragosto do pai. Meras suposições, jamais comprovadas. O fato concreto é que Alexandre Frota mal tinha chegado e "sua batata já estava assando" nos corredores da Tv Globo.

IDENTIDADE FROTA
A ESTRELA E A ESCURIDÃO
5.0

ROCKY BALBOA EM ROQUE SANTEIRO

Roque Santeiro foi um marco na história das telenovelas do Brasil, considerada por muitos (inclusive este jornalista que vos escreve), a maior novela de todos os tempos. Exibida entre junho de 1985 e fevereiro de 1986, teve 209 capítulos e média de 80 pontos de audiência, bem distante dos 40, 35 pontos das atuais novelas das nove (que no passado começavam mais cedo, daí a denominação novela das oito). Roque Santeiro foi escrita inicialmente por Dias Gomes, que teve problemas de saúde e foi substituído por Aguinaldo Silva (Dias só retornou no final). A novela é uma adaptação da peça de teatro O Berço do Herói, escrita por Dias Gomes em 1963 (ano que Alexandre Frota nasceu) e proibida pelo governo após o golpe militar de 1964. O tema central era a exploração política e econômica da fé popular (mais atual impossível). Quando escreveu Roque Santeiro, Dias Gomes criou a fictícia cidade de Asa Branca, um retrato caricaturado do Brasil e ,com muito humor, satirizou a política, o coronelismo, a igreja, o falso moralismo e a hipocrisia da sociedade brasileira. Os embates com a censura foram uma constante. Em 1975, Roque Santeiro teve uma versão proibida pela Censura Federal para o horário das 20 horas. Com Francisco Cuoco como Roque Santeiro, Betty Faria como a Viúva Porcina, Lima Duarte como Sinhozinho Malta e 30 capítulos já gravados e editados, a novela só foi liberada para o horário das 22 horas, conforme Boni relata em seu livro: O Livro do Boni. No dia da estreia, por sugestão de Boni e autorizado por Roberto Marinho, o apresentador Cid Moreira, do Jornal Nacional, leu um editorial, escrito pelos jornalistas Armando

Nogueira e Alice Maria, anunciando o veto e denunciando a censura. No memorando enviado à Tv Globo, a Censura Federal explicava: "a novela contém ofensa à moral, à ordem pública e aos bons costumes, bem como achincalhe à Igreja". A proibição em cima da hora teria sido motivada por uma conversa telefônica grampeada dias antes entre Dias Gomes e um jornalista. Dias comentou que estava adaptando O Berço do Herói e, em tom de deboche, "que os militares eram muito burros para perceber". Um compacto de Selva de Pedra, preparado às pressas, foi exibido como tapa-buraco durante três meses enquanto Janete Clair, esposa de Dias Gomes, preparava uma nova novela para estrear, Pecado Capital, outro grande sucesso que marcou época.

Dez anos depois, com o fim da ditadura militar e o Brasil voltando a ser governado por um presidente civil, José Sarney, Roque Santeiro finalmente foi ao ar, reunindo um elenco espetacular: Lima Duarte (novamente como Sinhozinho Malta), José Wilker (Roque Santeiro), Regina Duarte (Viúva Porcina), Paulo Gracindo, Armando Bogus, Ary Fontoura, Lidia Brondi, Lucinha Lins, Fábio Jr., Yoná Magalhães, Othon Bastos, Cláudio Cavalcanti, Eloísa Mafalda, João Carlos Barroso, Tony Tornado, Elizângela, a dupla Alexandre Frota e Cássia Kiss em sua segunda novela e os estreantes Maurício Mattar, Patrícia Pillar e Cláudia Raia. Na direção, Paulo Ubiratan, Marcos Paulo, Jayme Monjardim e Gonzaga Blota, com direção geral de Paulo Ubiratan e supervisão de Daniel Filho.

"Assim que eu terminei de gravar Livre Para Voar, já emendei com Roque Santeiro, sem nenhuma pausa, nenhum descanso, eu e a Cássia Kiss, que tinha feito o teste comigo. Mas logo senti que tinha caído em uma cilada. Fui convidado para fazer uma figuração de luxo, uma sacanagem das grandes do falecido Paulo Ubiratan."

Em "Rocky Balboa", o sexto filme da saga do boxeador vivido por Sylvester Stallone - um ator que até hoje é motivo de piada pelo porte físico e o jeito de falar, apesar do enorme sucesso construído em quatro décadas de cinema - há uma cena em que seu personagem, já aposentado dos ringues, conversa com o filho e revela que "o que faz um indivíduo ser um campeão na vida não é a quantidade de socos que ele desfere, e sim, sua capacidade de aguentar as pancadas, levantar e seguir em frente." No documentário Anderson Silva: Como Água, o próprio Spider, como é conhecido o maior campeão de MMA da história, reproduz essa teoria, que se encaixa perfeitamente em Alexandre Frota, "saco de pancada" da mídia e da opinião pública ao longo de toda a sua carreira. Ingênuo como Rocky diante da grande oportunidade de sua vida em "Rocky, um lutador", o primeiro dos seis filmes da saga. Foi assim que Alexandre Frota encarou sua participação em Roque Santeiro e graças ao seu espírito de luta, não esmoreceu com as pressões. **FAZER PARTE DE UM ELENCO ESTELAR EM UMA NOVELA DAS OITO DEVERIA SER MOTIVO DE ORGULHO PARA QUALQUER ATOR INICIANTE, MAS NÃO PARA FROTA.**

"A Globo preparou o Roberto Bataglin para ser protagonista da novela das oito, botaram ele em um especial com a Marília Pêra, depois o lançaram em Partido Alto; o Felipe Camargo e a Malu Mader viraram um casal de sucesso em Anos Dourados; no meu caso, que vinha junto com essa galera do Tablado, botaram o dedo na minha cara e disseram que eu não iria me tornar um novo Mário Gomes. Aí me jogaram em Roque Santeiro para fazer figuração. Nas marcações de cena, eu só passava de um lado para o outro sem falar nada, no máximo ficava chamando o Roberto Mathias (personagem de Fábio Jr.) para gravar."

Em Roque Santeiro, Alexandre Frota interpretou Luizão, um ajudante da equipe de cinema que estava filmando a saga de Roque Santeiro em Asa Branca, um papel com poucas falas, é verdade, mas com grande visibilidade pela força da novela, e que no final, foi premiado com um romance com Matilde, a sensual dona da boate Sexus, vivida por Yoná Magalhães, que mesmo veterana, aos 51 anos, brilhou na capa da revista Playboy daquele ano. Ainda assim, o ressentimento e a frustração pelas expectativas jamais cumpridas falaram mais alto...

"EU TERMINEI SOZINHO NA PORRA DA NOVELA (FALA REVOLTADO), MEU PERSONAGEM NÃO TEVE UM FIM. O JOSÉ WILKER, POR EXEMPLO, NEM OLHAVA NA MINHA CARA. EU ERA UM MOLEQUE LÁ DENTRO E SENTIA QUE OS DIRETORES NÃO IAM COM A MINHA CARA. O MARCOS PAULO, PAULO UBIRATAN E O JAYME MONJARDIM NUNCA GOSTARAM DE MIM. O JAYME BOTOU O DEDO NA MINHA CARA ANTES DE COMEÇAR A NOVELA. ESSES TRÊS CARAS NÃO GOSTAVAM DE MIM, OS TRÊS DIRETORES DA NOVELA. ERA FODA. MUITO ANOS DEPOIS,

O BONI ME FALOU UMA COISA QUE EU NUNCA MAIS ESQUECI:

- Alexandre, existem atores que são personalidades e personalidades que são atores. No teu caso, a tua personalidade é muito maior que o teu trabalho como ator, então, quando se referem a você, vão sempre se referir a novela do Frota e não do personagem que você estiver interpretando. É mais difícil para você.

Hoje eu vejo que construí uma personalidade muito maior do que qualquer papel que já fiz. Roque Santeiro foi legal? Foi. Contracenei com atores consagrados? Contracenei e foi o máximo, mas porra, eu estava sendo sacaneado, meu personagem não teve uma trama, não se envolveu com nenhuma atriz, só com a Matilde, da Yoná, mas foi um caso relâmpago, porque ela tinha sido rejeitada pelo Sinhozinho Malta, do Lima Duarte. Meu personagem poderia não existir em Roque Santeiro que a novela faria o mesmo sucesso, daria os mesmos 100 pontos de audiência. Ainda assim, eu aproveitei cada cena e consegui me destacar."

Reza a lenda, que pouquíssimos programas de tv conseguiram a marca de 100 pontos de audiência, que é diferente de 100% de *share*, ou seja, 100% do televisores ligados em todo o Brasil, números impossíveis de serem alcançados hoje em dia. Metodologias à parte, registros não oficiais com aferições da rádio corredor asseguram que os picos de 100 pontos de audiência ocorreram de fato em apenas quatro ocasiões, todas na Tv Globo: A primeira delas em 1966 em um programa do folclórico "O Homem do Sapato Branco" apresentado por Jacinto Figueira Jr., o homem que introduziu o "mundo cão" na tv brasileira (sim, ele foi da Globo e mais tarde jurado do clássico Show de Calouros de Silvio Santos); depois, no último capítulo de Selva de Pedra, novela de Janete Clair exibida em 1973; e duas vezes em Roque Santeiro, no capítulo final e na trágica morte de João Ligeiro, personagem do estreante Maurício Mattar, o grande parceiro de Alexandre Frota na época.

"O MAURÍCIO FOI BEM NAQUELE TESTE DE LIVRE PARA VOAR, FICOU DE FORA DA NOVELA, MAS DEPOIS FOI CHAMADO PARA FAZER O JOÃO LIGEIRO, O IRMÃO DO ROQUE SANTEIRO. ELE MORRE ASSASSINADO, FOI O CAPÍTULO QUE DEU 100 PONTOS. A CENA FOI GRAVADA

À TARDE E EXIBIDA À NOITE, EU VI TODA A GRAVAÇÃO. VOLTAMOS JUNTOS DE GUARATIBA (ZONA OESTE DO RIO), ONDE FICAVA A CIDADE CENOGRÁFICA. PASSAMOS DE CARRO PELO LEBLON, POR IPANEMA, POR COPACABANA, PARECIA JOGO DE COPA DA MUNDO. O BRASIL INTEIRO PAROU PARA VER AQUELA CENA. PARA O MAURÍCIO, FOI A CONSAGRAÇÃO. SAIU DA NOVELA EM ALTA ENQUANTO EU FUI EMBORA TRÊS CAPÍTULOS ANTES DO FINAL SEM NENHUM DESFECHO PARA O LUIZÃO."

UM SENTIMENTO DE AMARGURA TOMOU CONTA DE ALEXANDRE FROTA. MESMO COM A ASCENSÃO METEÓRICA, FILAS NA PORTA DO TEATRO EM CAPITÃES DA AREIA, OS DESFILES DA YES BRAZIL, A REPERCUSSÃO DE ROQUE SANTEIRO, APARECENDO COM DESTAQUE NO TEATRO, NA TV E NO CINEMA, ELE ESTAVA INFELIZ, INSATISFEITO COM OS RESULTADOS.

"Foram muitas cabeçadas. Mesmo com o sucesso, contabilizei muitas derrotas. Saí de Capitães da Areia para fazer o musical Village New York, em São Paulo. Não foi o sucesso que eu esperava e acabei voltando para o Capitães da Areia; antes disso, na época que era um dos líderes da Torcida Jovem do Flamengo, cheguei a sair para fundar uma nova torcida organizada, a Fla Fiel, uma versão da Gaviões da Fiel do Corinthians, não deu certo e voltei para a Jovem; fui escalado para fazer Roque Santeiro e antes de começar, já tomo uma chamada do Monjardim, me dão um papel de figurante, um ajudante do assistente; no cinema, a continuação do Menino do Rio é um lixo, depois faço uma pornochanchada onde eu broxo com a Carla Camurati e perco para um cara magrelo, escroto fisicamente. Lógico que o Pedro Cardoso é um grande ator, mas não dá para perder mulher para ele; e ainda por cima, vejo toda a galera do Tablado se dando bem, pegando bons papéis."

Tal qual o protagonista de "Rocky, um Lutador", vencedor do Oscar e do Globo de Ouro de melhor filme em 1977, Alexandre Frota se viu tomando pancada de todos os lados. No filme dirigido e protagonizado por Sylvester Stallone, ao final da luta, um exausto Rocky se vê cercado por um batalhão de fotógrafos sem entender o que está acontecendo. Sua grande vitória é ter ficado em pé diante do campeão Apolo Creed, mesmo perdendo por pontos o cinturão do título mundial. Confuso, assustado, Rocky só queria saber onde estava sua amada Adrian, ela sim, a maior conquista de sua vida. Ao final de Roque Santeiro, a Adrian de Alexandre Frota atendia pelo nome de Cláudia Raia.

RETROCEDER NUNCA, FUGIR DA RAIA, JAMAIS!

O verão de 1985 foi quente para Alexandre Frota, que já circulava com desenvoltura em todas as rodas. Barrado no baile, nem pensar.

"Durante a primeira edição do Rock in Rio, eu vi as imagens dos primeiros shows na Globo. Aí em um sábado, que foi a noite dos metaleiros (grupos de *heavy metal*), peguei o carro da minha mãe, fui para o Rock in Rio, e já cheguei entrando, me identificando como ator da Globo. Não me lembro como, eu fui passando pelos seguranças, escalei uns andaimes e assisti o show na cara do palco, ninguém me tirou dali. Eu olhava para trás e via aquela multidão (380 mil pessoas estiveram nessa noite), cheguei no final do show do Ozzy Osbourne, acho que ele vestia a camisa do Flamengo. Vi Whitesnake, Scorpions e AC/DC."

Esbanjando confiança, Frota vai conquistando a todos com seu jeito espontâneo e passa a ser convidado para vários eventos. Logo conhece a badalada promoter Karmita Medeiros, que chegou a ser capa da Playboy naquela época.

"Foi a Karmita quem me convidou por telefone para desfilar na Beija-Flor, do Joãozinho Trinta, como Adão. Quando nos conhecemos pessoalmente, fiquei interessado nela e marcamos um encontro.

Combinei de passar em seu apartamento no bairro do Flamengo para a gente sair. Quando estava chegando, me distraí lendo o endereço e bati com o carro. O pneu arriou e larguei o carro ali mesmo, no meio da rua Marquês de Abrantes. Por causa disso, tivemos que mudar os planos, acabamos ficando em seu apartamento. Foi nessa noite que ela me contou que tinha convidado uma atriz chamada Cláudia Raia para ser a Eva no desfile da Beija-Flor."

O encontro com Cláudia só aconteceria na tradicional Feijoada do Amaral, o evento que antecede o carnaval carioca, quando o empresário Ricardo Amaral recebe um seleto grupo de convidados entre artistas, políticos e celebridades. Nos anos 80, a feijoada era realizada no Hippopotamus, famosa boate de Ricardo Amaral localizada na Praça Nossa Senhora da Paz, em Ipanema. Foi na Hippo que Frota conheceu aquela que viria a se tornar um dos grandes amores de sua vida. Bailarina profissional desde pequena, dançarina do musical Chorus Line aos 15 anos, Cláudia Raia já tinha feito participações no quadro "Vamos Malhar" do programa Viva o Gordo ao lado de seu namorado Jô Soares em 1984, o que lhe rendeu seu primeiro ensaio para a Playboy, ainda com o nome de Maria Cláudia Raia. Foi o próprio Jô quem a aconselhou a tirar o "Maria" de seu nome artístico. Quando Frota a viu, foi paixão à primeira vista.

"CONHECI A CLÁUDIA NA FEIJOADA DO AMARAL. FIQUEI LOUCO. COMEÇAMOS A CONVERSAR E EU NÃO SAÍ MAIS DO SEU LADO. PEGUEI UM PRATO PARA ELA E SERVI A FEIJOADA. NESSE CARNAVAL DESFILAMOS NA BEIJA-FLOR. O JOÃOZINHO 30 CRIOU UM ENREDO QUE TINHA ADÃO E EVA NO PARAÍSO E NO INFERNO. O PAULO CÉSAR GRANDE E A MÁRCIA PORTO FORAM ADÃO E EVA NO PARAÍSO, EU JÁ ESTAVA ESCALADO PARA O INFERNO, QUE TINHA MAIS A VER COMIGO. SOU GRATO ATÉ HOJE A KARMITA PELO CONVITE. QUANDO EU VI O MULHERÃO QUE SERIA MEU PAR NO DESFILE DA BEIJA-FLOR, MINHA EVA NO INFERNO, JÁ COMECEI A CERCAR A CLÁUDIA."

Realmente, não dava para fugir dessa Raia. No desfile da Beija-Flor, o público foi ao delírio com a passagem do casal, que logo se reencontraria em Roque Santeiro, a primeira novela dela e a segunda dele. Como seus núcleos eram diferentes, eles pouco se cruzavam na cidade cenográfica construída em Guaratiba - o Projac só seria inaugurado 11 anos depois. Enquanto Frota suava a camisa na pele do musculoso Luizão, o assistente de produção da equipe de cinema, Cláudia Raia brilhava como a sensual e ingênua dançarina Ninon, formando um trio irresistível na boate Sexus com Isis de Oliveira e Yoná Magalhães. Se na novela, o personagem de Frota conseguia seduzir a personagem de Yoná, na vida real, ele preparava o bote para conquistar o coração de Cláudia Raia. O namoro com Jô Soares estava por um fio. A diferença de idade pesava. Frota pressentiu o momento e resolveu arriscar.

"EU FIZ UMA LOUCURA! FUI BUSCAR A CLÁUDIA RAIA DENTRO DO TEATRO FÊNIX, DURANTE A GRAVAÇÃO DO JÔ SOARES. ELA TINHA ACABADO DE GRAVAR UMA PARTICIPAÇÃO, EU CHEGO, PARO NA FRENTE DELA E DIGO:

- EU VIM AQUI PARA TE LEVAR COMIGO – ELA NÃO FALA NADA, EU PEGO EM SUA MÃO E A GENTE SAI DALI DE MÃOS DADAS, EU SEI QUE PARECE UMA CENA DE CINEMA, MAS FAZER O QUE? ACONTECEU DESSE JEITO MESMO. EU LEVEI A CLÁUDIA RAIA EMBORA E A GENTE COMEÇOU A NAMORAR."

Em uma entrevista após o fim de seu casamento com o ator Edson Celulari, Cláudia Raia comentou o assunto e afirmou que o fim do relacionamento aconteceu por causa de Jô:

"Ele disse que talvez não aguentasse, a gente tinha 30 anos de diferença. Eu só tinha 17 anos, até o filho dele era mais velho do que eu. Estava saindo do Jô fatiada. O Alexandre era muito bonito, espetacular. Quando comecei a namorá-lo não estava apaixonada. Só fui me apaixonar mesmo quando estávamos quase casados."

Mesmo demorando um pouco para engrenar, a fase inicial do namoro entre Alexandre Frota e Cláudia Raia rendeu episódios surreais. Vamos abrir aspas para Frota:

"TEVE UM PERÍODO QUE EU FIQUEI MUITO ESTRESSADO, ESTAVA FRUSTRADO POR NÃO TER DESTAQUE EM ROQUE SANTEIRO, ENQUANTO A CLÁUDIA SE ESBALDAVA NAS CENAS DA BOATE, ERA PAPARICADA POR TODO MUNDO. ELA PERCEBEU QUE EU ESTAVA MUITO CARREGADO E SUGERIU UMA MÃE DE SANTO PARA ME AJUDAR, UMA MULHER QUE JÁ ERA CONHECIDA DA FAMÍLIA DELA. MARQUEI O ENCONTRO COM A MÃE DE SANTO NO APARTAMENTO DA MINHA MÃE EM COPACABANA. CHEGANDO LÁ, NÓS FOMOS PARA O QUARTO, ELA FALOU QUE NÃO PODERIA SER PERTURBADA. TRANQUEI A PORTA. ENQUANTO ELA COMEÇAVA OS TRABALHOS, FUI OBSERVANDO AS COXAS, AS PERNAS DELA, E A GENTE SOZINHO NO QUARTO. NÃO DEU OUTRA (SORRI, COM CARA DE QUEM FEZ UMA TRAVESSURA), PASSEI O RODO NA MÃE DE SANTO. DÁ PARA ACREDITAR? A MÃE DE SANTO FOI PARA CONTA (RISOS), E AINDA TIREI A URUCA (SOLTA UMA GARGALHADA)."

A vida de Alexandre Frota como ela é. Já imaginou um arquivo confidencial em pleno Domingão do Faustão com essas histórias? O Faustão anunciando o depoimento da mãe de santo, da mulherada em geral, todas emocionadas, contando alguma estripulia sexual vivida com ele? Seria hilário. A própria Cláudia Raia comentou sobre Frota, em tom de brincadeira, em uma entrevista para a Revista da Tv, do jornal O Globo, em 2013:

"Jô me deu o grande fora da minha vida. Éramos apaixonados, mas ele era mais experiente, 30 anos mais velho, achou que eu teria uma carreira ascendente e que, em algum momento, ia querer um homem mais novo, musculoso. Aí, eu me casei com Alexandre Frota. Boa piada, né?" – acrescentou, rindo de si mesma, um claro sinal de quem está de bem com a vida.

Sorte de Frota que ele não conheceu a famosa seringa mortal usada pela vilã Livia, personagem de Cláudia na novela Salve Jorge em 2013, mais uma para sua galeria de sucessos. E quem apostava no fim desse namoro, descobriu que não se tratava de uma "piada curta", ao contrário, os pombinhos foram se envolvendo mais e mais, se apaixonando para valer. Ao final das gravações de Roque Santeiro, ele foi colocado à disposição do núcleo de entretenimento da Globo e, para sua surpresa, escalado para gravar um quadro no Viva o Gordo no início de 1986.

"Eu tomei um susto. Que porra é essa, gravar logo com o Jô Soares? Só podia ter alguma armação. Me chamaram para uma reunião na produção do Viva o Gordo. Cheguei lá, o Jô estava trancado em uma sala de reunião, me pediram para esperar. Aí eu vejo que tem um roteiro de gravação em uma mesa. Peguei o roteiro sem a produção perceber, era o primeiro programa do ano. Eu ia gravar o quadro do claquetista, nunca esqueci isso. Era um personagem que se metia nas cenas e sempre se dava bem. Quando eu li o roteiro, descobri que era uma cena de um ator galã de novela que não conseguia beijar a atriz, aí o claquetista entrava, empurrava o ator e beijava ele mesmo a atriz. A Cláudia Raia estava escalada para fazer a atriz e eu seria o ator sacaneado pelo Jô, que fazia o claquetista. Respirei fundo para não fazer nenhuma merda, coloquei o roteiro em cima da mesa, agradeci a produção e avisei que não iria gravar. Virei as costas e fui embora. Lógico que deu a maior confusão, depois me avisaram que era uma ordem do Daniel (Filho). Imaginei que o Daniel e o Jô queriam puxar meu tapete. Me chamaram novamente e não fui. Quem aliviou minha barra foi o Boni. Eu conheci o Boni já namorando a Cláudia Raia, ele sempre gostou muito de mim. Na real, o Boni me ajudou várias vezes, sempre que dava alguma merda eu procurava ele."

Boni sempre enxergou longe e viu no par Alexandre Frota e Cláudia Raia, o novo Casal 20 da Globo, jovens, bonitos e talentosos, quem sabe, um novo Tarcísio e Glória? Achava graça das confusões que Frota aprontava, levando à loucura diretores e produtores da Globo e não tinha dúvidas do enorme talento de Cláudia Raia, especialmente para a comédia. Silvio de Abreu, o grande autor do horário das 19 horas na década de 80, também percebeu o potencial do casal e tratou de escrever dois personagens sob medida em sua próxima novela, Sassaricando. Adorados pelo público, escalados para a próxima novela das sete, o namoro engrenou de vez e Cláudia se viu finalmente apaixonada. Àquela altura, Frota já tinha se mudado para o apartamento dela em Copacabana no Posto 6. O casamento era uma questão de tempo, pouquíssimo tempo.

IDENTIDADE FROTA
A ESTRELA E A ESCURIDÃO
5.0

O CASAMENTO DO SÉCULO, AO VIVO E A CORES

Quase todo o ano, jornais, revistas, sites, programas de rádio e tv, anunciam algum casamento do século envolvendo realezas, artistas ou celebridades. Príncipe Rainier e Grace Kelly, Príncipe Charles e Diana, Príncipe Willian e Kate Middleton, David e Victoria Beckham, Jay Z e Beyoncé, Tom Cruise e Nicole Kidman, Tom Cruise, sempre ele, e Katie Holmes, todos, exemplos de casamentos do século. Aqui no Brasil, na falta de príncipes e princesas, sobram sapos. Casamentos de peso mesmo, tirando Mônica e Cebolinha nos quadrinhos, talvez Luciano Huck e Angélica ou Cauã Reymond e Grazi Massafera. Oxalá, Neymar e Bruna Marquezine ainda estejam juntos no lançamento deste livro. O público brasileiro adora o glamour dos casamentos de famosos, torce pelo sucesso do casal como se sua própria felicidade dependesse disso, afinal, vivemos no país das novelas. Em dezembro de 1986, o casamento de Alexandre Frota e Cláudia Raia, na Igreja da Candelária no Rio de Janeiro, foi um grande evento de mídia, o casamento do século daquele ano. Até hoje, quase 30 anos depois, os dois estão presentes em todas as listas dos casamentos mais badalados e extravagantes.

"A Tv Globo fez uma grande cobertura, tinha link para entradas ao vivo na porta da Igreja, mostraram a chegada da Cláudia Raia, os convidados famosos, e eu ali, de protagonista desse evento, o protagonista que eu queria fazer nas novelas. A Cláudia cuidou de toda a parte artística, escolheu as flores, a decoração, nossos figurinos. Fiquei mais na produção operacional, na logística, acertei com o jornalismo da Globo a cobertura da tv, o som, a iluminação (quatro canhões de luz e 240 refletores), a chegada de todo esse material, tinha muito equipamento da Globo. O Boni autorizou tudo, deu a maior força para o nosso casamento. Foi uma loucura. Nós tínhamos 80 padrinhos, a Cláudia fez a minha cabeça que cada um tinha que ter 40 padrinhos. Chamamos o Chacrinha, o Anysio da Beija-Flor, o Evandro Mesquita, o Moacyr Deriquem, a Tônia Carrero, e seu filho, o Cecil Thiré. A própria Cláudia ligava para cada padrinho e dizia o presente que queria, geladeira, carro, panela de pressão, máquina de lavar, e as pessoas iam mandando para ela, não para mim, eu saí desse casamento sem nada, só levei uma mala de roupa."

Naquele mesmo ano em Hollywood, a cantora popstar Madonna e o ator Sean Penn se casaram e fizeram de tudo para manter a imprensa longe da cerimônia, realizada em uma grande mansão. Cláudia Raia, com apenas 19 anos, e Alexandre Frota, com 23, foram na direção oposta e atraíram todos os flashes possíveis. Com ares de superprodução, os preparativos desse grande evento tomaram conta das ruas no entorno da Candelária, provocando um enorme engarrafamento no Centro do Rio. Frota chegou bem cedo no dia de seu casamento. Pelo rádio, comandava toda a operação que incluiu uma pequena despedida de solteiro.

"EU ALUGUEI UM QUARTO NO ALTO DO HOTEL GUANABARA, QUE FICA EM FRENTE À CANDELÁRIA. EU MONITORAVA TUDO LÁ DE CIMA, O PÚBLICO QUE IA CHEGANDO, POLÍCIA, TRÂNSITO. QUANDO FALTAVA UMA HORA PARA O CASAMENTO, EU ESTAVA NA JANELA DESSE HOTEL COMENDO UMA MULHER, UMA AMIGA MINHA QUE NÃO ERA DO MEIO ARTÍSTICO. FOI A MINHA DESPEDIDA DE SOLTEIRO. QUANDO DESCI, ESTAVA A MAIOR MUVUCA ATRAÍDA PELOS TESTES DE SOM E PELA MÚSICA. LOGO QUE CHEGUEI, FUI PROCURADO POR UMAS PESSOAS QUE SE DIZIAM LIGADAS AO CERIMONIAL DA IGREJA ME PEDINDO DINHEIRO, SENÃO O CASAMENTO NÃO IRIA ACONTECER. PARA NÃO CORRER RISCOS, PREFERI PAGAR, FUI EXTORQUIDO EM UNS 10 MIL REAIS NA ÉPOCA, FORA O QUE PAGAMOS NO CONTRATO."

A noiva atrasou, como de costume. Cláudia chegou exuberante em um Jaguar reluzente. Seu vestido, todo brilhante, trazia um véu com mais de vinte metros de comprimento. A cerimônia foi emocionante. Tanto Alexandre como Cláudia foram às lágrimas diante de mais de 1.500 pessoas presentes. Do lado de fora, na falta do que fazer (ou do que protestar), mais de 3.000 curiosos se aglomeravam tentando ver um pedacinho daquele desfile de famosos. A recepção foi no Copacabana Palace.

"A verdade é que eu realmente amava a Cláudia Raia. Quando me vi na Candelária, me casando com uma estrela da Globo, parecia um sonho. Aí me chega a Cláudia com aquele vestido, aquela cauda enorme de 20 metros. Ela é de Campinas, gostava de chapéu, gostava daquela cafonalha toda, me vestiu feito um marciano. Eu parecia o homem de lata do mágico de Oz, estava todo de prata, sapato prateado, de uma estilista chamada Carla Roberto que era amiga da Cláudia. Mas quer saber? Eu estava tão apaixonado por ela que fui no embalo. Depois, na festa no Copacabana Palace, bateu um cansaço, eu estava exausto. Quando acabou a festa, nós subimos para a suíte do Copa. Lembro que eu caí na cama e apaguei. Nem encostei nela de tão cansado que eu estava. No dia seguinte, nós viajamos para o Havaí para curtir nossa Lua de Mel. Revendo as fotos hoje, parecia o Zezé Di Camargo casando com a Cher."

Que seja eterno enquanto dure, pelo menos até os próximos capítulos.

A MELHOR LUA PARA SE PLANTAR MANDIOCA É A LUA DE MEL

O autor da frase do título só poderia ser o genial Chacrinha, um dos maiores comunicadores da história da televisão brasileira, e padrinho de casamento de Alexandre Frota e Cláudia Raia. O Velho Guerreiro é também autor da máxima "eu vim para confundir e não para explicar" que se aplica perfeitamente ao casal mais improvável de todos os tempos.

ALEXANDRE FROTA E CLÁUDIA RAIA FORAM CASADOS DURANTE TRÊS ANOS (1986/1989). NESSE PERÍODO, OS DOIS FORAM MORAR NA LAGOA EM UM APARTAMENTO TODO MONTADO E DECORADO POR ELA, QUE LOGO NOS PRIMEIROS DIAS DE CASAMENTO, FEZ UMA SURPRESA PARA SEU AMADO.

"**A CLÁUDIA ME DEU UM CARRO, ERA A SEGUNDA VEZ QUE EU GANHAVA UM CARRO. O AZULAY, DA YES BRAZIL JÁ TINHA ME DADO UM, MAS AQUELE SE FOI, NEM ME LEMBRO DIREITO COMO. EU CHEIREI O CARRO DO AZULAY.** Quando casei com a Cláudia, parei geral com as drogas (enfático), a gente vivia as 24 horas do dia juntos, não daria para esconder dela. Pelo que sei, a Cláudia nunca usou drogas, então, preferi parar. Parei com as drogas e fui fiel. Quando amo sou fiel, não sinto a menor vontade de pegar outra mulher. Nossa relação era muito boa, a Cláudia é muito divertida, muito família, minha família adorava ela. Até hoje ela faz festa quando encontra minha irmã, chama de cunhada, essas coisas."

Com apenas 23 anos, Alexandre Frota conheceu o melhor de dois mundos, profissional e familiar, graças a estrutura montada por Cláudia. Não é exagero afirmar que eles foram "felizes para sempre", pelo menos nos dois primeiros anos, vivendo um conto de fadas moderno ao melhor estilo A Dama e o Vagabundo.

"A Cláudia tinha uma equipe em volta dela, então ela conseguia organizar e planejar sua carreira. A mãe cuidava da sua agenda pessoal, o cunhado cuidava do lado mais profissional, o Sergio D´ántino era seu advogado e cuidava de todos os contratos e ainda tinha três secretários. A Cláudia desde cedo sabia que era uma estrela, então ela se preparou para isso, não é à toa que chegou aonde chegou. Nossa relação era de muito amor, muita fidelidade. Ela gostava de me vestir, às vezes a gente saía com roupas combinadas, lógico que eu detestava. Só estando muito apaixonado para topar esse tipo de coisa. Ela escolhia as minhas roupas, camisa polo Lacoste, pulôver por cima da camisa, calça com vinco, sapato fino, tinha que ser do jeito dela. Se eu botasse outra roupa, ela odiava. Foi nessa época que ela me incentivou a cantar, montei uma banda e comecei a me apresentar em clubes no subúrbio carioca, aí eu chamei minha irmã Angela para cuidar da minha agenda. Ela começou comigo e depois se tornou agente de um monte de artistas da Globo (a Angela era super organizada). Com o tempo, a gente fazendo novela juntos, nossa popularidade crescendo, eu passo a me apresentar na Globo cantando também. Além de ator, cantor, dá para acreditar? O único programa que não me deixaram cantar foi o Globo de Ouro, vai ver, por ordem do Daniel Filho. Em compensação, o Chacrinha me deu muita força, sempre me chamava para cantar em *play back*. Lembro que nos camarins, sempre esbarrava com Léo Jaime, Wando, Fábio Júnior, Yahoo, Rosana, Blitz, Titãs, essa galera toda. Tenho grandes lembranças do Cassino do Chacrinha."

Logo que se casaram, Alexandre e Cláudia já foram escalados para fazer par romântico na novela Sassaricando de Silvio de Abreu, exibida entre novembro de 1987 e junho de 88. As gravações começaram no início de 87, com direção geral de Cecil Thiré.

"O Cecil chamou eu e a Cláudia para uma reunião, falou que a gente ia ser o casal jovem de Sassaricando. Explicou como era a Tancinha, como era o Apolo e quando a novela estreou, percebi que os nossos personagens arrebentaram. Caímos no gosto do público."

Sassaricando tinha no elenco Paulo Autran, Eva Wilma, Tônia Carrero, Irene Ravache, Maitê Proença, Diogo Vilela, Marcos Frota e Edson Celulari, o futuro marido de Cláudia Raia, que por sinal compôs uma Tancinha exuberante, um furacão de sensualidade completamente estabanada.

"A CLÁUDIA FOI CONSTRUINDO SUAS PERSONAGENS, CARREIRA, CONSTRUINDO UMA RELAÇÃO PROFISSIONAL COM AS PESSOAS. GANHAVA SEU DINHEIRO E APLICAVA, COMPRAVA IMÓVEIS. ENQUANTO EU BRINCAVA COM O DINHEIRO, DESAFIAVA O SUCESSO E A MINHA PRÓPRIA SORTE. COMO EU FAZIA NOVELA E CANTAVA NO CHACRINHA, ACHAVA QUE IA SER O NOVO EVANDRO MESQUITA. NO MEU ÍNTIMO, ACREDITAVA QUE POR SER ATOR DA GLOBO, CASADO COM A CLÁUDIA RAIA, PODIA JOGAR DINHEIRO PELA JANELA. ADORAVA GASTAR, ESTAVA AMARRADÃO."

De fato, Alexandre Frota estava amarradão. Como dizia a música de Marina Lima, "vem chegando o verão, o calor do coração", o verão de 1988 estava chegando e com ele toneladas de maconha boiando no mar. Um verão inesquecível, apelidado de "verão da lata", por causa das 22 toneladas de maconha escondidas em quinze mil latas de leite em pó que foram jogadas ao mar pelos tripulantes do navio panamenho Solana Star para evitar o flagrante da Polícia Federal. Durante todo aquele verão, milhares de latas de maconha foram encontradas nas praias do Rio, São Paulo, Santa Catarina e Rio Grande do Sul. Para muitos, ainda hoje, tudo não passou de uma grande lenda urbana. Reza essa lenda que a qualidade da maconha enlatada era tão excepcional que obrigou os traficantes do Rio a melhorar seu produto. O roqueiro Serguei anunciou que pescou várias latas na praia de Saquarema, Fernanda Abreu compôs e cantou "Veneno da Lata" e Alexandre Frota encerrou seu jejum de drogas enquanto sua esposa decolava rumo ao estrelato, despertando paixões.

"AQUELE VERÃO DA LATA FOI DEMAIS, APROVEITEI MUITO. JÁ TINHA ACABADO AS GRAVAÇÕES DE SASSARICANDO, EMBARQUEI NA ONDA. NO FUNDO, EU ESTAVA INCOMODADO COM A BABAÇÃO DE OVO EM TORNO DA CLÁUDIA. EU VIA MUITA GENTE CERCANDO A CLÁUDIA,

FAZENDO DE TUDO PARA AGRADÁ-LA, O CÉSAR FILHO FOI UM, ERA ALUCINADO PELA CLÁUDIA. O WANDO TAMBÉM FOI MUITO APAIXONADO PELA CLÁUDIA, EU SACAVA AQUILO TUDO E NÃO GOSTAVA, MESMO ASSIM ME MANTIVE FIEL A ELA, FUI FIEL DURANTE MUITO TEMPO."

Em sua cerimônia de casamento, diante do padre, Frota prometeu amar e respeitar Cláudia Raia, ser fiel na alegria e na tristeza, na saúde e na doença. Um dos momentos mais tristes de seu casamento foi a doença de seu padrinho mais querido, Chacrinha. Um com câncer no pulmão obrigou o Velho Guerreiro a se afastar da televisão para um tratamento. O ator e comediante Paulo Silvino o substituiu. Chacrinha ainda voltaria ao lado do humorista João Kléber, mas não resistiu.

"Eu tinha acabado de sair de um restaurante japonês com a Cláudia, liguei o rádio e ouvimos a notícia da sua morte. Seguimos imediatamente para a casa dele na Barra, estava aquela constelação de artistas, um monte de curioso do lado de fora, imprensa. Nós entramos no quarto e vimos o corpo dele na cama. A Cláudia foi consolar a Dona Florinda na sala e eu fiquei no quarto com o Leleco e os caras que tinham chegado trazendo o caixão. Foi aí que reparei em uma pessoa encostada na parede, no canto do quarto, olhando para o Chacrinha desolado, muito triste, em um silêncio total. Era o Roberto Carlos. Na hora de botar o corpo dentro do caixão, eu peguei de um lado e o Roberto segurou do outro. Olha que cena, eu o Roberto Carlos, juntos, botando o corpo do Chacrinha dentro do caixão."

Aberlado Barbosa, o Chacrinha, está com tudo e não está prosa, por toda a eternidade. Vítima de infarto no miocárdio e insuficiência respiratória, faleceu no dia 30 de junho de 1988, mesmo mês do encerramento de "Sassaricando". Ao final da novela, a feirante Tancinha, de Cláudia Raia, indecisa diante de seus dois pretendentes, o que gerou o sensacional bordão "me tô divididinha", finalmente faz sua escolha: larga o truculento Apolo, de Alexandre Frota, e cai nos braços do publicitário Beto, personagem de Marcos Frota, ao som de *"Paradise is Here"*, sucesso de Tina Turner. Um prenúncio do que estava por vir na vida real.

SPLISH SPLASH: TRAÍDOS PELO DESEJO

Adorados pelo público, a roda da fortuna começa a girar mais rápido para Alexandre Frota e Cláudia Raia. Enquanto eles colhiam os louros do sucesso de "Sassaricando", Frota teve a ideia de produzir um musical para ser estrelado pelo casal e procurou Wolf Maya, um diretor que já destacava nesse gênero no teatro.

"EU SEMPRE FUI ALUCINADO PELOS MUSICAIS AMERICANOS, ESPECIALMENTE AQUELES QUE RETRATAVAM OS ANOS 50. QUERIA MUITO TER VIVIDO AQUELA ÉPOCA, ENTÃO PROCUREI O WOLF E FALEI PARA A GENTE PRODUZIR O SPLISH SPLASH."

Splish Splash é o título original de um rock and roll de 1958 dos americanos Bobby Darin e Murray Kaufman, que em 1963 (ano de nascimento de Frota) ganharia uma versão de autoria de Erasmo Carlos chegando ao topo das paradas brasileiras na voz de Roberto Carlos. A ideia de produzir esse musical só comprova que Alexandre Frota desde cedo tinha visão para o *show business*. Wolf Maya comprou a ideia na hora e indicou o autor Flávio Marinho para escrever o roteiro adaptado, reeditando a parceria do musical As Noviças Rebeldes, um grande sucesso dos palcos cariocas. Apesar dos atritos em Livre Para Voar, as arestas entre Frota e Wolf já estavam aparadas, pelo menos, aparentemente.

IDENTIDADE FROTA
A ESTRELA E A ESCURIDÃO

"DELETEI TUDO, FICOU PARA TRÁS. EU ACHAVA REALMENTE QUE O WOLF GOSTAVA DE MIM, MUITA INGENUIDADE MINHA. ELE TROUXE O FLÁVIO MARINHO E NÓS TRÊS IDEALIZAMOS O SPLISH SPLASH. SÓ QUE NA HORA DE ASSINAR A AUTORIA, FIQUEI DE FORA. O FLÁVIO ASSINOU O TEXTO, O WOLF A DIREÇÃO E EU, QUE TIVE A IDEIA ORIGINAL, OPINEI EM TUDO, NO CASTING, NO CENÁRIO, SÓ CONSTAVA NOS CRÉDITOS COMO ATOR. FOI MINHA A IDEIA DO CARRO CONVERSÍVEL. ESCOLHI O TEATRO GINÁSTICO QUE TINHA UM PALCO QUE GIRAVA, INDIQUEI A CLÁUDIA RAIA, O EDUARDO MARTINI E O ERI JOHNSON PARA O ELENCO. FOI UM PRIMOR DE ESPETÁCULO, MAS ENCAREI AQUILO TUDO COM MUITA PAIXÃO, MUITA EMOÇÃO, MUITA ENTREGA. SÓ FALTOU POSTURA PROFISSIONAL. EU TINHA QUE ME POSICIONAR DESDE O INÍCIO, AFINAL, O ESPETÁCULO ERA MEU TAMBÉM, MAS NÃO ME POSICIONEI."

Muita inspiração, muita transpiração e nenhuma razão. Essa é a tônica da carreira de Alexandre Frota, que nunca conseguiu equilibrar o emocional e o racional. Em Splish Splash, depois de ver toda a estrutura montada, foi só "correr para o abraço".

"Eu estava muito empolgado com Splish Splash, e fiz de tudo para dar certo. Fui até o Boni e pedi equipamento da Globo para gravar um comercial, uma chamada do musical. O Boni liberou e gravamos um clipe em Santa Teresa que o Wolf dirigiu. Quer dizer, eu consegui muita coisa graças a essa pró-atividade, mas sempre era o louco da parada."

SPLISH SPLASH FICOU EM CARTAZ NO TEATRO GINÁSTICO, NO CENTRO DO RIO, ENTRE 1987 E 1988. NO ELENCO, CLÁUDIA RAIA, ALEXANDRE FROTA, LUCINHA LINS, RAUL GAZOLLA, CLÁUDIA MAURO, ERI JOHNSON, EDUARDO MARTINI E LIANE MAYA. O MUSICAL FOI UM SUCESSO, RENDEU MUITO DINHEIRO, MAS TAMBÉM MUITAS HISTÓRIAS DE TRAIÇÕES. O TÉRMINO DO CASAMENTO DE ALEXANDRE FROTA E CLÁUDIA RAIA SE DESENHOU ALI.

"Graças a Splish Splash eu comprei meu primeiro carrão, um Escort XR3 conversível. Estava mais empolgado com isso do que com qualquer outra coisa. Quando nós fechamos o elenco das dançarinas, eu fiquei maluco, desconcertado, sempre tive uma atração forte por dançarinas, uma das principais mulheres da minha vida foi a Soraia Bastos, bailarina e dançarina da Globo. A gente ficou um tempo junto logo após a minha separação da Cláudia. Foi em Splish Splash que comecei a perder o controle e meti os pés pelas mãos. Eu era o ator principal junto com a Cláudia, o Gazolla e a Lucinha Lins, todo mundo ganhou dinheiro, mas no meu caso, o dinheiro entrava e eu não tinha a menor ideia aonde saía. Eu simplesmente gastava, tinha gente que tomava conta do meu dinheiro, tinha senha da minha conta e se aproveitava disso para me enganar, me roubar. Isso sempre aconteceu comigo, só depois que eu percebia. Mas naquela época, eu estava tão louco que não queria saber de nada, incorporava o líder de torcida e mandava todo mundo se fuder. A Lucinha Lins era uma grande artista, fez muito bem o musical, mas a gente passou a se estranhar. Ela questionou algumas atitudes minhas e eu peguei muito pesado com ela. Lógico que isso circulava lá dentro e queimava ainda mais o meu filme. No meio disso tudo, meu casamento degringolou, desandou. A Cláudia cada vez mais focada em sua carreira e eu cada vez mais descontrolado. Chegou uma hora que eu fui para cima das dançarinas. Se teve quinze, dezesseis dançarinas no elenco, eu devo ter comido nove, dez, isso com a Cláudia Raia, minha esposa, na mesma peça. Às vezes acontecia dela estar no palco apresentando um número musical de cinco, dez minutos. Eu pegava uma dançarina, levava para trás das cortinas, lá no fundo, sem ninguém ver, e créu, velocidade 5 (alusão ao funk "dança do créu"). Depois voltava com a cara mais inocente do mundo, já de olho na próxima."

Lendo assim, pode parecer folclórico. Em cartaz: "as travessuras sexuais de Alexandre Frota, o rolo compressor dos palcos", mas a verdade é que os sinais de traição já estavam visíveis para ambos os lados.

"Em Sassaricando eu fiquei desconfiado que alguma coisa tinha rolado entre a Cláudia e o Marcos Frota, nunca soube de nada, mas fiquei com a pulga atrás da orelha. Também teve o Renato Gaúcho. A Cláudia foi madrinha do Flamengo no Baile Vermelho e Preto, acho que foi ali que a gente conheceu o Renato Gaúcho. Tive a sensação, achei mesmo, que eles tinham marcado alguma coisa fora. Não sei se rolou, o Renato nunca me falou nada, mas ele era muito pegador, nós fizemos várias bagunças juntos depois. Aí veio o Splish Splash e o Raul Gazolla. A Cláudia não gosta que eu fale sobre isso, mas eu vou falar, ela e o Gazolla tiveram um pequeno namoro, anos antes, quando eles fizeram juntos um outro musical, o Chorus Line. Eu só conheci o Gazolla em Capitães da Areia, ele fez um capoeirista em algumas sessões, e depois, o substituí nos desfiles da Yes Brazil, quando o Simon Azulay me chamou para desfilar, era para substituir o Gazolla, muito louco isso. Nos esbarramos também em Sassaricando, ele fez uma pequena participação. Quando eu e o Wolf nos reunimos para falar do elenco de Splish Splash, dei muita força para o Gazolla ficar com um dos principais papéis, mesmo havendo uma certa rivalidade entre a gente."

O clima nos bastidores de Splish Splash fervia na mesma temperatura da plateia. Como o musical era um sucesso, com teatro lotado e ótimas bilheterias, as escapulidas de Alexandre Frota nos bastidores eram sempre contornadas, assim como seus rompantes de fúria. Não é difícil presumir que Gazolla foi o ombro amigo que Cláudia precisava naquele momento. Amigos desde Chorus Line, quando estrearam juntos, ela com apenas 15 anos, uma reaproximação seria mais do que provável

"QUEM ERA EU PARA RECLAMAR DE ALGUMA COISA, TER CRISE DE CIÚMES? ESTAVA PEGANDO GERAL, ADORAVA TRANSAR, COMIA AS DANÇARINAS EM TUDO QUE É LUGAR, SENTINDO AQUELA ADRENALINA. DESCARALHEI MESMO. TEVE UM DIA QUE EU ESTAVA COM UMA DANÇARINA DENTRO DO CAMARIM, PORTA TRANCADA, E A CLÁUDIA BATEU. SÓ ESCUTEI A VOZ DELA:

- ALEXANDRE, ABRE! EU SEI QUE VOCÊ ESTÁ AÍ. ABRE!

Fiquei calado, parado, a dançarina estava apavorada. A Cláudia bateu de novo e continuamos em silêncio total. Só fui abrir a porta mais de quinze minutos depois. Lógico que isso chegou aos ouvidos dela, né? Que o Frota tá pegando um monte de dançarina. Ficamos vários dias sem nos falar, ela nem olhava na minha cara. Semanas se passaram e eu comecei a sentir um clima, alguma coisa no ar entre a Cláudia e o Gazolla. Uma noite, durante a nossa apresentação, eu estava contracenando com o Eri (Johnson) e percebi ele olhando chocado algo que acontecia nas minhas costas. Eu virei, mas não deu para ver nada. Fiquei com isso na cabeça e resolvi falar com o Eri. Eu fiz muita coisa pelo Eri, foi nessa época que o ajudei a entrar na televisão. Fomos pegar uma praia na Barra no dia seguinte e lá tivemos uma conversa de homem para homem.

- Eri, a gente é amigo para caralho, vou ser direto: o Gazolla tá pegando a Cláudia e eu sei que você sabe. - Ele ficou pálido e rebateu:

- Porque você acha isso?

- Porque ontem à noite você tirou os olhos dos meus olhos durante uma cena e viu alguma coisa que te chamou atenção. Pode falar! – respondi, com raiva.

Ele baixou a cabeça e só falou uma frase:

- Eu vi, Frota... – sem conseguir me encarar.

- Puta que pariu! - Gritei de raiva.

Antes de dar um mergulho, segurei o braço dele e encerrei o assunto:

- Tá tudo certo, brother. Eu só queria confirmar.

Naquela noite, nem quis falar com ela, fui direto no Gazolla. A chapa esquentou, ele ficou puto, negou, quis até brigar. Os dois sempre negaram. Quando revelei essa traição em uma entrevista, a Cláudia ficou muito magoada comigo, mas a verdade é que isso tá marcado no meu coração. Chumbo trocado não dói. "

Marcas da traição que jamais se apagam. Independente do que aconteceu de fato, a mágoa profunda de Frota ao revelar essa história só expõe uma personalidade cheia de contradições e conflitos internos. Sua relação com Cláudia rapidamente se deteriorou. A separação estava próxima, bastava um empurrãozinho até a Amazônia.

AFUNDANDO NO BATEAU MOUCHE

Se o próprio Alexandre Frota reconhece que nunca teve muito critério para escolher seus papéis no cinema, aceitando tudo que aparecia pelo caminho, o mesmo não pode ser dito de Cláudia Raia. Mesmo em um período conturbado em seu casamento, ela sempre soube selecionar seus projetos. Em 1988, o cineasta Ruy Guerra a convidou para filmar Kuarup, uma adaptação cinematográfica do romance do escritor Antônio Callado sobre os rituais indígenas das tribos próximas do rio Xingu e o contato com os missionários. Cláudia se juntou a um elenco formado por Taumaturgo Ferreira, Fernanda Torres, Maitê Proença e Lucélia Santos, entre outros, e partiu para a Amazônia onde ficou por dois meses filmando na selva. Por conta disso, ela se afastou temporariamente de Splish Splash e Alexandre Frota mergulhou ainda mais na esbórnia.

"FOI FESTA NA FLORESTA! LEVEI VÁRIAS DANÇARINAS LÁ PARA CASA DEPOIS DO ESPETÁCULO, INCLUSIVE UMA AMIGA DA CLÁUDIA, UMA DAS MELHORES AMIGAS DELA, TAMBÉM ATRIZ E DANÇARINA. QUANDO A CLÁUDIA VOLTOU, O NOSSO CASAMENTO JÁ ESTAVA ESTRAGADO. AÍ TOMEI UMA DECISÃO. PEGUEI UMA MALA BEM GRANDE, JOGUEI MINHAS ROUPAS, MEUS DOCUMENTOS, ENQUANTO A CLÁUDIA ESTAVA NA COZINHA. PAREI NA FRENTE DELA, JÁ COM A MALA PRONTA E FALEI CALMAMENTE:

- EU TENHO UMA COISA PARA TE DIZER. EU VOU EMBORA. NÃO QUERO MAIS FICAR CASADO COM VOCÊ, NÃO DESSE JEITO. PODE FICAR COM TUDO, NÃO QUERO NADA, SÓ QUERO IR EMBORA. – VIREI E SAÍ.

Ela não disse nada, mas sei que ficou arrasada. Se sentiu fracassada por não ter dado certo. Quando a Cláudia casou comigo, o plano era para estarmos juntos até hoje, ter vários filhos, ter uma família, nós dois trabalhando juntos na Globo. Mas eu não deixei isso acontecer, rasguei as leis, as leis do casamento e da felicidade de um casal. Foi opção minha, tenho consciência disso."

"Do pó viemos, ao pó voltaremos", a frase escrita na Bíblia (Gênesis 3:19) foi dita pelo Criador para Adão após ele comer o fruto proibido com Eva. Podemos encontrar vários significados, mas para Alexandre Frota, vale o duplo sentido. Com a separação, Frota se mudou para um flat no Leblon, bem em frente à boate People e passa a frequentar a casa de um folclórico diretor da Globo, atualmente aposentado, apontado como a fonte de inspiração para o personagem Bozó de Chico Anysio, aquele que adorava mostrar o crachá da emissora. Frota retomou sua rotina de festas e muito sexo. Se as chances de uma reconciliação já eram mínimas, foram reduzidas a zero.

"EU JÁ ESTAVA LOUCO E A LOUCURA TE PRESERVA DE UM MONTE DE COISA. EU NÃO ERA UM VICIADO, ERA UM SEM VERGONHA. SABIA QUE USAR DROGA ERA UMA MERDA, MAS USAVA MUITO. ESTAVA DESLUMBRADO COM O SUCESSO, DINHEIRO E SEM NENHUM GERENCIAMENTO. QUANDO EU FUI PARA O FLAT NO LEBLON, SÓ QUERIA SABER DE FARRA, DE SACANAGEM, NEM IMAGINAVA QUE UMA NOITE, A CLÁUDIA RAIA IRIA APARECER. A CAMPAINHA TOCOU, ABRI A PORTA E DEI DE CARA COM ELA. TINHAM TRÊS OU QUATRO MULHERES NUAS NA MINHA CAMA, FOI A PRIMEIRA E ÚNICA VEZ QUE ELA VIU UMA CENA DESSE TIPO. ELA BOTOU TODO MUNDO PARA FORA, OLHOU BEM NOS MEUS OLHOS, COM MUITA RAIVA, E ENCERROU TUDO DE VEZ:

- Eu vim aqui só para confirmar como você é vagabundo. Agora sim, vou te esquecer.

Depois disso, ela se casou com o Edson Celulari, um cara bem diferente de mim, todo certinho, e montou uma família linda, a família que ela sempre quis ter. Eu gosto muito da Cláudia, chegamos a nos encontrar algumas vezes aqui em São Paulo, na casa do Léo Shehtman, um amigo nosso em comum. "Queríamos conversar, nos ver, mas cada um seguiu sua vida."

Cláudia Raia evitou durante muito tempo falar de Alexandre Frota. Chegou a pedir a ele que não tocasse mais em seu nome enquanto estivesse casada com Celulari por conta dos ciúmes do marido. Mas depois da separação, tudo mudou. Cláudia parece bem mais à vontade para falar de seu passado, tem feito declarações divertidas, mostrando que a mágoa ficou para trás.

"O ALEXANDRE É DEUS E DEMÔNIO AO MESMO TEMPO. TINHA UMA PORÇÃO DE COISAS QUE EU ADMIRAVA. ELE É MUITO EMPREENDEDOR. E TINHA OUTRO LADO: ELE ERA MUITO JOVEM E QUERIA TUDO. QUERIA TODAS AS MULHERES. CONTINUA QUERENDO" - REVELOU EM UMA DE SUAS ENTREVISTAS APÓS A SEPARAÇÃO DE EDSON CELULARI. FAZ TODO O SENTIDO.

No último *réveillon* juntos, em 88, Alexandre Frota e Cláudia Raia presenciaram, horrorizados, a bordo de um barco, durante a queima de fogos na praia de Copacabana, uma das maiores tragédias da história do Rio de Janeiro: o naufrágio do Bateau Mouche, uma embarcação de turismo superlotada que afundou matando 55 pessoas das 142 que estavam a bordo, levando entre elas, a grande atriz Yara Amaral.

"As ondas estavam enormes, eu e a Cláudia vimos o Bateau Mouche já virado no mar. Estávamos com um amigo do Eri Johnson, infelizmente não conseguimos ajudar. Quando retornamos à marina, vi chegar um monte de barco com os sobreviventes, muita gente desesperada, em estado de choque. Nunca mais esqueci isso."

Uma trágica metáfora de um casamento que já estava afundando.

DIVIDINDO CELA COM ERI JOHNSON

"Aconteceu, virou Manchete" foi o slogan da extinta revista Manchete da editora Bloch, publicada semanalmente entre 1952 e 2000. No caso de Alexandre Frota, serve para a Tv Manchete, que ficou no ar entre 1983 e 1999, deixando muitas saudades. Assim que terminou Sassaricando, Frota se viu livre para negociar novos projetos de TV. Seu contrato com a Globo era por obra certa, como boa parte do elenco global naquela época. Assediado pela Tv Manchete, aceitou participar de Olho Por Olho, de José Louzeiro, o mesmo autor de Corpo Santo, especializado em tramas policiais envolvendo a marginalidade carioca. José Wilker iria assinar a direção geral, mas se desentendeu com a cúpula da emissora e Marcos Schechtman o substituiu. No elenco, Flávio Galvão, Renée de Vielmond, Herson Capri, Beth Goulart, Paulo José, Daniel Dantas, Mário Gomes e Alexandre Frota, que foi escalado para interpretar o bandido e gigolô Rico. Ele e Mário Gomes ficaram nus em algumas cenas, uma ousadia que foi marca registrada de várias novelas da Manchete como Pantanal, Dona Beija e Xica da Silva. Mais uma vez, Frota se via mergulhado no universo da prostituição masculina e dando força para um *"brother"*.

"O que eu mais me lembro dessa novela da Manchete foi que lancei o Eri Johnson. A gente já fazia Splish Splash juntos, aí eu li no roteiro que meu personagem iria ficar preso. Procurei o Ary Coslov, que era um dos diretores da novela, falei que não queria ficar contracenando com figurante e sugeri o Eri. Fui pessoalmente falar com o José Louzeiro e ele topou. Até o nome do personagem foi sugestão minha, Casca. Eu e Eri gravamos 4 ou 5 capítulos juntos, eu dividia minhas falas com ele. O Louzeiro gostou e manteve o Eri na novela. Nossos personagens fogem da penitenciária e na cena final são cercados pela polícia. Quando li essa cena, procurei de novo o Louzeiro, ele se amarrava na minha, e dei ideia de fazer algo parecido com o final de Butch Cassidy e Sundace Kid (clássico dos clássicos do western com Paul Newman e Robert Redford). Foi bem legal. Depois disso, ele foi fazer Barriga de Aluguel, da Glória Perez, e estourou."

A parceria de Alexandre Frota e Eri Johnson também deu frutos no teatro. Logo na sequência de Splish Splash, os dois montaram uma nova peça, Amores de Verão, ao lado de Monique Evans, no mesmo Teatro Ginástico no Rio. Foi ali que nasceu o quadro Batman e Robin que Frota encena atualmente na Praça é Nossa, do Sbt, ao lado de Tuca Graça. A dupla dinâmica com Eri rendeu boas risadas.

ERI JOHNSON

ALEXANDRE FROTA É UM IRMÃO, TENHO MUITO CARINHO E SAUDADES DE MUITAS COISAS QUE FIZEMOS. FROTA ME DEU AS PRIMEIRAS OPORTUNIDADES DE BRILHAR NA TELEVISÃO, AINDA NA MANCHETE, E FEZ MUITO POR MIM NO TEATRO, DESDE "CAPITÃES DA AREIA" QUE EU NÃO QUERIA FAZER NA ÉPOCA E DEPOIS SE TORNOU UM FENÔMENO DE BILHETERIA, ATÉ O MUSICAL SPLISH SPLASH. ELE É UM LOUCO ADORÁVEL, MEU IRMÃO QUERIDO, SALGUEIRENSE, PASSAMOS POR POUCAS E BOAS. FROTA VAI FICAR ETERNAMENTE NO MEU CORAÇÃO, EU AMO IMITÁ-LO. EM TODOS OS MEUS ESPETÁCULOS, É O MAIS PEDIDO.

VALEU, IRMÃO! BEIJO NO CORAÇÃO E BEM-VINDO AOS 50.

Olho Por Olho foi exibida entre agosto de 1988 e dezembro de 1989 na Tv Manchete, mas antes disso, Frota teve uma experiência riquíssima para qualquer ator: gravou uma minissérie dirigida por Walter Avancini, um dos mais inovadores e criativos diretores da história da teledramaturgia brasileira, descobridor de Regina Duarte, Sônia Braga, Bruna Lombardi e Taís Araujo e dono de um currículo impressionante com mais de 50 novelas e minisséries. Só para citar algumas: Beto Rockfeller, Cavalo de Aço, O Semideus, Saramandaia, Gabriela, Grande Sertão Veredas, Anarquistas Graças a Deus, Rabo de Saia, Xica da Silva, O Cravo e a Rosa e Chapadão do Bugre, com Alexandre Frota.

"Adorei fazer Chapadão do Bugre. Trabalhei com um monte de gente bacana, inclusive o Edson Celulari, e tinha a direção do Walter Avancini que era brilhante. Ele fez um laboratório com todo o elenco, botou a gente sem relógio, sem perfume. Meu personagem era um jagunço, o Estevãozinho.

Para viver esse jagunço eu tive que ficar 20 dias sem tomar banho. O Walter Avancini, ao contrário do filho (Alexandre Avancini, diretor de novelas da Record), gostava muito de mim, me ajudou a crescer como ator. Mesmo assim, meu sentimento era de derrota, eu não escolhia bons papéis."

A minissérie "Chapadão do Bugre" foi exibida em horário nobre no mês de janeiro de 1988, na Band, na época Tv Bandeirantes, e foi muito elogiada pela crítica. No elenco, Edson Celulari, Paulo Goulart, Ítalo Rossi, Tássia Camargo, Tony Tornado, Alexandre Frota e Sandra Annemberg, a apresentadora do Jornal Hoje da Rede Globo, que chegou a atuar em duas novelas e três minisséries antes de se consagrar no telejornalismo, onde recentemente lançou o bordão "que deselegante". Deselegante não seria a melhor palavra para definir a adaptação para a tv de "Chapadão do Bugre", uma sangrenta trama rural que misturava política, corrupção, vingança, disputa de terras, coronéis, jagunços, assassinatos e fortes cenas de violência, inclusive nas gravações.

"Eu presenciei uma cena que define bem o rigor do Avancini na direção. A Sandra Annemberg tinha que chorar em uma cena e não estava conseguindo. Tentou várias vezes até que o Avancini foi até ela e deu um tapa em seu rosto. Eu e o Edson Celulari estávamos naquela cena, ficou um silencio total. E a Sandra chorou."

Deselegante, mas eficiente. Assim como Walter Avancini, muitos grandes diretores já se utilizaram de terror psicológico para obter a dramaticidade desejada em uma determinada cena. O cineasta Alfred Hitchcock abusou desse expediente com a atriz Tippi Hedren nas filmagens de Os Pássaros. Com boas atuações em Olho Por Olho na Manchete e Chapadão do Bugre, na Band, Alexandre Frota não tardaria a ser chamado de volta pela Globo para estrelar uma nova novela.

ROBERTO TALMA: AMIGO DE FÉ, IRMÃO E DIRETOR CAMARADA

Depois de uma rápida passagem por Manchete e Band, Alexandre Frota retornou a Globo. Separado de Cláudia Raia, foi escalado para fazer Top Model, de Walther Negrão, autor de Livre Para Voar, sua primeira novela, e Antônio Calmon, diretor de Garota Dourada, seu primeiro filme. Foi a primeira novela escrita por Calmon, logo na sequência do sucesso Armação Ilimitada, na Tv Globo. Exibida entre setembro de 1989 e maio de 19.90 às 19 horas, Top Model tinha o mundo da moda como tema central, mas o que bombou mesmo foi o núcleo jovem da novela formado por Marcelo Faria, Adriana Esteves, Gabriela Duarte, Carol Machado, Flávia Alessandra e Rodrigo Penna, todos iniciantes, que orbitavam em torno do personagem Gaspar, um surfista garotão brilhantemente interpretado por Nuno Leal Maia, e seu amigo Saldanha, vivido por Evandro Mesquita, dono de um quiosque na Praia da Macumba no Recreio, zona oeste do Rio. Malu Mader e Taumaturgo Ferreira, casados na vida real, foram os protagonistas e Cecil Thiré, o vilão.

"EM TOP MODEL, A GLOBO TENTOU DE NOVO, EU ERA O ADRIANO (EX-ATACANTE DO FLAMENGO) DA TV. FIZ O PAPEL DE UM FOTÓGRAFO, O RAUL, CASADO COM A SUZY RÊGO, E QUE TEM UM RÁPIDO NAMORO COM A PERSONAGEM DA MALU MADER NO INÍCIO DA NOVELA. O ENGRAÇADO É QUE EU TIVE UM RÁPIDO NAMORICO COM A MALU NO TABLADO, ATÉ QUE A APRESENTEI PARA O MAURÍCIO MATTAR E PERDI ALI. ELES COMEÇARAM A NAMORAR

PARA VALER NAQUELA ÉPOCA. ACONTECEU A MESMA COISA COM A ELBA (RAMALHO) E A FABIANA (MATTAR, EX-MULHER DE MAURÍCIO), APRESENTEI AS DUAS PARA ELE, QUE FOI UM GRANDE BROTHER, UM DOS MELHORES AMIGOS QUE EU JÁ TIVE."

A comparação com o polêmico jogador Adriano é oportuna. Ambos se destacaram pelo físico privilegiado, enorme potencial, mas se perderam nas noitadas. Não seria exagero afirmar que jogaram suas carreiras no lixo. Foi em Top Model que Frota conheceu aquele que viria a se tornar mais que um amigo, um segundo pai em sua vida: o diretor de núcleo da Tv Globo, Roberto Talma.

"Eu conheci o Talma logo na minha primeira gravação. Era uma cena no estilo Nove Semanas e Meia (filme com Kim Bassinger e Mickey Rourke famoso pela cena de sedução na cozinha com gelo e frutas) com a Malu Mader. Tinha uísque, chantilly, morango, mas não estava ficando legal, a gente não estava no clima. Aí escuto uma voz:

- Porra! Abre a porta do estúdio! – e entra um sujeito gordo. Era o Talma. O Mário Márcio Bandarra estava dirigindo, mas o Talma liberou ele da gravação e falou que ia dirigir aquela cena. Virou para a produção e pediu:

- Traz um litro de uísque de verdade! – depois deu uísque para mim e para Malu. Bebemos até relaxar e voltamos a gravar. Fiquei amarradão no cara, pelo jeito dele, já me ganhou ali. Gravamos a cena de primeira, depois de cinco tentativas fracassadas com o Mário Márcio. Depois da gravação, fui cumprimentá-lo e ele me chamou para dar uma esticada no Baixo Leblon. Viramos a noite bebendo e conversando, nossa amizade nasceu naquela madrugada. O Talma é um capítulo à parte na minha vida. Eu amo esse cara."

Roberto Talma gostou de Frota e praticamente o adotou na Globo. Na ausência do pai, sucedeu Carlos Wilson, o Damião, no papel da figura paterna. Mas em Top Model, não houve jeito. A separação de Cláudia Raia e a morte de seu querido amigo Lauro Corona tinham mexido com a estrutura emocional de Alexandre Frota.

"Estava descaralhado, ficava louco todas noites com bebida, cocaína e prostitutas. Meu flat ficava no Leblon, quando eu não estava cheirando ou fudendo no quarto, descia e ia beber no Baixo até o dia amanhecer. O Cazuza falava que o banheiro é a igreja de todos os bêbados em uma de suas músicas. Top Model foi bem, foi ótimo reencontrar o Cecil Thiré, mas eu pedi para sair da novela, não aguentava aquela rotina de chegar cedo, maquiar, decorar texto. E odiava usar lentes de contato azuis, me incomodava muito. Uma das minhas melhores lembranças dessa novela é uma atriz iniciante, muito gatinha. A gente voltava das gravações no último banco da van. Rolaram altos amassos, tinha vezes que ela ia só de saia, sem calcinha. Nós ficávamos na maior sacanagem durante todo aquele trajeto Tijuca-Jardim Botânico. Fizemos poucas cenas juntos. Até hoje continua linda."

COM A SAÍDA DE "TOP MODEL", FROTA PÔDE SE DEDICAR A MONTAGEM DO SPLISH SPLASH EM SÃO PAULO JÁ SEM CLÁUDIA RAIA. A ATRIZ PAULA MANGA, FILHA DO DIRETOR CARLOS MANGA, A SUBSTITUIU. OUTRA MUDANÇA FOI A ENTRADA DE LIANE MAYA NO LUGAR DE LUCINHA LINS. SPLISH SPLASH FOI UM SUCESSO TAMBÉM EM SÃO PAULO NO TEATRO PALLADIO E ALEXANDRE FROTA SEGUIU COM SUA ROTINA DE SEXO E CONFUSÕES.

"LOGO NA ESTREIA ROLOU UM ESTRESSE COM O WOLF MAYA. ELE LEU UM ANÚNCIO DO MUSICAL NA FOLHA DE SÃO PAULO QUE DIZIA "DIREÇÃO DE WOLF MAYA" EM VEZ DE "UM ESPETÁCULO DE WOLF MAYA" E FICOU PUTO. ME LARGOU SOZINHO NO PALCO MARCANDO A LUZ E FOI PARA O HOTEL. ESTREEI SEM VOZ, A SORTE É QUE TINHA GRAVADO UM *PLAY BACK* NO RIO E CANTEI POR CIMA. DE NOVO EU ME ENVOLVI SEXUALMENTE COM O ELENCO DA PEÇA, VÁRIAS CONFUSÕES, TIVE PROBLEMA ATÉ COM O CARLOS MANGA, ESTAVA NO AUGE DA LOUCURA. FIQUEI HOSPEDADO EM UM FLAT NO JARDINS, A PARADA DA DROGA COMEÇAVA À NOITE, DEPOIS DA PEÇA, E IA ATÉ OITO, NOVE HORAS DA MANHÃ. SEMPRE TINHA UM PRATO DE COCAÍNA AO LADO DA MINHA CAMA. DEPOIS TINHA ATÉ AS CINCO DA TARDE PARA ACORDAR, TOMAR UM BANHO, COMER ALGUMA COISA, ME RECOMPOR E IR PARA O TEATRO. UM A COISA MUITO LOUCA QUE ACONTECIA COMIGO É QUE ERA

IDENTIDADE FROTA
A ESTRELA E A ESCURIDÃO
5.0

VICIADO EM COCAÍNA, MAS NÃO BROCHAVA, A COCAÍNA BROCHA O HOMEM, MAS NO MEU CASO, ME DAVA TESÃO, POR ISSO ME VICIEI EM SEXO COM COCAÍNA. POR CONTA DESSA VIDA MALUCA, PERDI MUITO DINHEIRO, DEIXAVA MEUS CARTÕES DE CRÉDITO NA MÃO DE VÁRIAS PESSOAS, ASSINAVA CHEQUES SEM CONFERIR O VALOR E SEM SABER PARA QUE. PERDI O SORRISO, A COCAÍNA TE FAZ PERDER O SORRISO, SÓ TINHA A MINHA VOLTA QUEM CHEIRAVA. MERGULHEI NO INFERNO EM SÃO PAULO."

Roberto Talma acompanhava de longe toda a bagunça de Alexandre Frota e mesmo após sua saída intempestiva de Top Model resolveu apostar nele para ser o protagonista de uma minissérie bastante ousada para a época: Boca do Lixo.

"Boca do Lixo foi o seguinte, o Daniel Filho queria o Carlos Alberto Riccelli para o papel do Tomaz, só que o Talma bancou meu nome. Dessa vez, me dediquei para caralho. Não podia decepcionar o Talma nem a mim mesmo. No primeiro dia de gravação, o Daniel Filho entrou no estúdio, veio na minha direção, parou na minha frente, começou a ajeitar a gola da minha camisa e falou na lata, olhando para mim:

- Espero que você faça bem esse papel porque você sabe que não era para você. – falou olhando dentro dos meus olhos, talvez querendo me intimidar, mas eu já sabia, em televisão, as notícias se espalham pelos corredores. E o próprio Talma já tinha me batido essa informação dias antes:

- O Daniel quer o Ricelli, mas como sou eu que vou dirigir, quero você. – lógico que eu ia dar o sangue pelo Talma depois dessa."

Boca do Lixo foi uma minissérie escrita por Silvio de Abreu e dirigida por Roberto Talma. Exibida em julho de 1990 no horário das 22:30, teve apenas oito episódios e apresentava um triângulo amoroso envolvendo um rico industrial (Reginaldo Faria), uma ex-atriz de pornochanchadas (Silvia Pfeifer, estreando na tv) e um jovem pedreiro (Alexandre Frota). Gravada em Avaré, cidade do interior de São Paulo, a minissérie foi uma resposta da Globo à outra minissérie, O Canto das Sereias da

Tv Manchete, exibida no mesmo período com direção de Jayme Monjardim, o mesmo diretor de Pantanal, que estava no ar, provocando um estrago no horário nobre da Tv Globo naquele ano. Silvio de Abreu, autor consagrado da novela das sete, especialista em comédias, aceitou o desafio e buscou inspiração em filmes noir como Pacto de Sangue de Billy Wilder e Corpos Ardentes de Lawrence Kasdam para criar uma trama de suspense, mistério e muito erotismo. Na direção, Talma bebeu da fonte do cultuado David Lynch para reproduzir a atmosfera de Twin Peaks, sua badalada série de tv.

"O Talma me fez ver toda a primeira temporada de Twin Peaks. Me mostrou vários planos, queria fazer algo parecido com a Boca do Lixo."

Christiane Torloni estava escalada para o papel principal, mas precisou ser substituída por motivos particulares. Sílvia Pfeifer, modelo profissional que já havia desfilado no exterior para Giorgio Armani, Christian Dior e Chanel, foi escolhida. O motivo por trás dessa escolha foi que o autor Silvio de Abreu queria fugir dos padrões habituais de vulgaridade para retratar uma ex-atriz da Boca do Lixo, uma vez que ele próprio, Silvio de Abreu, foi diretor de pornochanchadas nos anos 70 (o clássico Mulher Objeto com Helena Ramos e Nuno Leal Maia foi dirigido por ele). Sílvia Pfeifer ganhou o papel por sua classe e elegância e protagonizou tórridas cenas de sexo com Alexandre Frota.

"BOCA DO LIXO FOI UM SUCESSO FUDIDO! ADOREI GRAVAR COM O REGINALDO FARIA, O CLÁUDIO CORREA E CASTRO, O STÊNIO GARCIA. O STÊNIO É UM MONSTRO DE ATOR. A SÍLVIA PFEIFER ESTAVA SENDO LANÇADA, A GENTE ACABOU SE ENVOLVENDO, MAS FOI TUDO MUITO RÁPIDO. FICAMOS UMA NOITE JUNTOS, TRANCADOS NO HOTEL EM HIGIENÓPOLIS. NUNCA FALAMOS SOBRE ISSO, ACHO QUE NÓS CONFUNDIMOS AS COISAS, NOS DEIXAMOS LEVAR POR AQUELE CLIMA DE SEXO DOS NOSSOS PERSONAGENS. COMO A IDEIA ERA ENCARAR AS SEREIAS NUAS DA MANCHETE, O TALMA GRAVOU MUITAS CENAS DE SEXO, CENAS FORTES COMO EU NUNCA VI NA GLOBO. E LÁ ESTAVA EU SEM CAMISA DE NOVO, CALÇA JEANS, CHEGUEI A GRAVAR UMA CENA NA CAMA DANDO UM BEIJÃO NA BOCA DO REGINALDO FARIA, PENA QUE FOI CORTADA, SERIA O PRIMEIRO BEIJO GAY NA TV."

"Boca do Lixo" teve inicialmente dez episódios, mas foi reduzido na última hora para oito por conta de ajustes na grade de programação da Globo, que antecipou sua estreia para "bater de frente" com "O Canto das Sereias". Talma foi comunicado da mudança e teve que voltar imediatamente de Avaré para o Rio de Janeiro. Como ainda faltava uma grande cena com a explosão de uma lancha pilotada por um dublê, pediu a Frota que dirigisse em seu lugar. Frota não decepcionou seu grande amigo. Na Globo, o próprio Silvio de Abreu supervisionou os cortes feitos por Talma, incluindo a cena de Alexandre Frota e Reginaldo Faria na cama. Na falta de um beijo gay, as críticas se concentraram na estreante Sílvia Pfeifer. O irreverente José Simão escreveu em sua coluna:

"Sílvia Pfeifer vai mudar de nome para Inês Pressiva, com seu estilo para lá de Bergman, ou seja, icebergman, ela estreou na Boca do Lixo e caiu na boca do povo: transava com o Alexandre Frota. Que tinha pinta de pedreiro. Pinta e pinto! Rarará!"

Apesar das críticas, ela agradou a cúpula da Tv Globo, tanto que no mesmo ano, foi escalada para ser protagonista da novela das oito Meu Bem, Meu Mal. Enquanto isso, Alexandre Frota preparava sua próxima tacada, vestindo calça jeans, e para variar, sem camisa.

ALEXANDRE F, DROGADO E PROSTITUÍDO NOS PALCOS

Tão logo encerraram as gravações de Boca do Lixo, Alexandre Frota resolveu botar em prática um antigo sonho: uma nova montagem de Blue Jeans, de Zeno Wilde, sobre jovens que se prostituíam. Vale lembrar que a primeira montagem, "Blue Jeans, uma peça sórdida", dirigida por Wolf Maya no início dos anos 80, não era um musical. Somente na remontagem de 1991, Wolf fez uma nova versão em musical. Sem perder tempo, Frota viajou para São Paulo e negociou os direitos da peça pelo período de um ano. E novamente pensou em Wolf Maya para a direção geral. Como ele próprio já afirmou nesse livro, Frota sempre teve um desapego pelas coisas, um comportamento que também se refletia em relação aos desentendimentos, às rusgas do passado.

"Da outra vez, não pude fazer o Blue Jeans com o Wolf porque não estava sindicalizado, agora eu iria fazer do meu jeito, atuando e assinando a produção do espetáculo. Procurei o Wolf porque ele era o melhor. Tivemos alguns problemas na minha primeira novela (Livre Para Voar), na montagem de Splish Splash em São Paulo, mas já tinha esquecido, nunca fui de guardar rancor de ninguém. Marcamos um jantar e contei para ele que tinha comprado os direitos de Blue Jeans por aquele ano. Ele se empolgou com a ideia e me pediu um tempo, até finalizar Bambolê (novela das seis) na Globo. Por mim, tudo certo."

O tempo passou, Wolf terminou as gravações de Bambolê e emendou com a minissérie Desejo, de Glória Perez, uma superprodução lançada no mesmo ano de Boca do Lixo para combater a enorme turbulência causada por Pantanal, que frequentemente ultrapassava os 45 pontos de audiência, o que fez a Globo cancelar toda a sua linha de shows, incluindo o humorístico Tv Pirata, e lançar uma novela em caráter extraordinário no horário das 21 horas, Araponga, com Tarcísio Meira. Foi a partir daí que a antiga novela das oito foi gradualmente migrando para o horário atual das 21 horas. No meio desse tumulto, Alexandre Frota sugere a Roberto Talma uma adaptação de Splish Splash para a tv, o projeto, uma minissérie de cinco capítulos, só não andou porque Wolf Maya, que tinha os direitos autorais junto com Flávio Marinho, não aprovou a iniciativa e procurou a direção da Tv Globo. Mais confusão à vista.

"O Talma me ligou furioso. Poucas vezes o vi daquele jeito. Perguntei se estava tudo bem e ele me respondeu, bufando de raiva:

- Tudo bem o caralho! O Wolf vetou o nosso projeto de fazer o Splish Splash na Globo! – esbravejou. O Talma estava muito irado, xingou muito o Wolf. Aquele projeto já tinha até centro de custo montado. Depois, mais calmo, ele preferiu tirar o pé do acelerador. Beleza, segue o jogo, fui tocando a minha vida, ansioso para montar o Blue Jeans. Passou um tempo e vem uma porrada que me pega de surpresa: eu fiquei sabendo que o Wolf estava ensaiando Blue Jeans sem a minha presença. Eu, que tinha os direitos, e tinha conversado com ele naquele jantar para gente montar Blue Jeans juntos. Pois é, passou um ano e eu perdi os direitos. O Wolf foi e pegou. E para piorar, ele chamou o Rômulo Arantes para fazer o papel que era meu. Eu fiquei muito mal com tudo aquilo. Eles ensaiaram durante meses, Maurício Mattar, Fábio Assunção, Rômulo Arantes e mais 20 atores no elenco. Procurei o Talma para desabafar, contei tudo que tinha acontecido e ele me falou:

- Frota, eu vou gravar o Sorriso do Lagarto do João Ubaldo lá em Paraty. Esquece essa merda toda e vem comigo.

Nem pensei duas vezes. Topei na hora. O Talma foi meu melhor amigo, um segundo pai, o cara que mais me incentivou e me apoiou na televisão."

A psicanálise tem inúmeros estudos sobre as influências da ausência paterna no desenvolvimento emocional, cognitivo e comportamental da criança e do adolescente que teriam sido extremamente úteis para Alexandre Frota. Na falta de uma terapia, como fez o truculento personagem Tony Soprano (R.I.P. James Gandolfini, 1961-2013) na antológica série da HBO, "A Família Soprano", Frota sempre encarou as derrotas ao seu modo, dando a cara para bater e seguindo em frente. No caso de Blue Jeans, ele seguiu para a cidade histórica de Paraty, litoral sul do Rio de Janeiro, a mesma que sediava anualmente a FLIP, a Festa Literária Internacional de Paraty, e que serviu de locação para a minissérie O Sorriso do Lagarto, adaptada por Walther Negrão do romance homônimo de João Ubaldo Ribeiro.

"FUI PARA PARATY COM O TALMA E LEVEI UM AMIGO MEU, O SERGINHO, QUE TAMBÉM ERA MEU FORNECEDOR DE PÓ (COCAÍNA). CHEGANDO LÁ, FALEI PARA O SERGINHO:

- VOCÊ TEM TRÊS MISSÕES AQUI EM PARATY: ACHAR ONDE É O PUTEIRO, ONDE É A BOCA (PONTO DE VENDA DE DROGAS) E ONDE TEM UMA QUADRA DE FUTEBOL DE SALÃO (ATUAL FUTSAL DO CRAQUE FALCÃO). FICA AMIGO DO DONO DA BOCA, DA DONA DO PUTEIRO E A QUADRA, VOCÊ RESERVA POR TRÊS MESES, PORQUE ESSE VAI SER O TRIPÉ DA PARADA, FUTEBOL, PÓ E BUCETA. COMIGO, MISSÃO DADA TINHA QUE SER MISSÃO CUMPRIDA."

As travessuras de Alexandre Frota eram a menor das preocupações do diretor geral Roberto Talma. Sorriso do Lagarto foi fruto de uma parceria inédita, uma co-produção entre a Tv Globo e a produtora Tv Plus do próprio Talma, uma prática cada vez mais comum no mercado atual, mas uma grande novidade naquela época. A minissérie foi exibida entre junho e agosto de 1991, com 52 episódios. Paraty serviu de cenário da fictícia ilha de Santa Cruz, onde se desenrola toda a trama. Uma história de amor, corrupção, especulação imobiliária e até experiências genéticas com homens e lagartos, daí o título do livro e da minissérie. No elenco, Tony Ramos, Maitê Proença, Raul Cortez, Pedro Paulo Rangel, Lúcia Veríssimo, Carlos Augusto Strazzer, Ana Beatriz Nogueira, Stepan Nercessian, Regina

Dourado e José Lewgoy. Foi o último trabalho de Carlos Augusto Strazzer na tv, antes de falecer. Alexandre Frota interpretou o inescrupuloso Tavinho, aliado do vilão da história, o corrupto secretário de saúde Ângelo Marcos vivido pelo grande Raul Cortez. A minissérie foi bem de audiência e crítica, seu tema de abertura, a belíssima música Mercy Street cantada por Peter Gabriel, é lembrado até hoje. Como era de se esperar, Alexandre Frota e seu "tripé" (com e sem duplo sentido, como diria o jornalista Agamenom Mendes Pedreira do Casseta e Planeta) deram muito trabalho.

"Eu estava descarralhado e descaralhei o elenco junto, lógico que caras como o Tony Ramos não, mas parte do elenco entortou o cabeçote. Cena que eu tinha que fazer bêbado, eu entornava uísque de verdade, já entrava em cena louco. Teve um dia que eu cheguei na gravação com um baseado, um cigarro de maconha de 20 cm, nem ia fumar aquele baseado, mas botei na cabeça, fixando atrás da orelha, só de sacanagem e sentei ao lado do Talma. Ele olhou para mim e só falou "Caralho, Frota", balançando a cabeça. O Talma ficou preocupado comigo, falou que iria me internar do mesmo jeito que fez com outro diretor de novelas da Globo, um grande amigo nosso. Foram três meses morando em Paraty, peguei uma atriz que eu jamais achei que teria chance, mas fiz muita merda. Fui pegar um carro do Talma no Rio, no caminho, caí em uma vala de dois metros, tirei o carro da vala e cheguei com ele todo fudido em Paraty. O Talma olhou o estado do carro e não falou nada."

A pressão que um diretor geral sofre para que dê tudo certo é descomunal. Sempre foi assim. Responsável pelo funcionamento de uma gigantesca engrenagem, ele precisa estar atento à cada detalhe, ter uma equipe de confiança e contar com a ajuda de todos. Sozinho, não faz nada. Em Sorriso do Lagarto, Frota foi um espectador privilegiado de um dia de fúria de Roberto Talma.

"Era uma cena noturna de um jantar na mansão. Estávamos eu, o Raul Cortez, o Marcelo Picchi e a Maitê Proença. A Maitê chegou atrasada, o Talma já estava uma pilha de nervos. Na hora de gravar, ela cismou de trocar seu figurino. O Talma entrou no estúdio irado, jogo o texto em cima da mesa e deu um dos maiores esporros que eu já vi. Gritou para caralho com ela. O Raul tentou apaziguar os ânimos e sobrou para ele também. Fiquei calado, já vi muitos esporros do Talma. Quando terminou aquela pagação geral, foi aquele silêncio. Antes de sair do estúdio, o Talma parou, de costas para todo mundo, e mandou um recado para mim em voz alta:

- E você que está aí calado, se liga, que você é o próximo! Você é o próximo!

Entendo o nervosismo do Talma, a produtora dele era parceira da Globo nesse projeto. Depois disso, fiquei pianinho. Meu personagem era pequeno, o Talma só me chamou porque me queria perto dele, para não fazer merdas ainda maiores. Fiz o Tavinho, que também cheirava, todo vestido de Ricardo Almeida, adorei contracenar com o Raul Cortez, um grande ator e amigo. A gente se divertiu muito fora das gravações. Chegamos a caminhar várias vezes às cinco da manhã pelas ruas de Paraty, que são difíceis de andar. Como o Raul tropeçava muito, eu sempre brincava com ele dizendo que ia botar corrimão nas paredes daquelas casas históricas. Grande Raul Cortez! Grande ator e grande ser humano (se emociona ao lembrar). O Tony Ramos é outro. Trabalhar ao seu lado é motivo de orgulho para qualquer ator. Eu podia ter aproveitado mais, nesse sentido. A verdade é que o Talma sempre quis que eu fosse seu braço direito, mas a loucura não deixou, tenho consciência disso. Outros atores que colaram no Talma como o Pedrinho Vasconcelos se tornaram diretores da Globo, era para eu ter seguido esse caminho. Eu vacilei (fala e fica em silêncio refletindo por alguns segundos), vacilei muito."

Apesar dos relatos, Alexandre Frota não foi internado por Roberto Talma. Sua vida estava prestes a sofrer mais uma reviravolta inesperada, algo que costumamos chamar de destino.

"NO ÚLTIMO DIA DE GRAVAÇÃO, EU E TALMA VOLTAMOS JUNTOS DE CARRO. DEIXEI O TALMA EM SUA CASA E FUI PARA O MEU APÊ. NESSA ÉPOCA, EU MORAVA NA FONTE DA SAUDADE, NO HUMAITÁ, PERTINHO DELE. CHEGUEI E VI QUE TINHA UMA MENSAGEM NA SECRETÁRIA ELETRÔNICA. ERA O MAURÍCIO MATTAR ME CHAMANDO PARA UMA REUNIÃO NA CASA DO WOLF NAQUELA MESMA NOITE COM URGÊNCIA. COMO JÁ TINHA PASSADO DE MEIA NOITE, LIGUEI PARA O MAURÍCIO E ELE ME CONFIRMOU QUE ESTAVA LÁ COM O WOLF ME ESPERANDO, JUNTO COM O FÁBIO ASSUNÇÃO. PARTI PARA LÁ. O WOLF ME RECEBEU SUPER CARINHOSO, E COM A CARA MAIS LIMPA DO MUNDO, ME DISSE:

- Que bom que você veio, Alexandre. É o seguinte, o Rômulo Arantes não vai mais fazer o "Blue Jeans" e nós aqui (Wolf, Mattar e Fábio) chegamos a conclusão que somente você pode fazer esse papel, que é um dos principais papéis do musical.

Enquanto ele falava um filme se passou pela minha cabeça: o cara ia me deixar de fora, fui eu quem deu a ideia de remontar o Blue Jeans, e naquele momento, estava me pedindo para fazer só porque o Rômulo Arantes tinha caído fora. Pensei comigo: quer saber? Foda-se o meu orgulho ferido! Eu estou dentro! Os caras ensaiaram durante oito meses, eu só tive uma semana antes da estreia. Mas estava tão a fim de fazer esse musical que passei por cima de tudo. E a peça se tornou um sucesso estrondoso, explodiu."

Frota, um brasileiro, mandou às favas todos os seus escrúpulos. Mal sabia ele que esse trabalho teria um significado muito maior do que sucesso, dinheiro e farras.

O REENCONTRO COM O PAI E O ÚLTIMO ADEUS

"Blue Jeans" ficou em cartaz durante três anos no Teatro Galeria, no Rio de Janeiro. Vários galãs globais já estrelaram a peça em diferentes montagens dirigidas por Wolf Maya: Alexandre Frota, Fábio Assunção, Maurício Mattar e Ricardo Macchi na remontagem de 1991, depois Humberto Martins, Marcos Pasquim, Danton Mello e Malvino Salvador. Mais uma vez Frota experimentava o sucesso no teatro a exemplo de "Capitães da Areia", "Os 12 Trabalhos de Hércules" e "Splish Splash". Só que o público de "Blue Jeans" era mais histérico, principalmente o feminino, que vibrava com os corpos seminus dos atores que interpretavam garotos de programa e jovens travestis. Mas foi no âmbito pessoal que a peça teve um significado maior para Alexandre Frota. Foi através de "Blue Jeans" que ele pôde reencontrar seu pai, Antônio Carlos de Andrade, um reencontro aos "45 minutos do segundo tempo" do jogo da vida.

"EU RESGATEI MEU PAI. MEU PAI, QUE TINHA FICADO PARA TRÁS, EU TROUXE ELE DE VOLTA PARA MINHA VIDA. COM A PEÇA EM CARTAZ NO FLAMENGO (BAIRRO DA ZONA SUL CARIOCA), BOTEI MEU PAI COMO ASSISTENTE DE PRODUÇÃO DA PEÇA E COMO MEU ASSISTENTE TAMBÉM. DE VEZ EM QUANDO EU APARECIA NO" APÊ" DELE EM COPACABANA PARA LEVAR COMIDA, DINHEIRO, AÍ TIVE A IDEIA DE CHAMÁ-LO PARA TRABALHAR, ELE TINHA SIDO UM GRANDE PRODUTOR DE TV NOS ANOS 60, EM UMA ÉPOCA QUE TUDO ERA AO

VIVO. MEU PAI FICOU FELIZ, PEGAVA O ÔNIBUS EM COPA E CHEGAVA AO TEATRO POR VOLTA DAS SEIS DA TARDE PARA PREPARAR TUDO, EU CHEGAVA DEPOIS, ENCONTRAVA COM ELE, A GENTE CONVERSAVA, TROCAVA IDEIA. APESAR DO CARINHO, HAVIA UMA CERTA FRIEZA ENTRE A GENTE, POR CONTA DO LONGO AFASTAMENTO."

Não, eles não chegaram a se reconciliar. Não houve aquele clássico momento dos folhetins em que pai e filho conversam, botam para fora todas as mágoas e no final se abraçam emocionados. Alexandre Frota sempre preferiu guardar seus sentimentos muito bem guardados, tão bem que ele próprio parece não saber aonde encontrá-los em determinadas ocasiões. Em outras, vem à tona, em uma enxurrada de lágrimas. No caso de seu pai, o que houve de fato foi uma reaproximação que fez muito bem aos dois. Antes tarde do que nunca.

"Estava gravando Perigosas Peruas, uma novela do caralho do Carlos Lombardi, meu personagem arrebentando e aí recebo um telefonema. Meu pai foi encontrado caído no meio da rua, ele teve um AVC. Saí correndo para o Miguel Couto (hospital público) e o transferi para a Clínica São Vicente na Gávea, perto de onde eu morava, no Leblon. Ele ficou três dias internado lá. No terceiro dia, eu passei a noite com a filha de um grande diretor global e quando deu seis e meia da manhã, fui ver meu pai. O Serginho (aquele amigo que o acompanhou em Paraty) foi comigo. Na hora de ir embora, assim que eu saí do quarto, meu pai chamou o Serginho sem que eu percebesse e falou para ele cuidar bem de mim. Fechamos a porta, ele dormiu e morreu. Eu estava em casa, dormindo, quando minha irmã chegou para me avisar, "o papai morreu". **QUER DIZER, SUAS ÚLTIMAS PALAVRAS FORAM "CUIDA BEM DO ALEXANDRE".** Minha cabeça virou. Chorei muito sozinho, eu não choro na frente de ninguém. Cuidei do enterro, cuidei de tudo e chorei mais depois. Todo o elenco de "Blue Jeans" foi no enterro no cemitério São João Batista, o Wolf foi no enterro. Ele gostava muito do meu pai."

No drama "Antes de Partir" os personagens de Jack Nicholson e Morgan Freeman, doentes terminais, criam uma lista de prioridades antes de morrer. E vão à luta. Na vida real, Alexandre Frota já pode riscar o item "resgatar meu pai" de uma lista armazenada em algum lugar remoto de seu subconsciente.

"Teve uma cena que me marcou muito naquele enterro: eu estava conversando com o Wolf, o Maurício e o Eri quando vi o caixão sendo levado, sem ninguém da família dele, nem seus amigos, em volta. Lembrei de uma frase da minha mãe que nunca esqueci:

- Seu pai vai morrer sozinho.

Alguns amigos espíritas já me falaram que essa minha instabilidade, essa minha inconstância em relação a tudo é porque o espírito do meu pai nunca desgarrou de mim. Ele era mulherengo, largado e não se fixava em ninguém. Passei a temer terminar como ele."

Em "O Evangelho Segundo o Espiritismo" de Allan Kardec, capítulo 14, está escrito:

"Honrar a seu pai e a sua mãe não consiste apenas em respeitá-los, é também assisti-los na necessidade. Alguns pais, é certo, não são para os filhos o que deviam ser, mas a Deus é que compete puni-los, não a seus filhos. Quando deixa a Terra, o espírito leva consigo as paixões ou as virtudes inerentes à sua natureza e se aperfeiçoa no espaço, ou permanece estacionário, até que deseje receber a luz. Para chegar a Deus, a senha é uma só: caridade. Não há caridade sem perdão, nem com o coração tomado de ódio."

Honrar pai e mãe, amar o próximo como a ti mesmo, retribuir o mal com o bem. O caminho é longo.

IDENTIDADE FROTA
A ESTRELA E A ESCURIDÃO
5.0

APRONTANDO TODAS EM PERIGOSAS PERUAS

Entre 1989 e 1992, Alexandre Frota teve sua melhor sequência de trabalhos na Tv Globo com "Top Model", "Boca do Lixo", "Sorriso do Lagarto" e "Perigosas Peruas", não por acaso, as quatro produções com direção geral de Roberto Talma. Exibida entre fevereiro e agosto de 1992 no horário das 19 horas, "Perigosas Peruas" era a grande oportunidade para Frota mostrar seu amadurecimento como ator. Escrita por Carlos Lombardi, a novela teve momentos de turbulência nos bastidores. Vera Fisher chegou a ser cortada e depois readmitida em um elenco que tinha Sílvia Pfeifer, Mário Gomes, Alexandre Frota, Guilherme Karan, Beth Goulart, Rômulo Arantes, Nair Bello, Cláudia Lyra, Tato Gabus Mendes e Gerson Brenner, entre outros.

"ERA UM ELENCAÇO! VERA FISHER E SÍLVIA PFEIFER ERAM AS PERUAS, ELAS DUAS, EU E MÁRIO GOMES FOMOS OS PROTAGONISTAS. NÓS QUATRO COM NOSSOS NOMES CREDITADOS NO INÍCIO DA ABERTURA DA NOVELA. FIZ O JAÚ, UM GRANDE PAPEL, E ESTAVA CONTRACENANDO COM MEU ÍDOLO E AMIGO MÁRIO GOMES. MINHA PRIMEIRA CENA NA GLOBO TINHA SIDO COM ELE EM VEREDA TROPICAL. DE REPENTE, TUDO PARECIA ESTAR DANDO CERTO NA MINHA VIDA. BLUE JEANS ESTOURADO NO TEATRO GALERIA NO FLAMENGO E PERIGOSAS PERUAS BOMBANDO NA TV."

Só que alegria de Alexandre Frota dura pouco. Com a morte de seu pai durante "Perigosas Peruas", ele perde totalmente o foco e bate todos os recordes de confusões que se tem notícia nos bastidores da Tv Globo. Convidado para participar do Domingão do Faustão, consegue a proeza de fazer um merchan (propaganda de uma marca) ao vivo sem avisar ninguém.

"Vesti uma camisa da Arrebentação, que era uma marca de surf wear de um amigo meu, aquela do slogan "Arrebentação, acontece, porque faz". Só queria dar uma força, não tinha grana nenhuma na parada. Meti a camisa por baixo de uma camisa social e esperei o Faustão me chamar. Eu sempre participava do Domingão, igual ao Cassino do Chacrinha. Aí o Faustão me chamou, ao vivo:

- Vamos receber agora o glorioso filho da Dona Laís e do Seu Antônio Carlos, Alexandre Frota! – nessa hora, tirei a camisa social e entrei.

O Faustão arregalou o olho quando sacou a camisa com aquela logomarca enorme da Arrebentação. Em segundos, fizeram um corte para uma câmera que mostrava só o meu rosto. Participei do quadro, nem lembro o que era, e fui embora para casa. A gravação foi em um domingo, no dia seguinte, na segunda-feira, me ligaram dizendo para comparecer na sala do Jorge Adib, o diretor responsável pelo departamento de merchandising da Globo, um dos diretores mais graúdos da emissora. Fudeu. Cheguei lá, ele já estava com a fita do Domingão do Faustão nas mãos. Botou na máquina e deu pause no momento que entrei no palco com a camisa da Arrebentação. O diálogo entre a gente foi surreal:

- Essa marca é sua? – perguntou, sério
- Não, de um amigo meu.
- Você combinou com alguém?
- Não.
- Você sabe quanto custa essa ação?
- Não senhor.
- Não tem problema. – em seguida, abriu uma gaveta e puxou um contrato.

- Isso aqui é um contrato de merchandising. São dez ações desse guaraná. Você vai fazer as dez na sua novela e não vai receber nada. Quem vai receber no seu lugar é a Globo.

"NEM PESTANEJEI. ASSINEI A PORRA DO CONTRATO E FIQUEI BEBENDO GUARANÁ DURANTE 01 MÊS DE GRAVAÇÕES."

Depois dessa, a sucessão de incidentes veio em um efeito cascata: Irritado com a demora de um câmera no estúdio para ajustar o foco, trocar a lente, Frota deita no chão e se recusa a gravar; em uma cena na praia, ao ser informado que o diretor não poderia vir e a gravação seria cancelada, resolve por conta própria ele mesmo dirigir a cena, cheio de atitude, diante de olhares incrédulos da produção e equipe técnica. Acredite se quiser, a cena foi gravada, mas jamais foi ao ar. Durma-se com um barulho desses.

"O Talma com certeza perdeu o sono comigo. Passei o rodo no elenco de apoio da novela, peguei três atrizes do elenco principal. Já tinha muita gente me olhando atravessado desde a minha separação da Cláudia Raia. A Cláudia sempre foi muito querida na Globo. A morte do meu pai mexeu muito com a minha cabeça. Fui fazendo merda atrás de merda. Aí o Talma me chama em sua sala, tira um chumaço com uns 40 papéis e começa a ler. Eram todos memorandos comunicando atrasos meus nas gravações, algumas faltas, uma discussão com a Sílvia Pfeifer, que eu xinguei ela, grosseria com câmera, grosseria com produtor e um barraco monumental que aprontei na portaria da Globo que repercutiu muito mal. Um segurança não quis deixar minha sobrinha Mariana, filha da minha irmã Angela, entrar porque ela era menor de idade. Logo a Mariana, que era como uma filha para mim. Mexer com ela significava comprar uma briga feia comigo. Meti o pé na catraca e entrei com a Mariana na marra. Estava tão puto que deixei ela no camarim, fechei a porta e parti para a porrada ali mesmo no corredor. Só não foi pior porque um segurança pessoal do Roberto Marinho entrou no meio e me puxou. Ele já me conhecia das festas do Boni em Angra, dos passeios de veleiro, tentou me acalmar e disse que eu não podia agir daquele jeito, mas eu estava enlouquecido. Era para ter deixado a poeira baixar, em vez disso, fui direto no Mário Lucio Vaz (diretor geral artístico da Tv Globo), que almoçava naquele momento. Entrei aos berros no restaurante da diretoria que fica no último andar no prédio da Lopes Quintas (rua do Jardim Botânico onde fica a entrada principal do jornalismo da Globo), na frente de toda a alta cúpula da Globo, o Roberto Buzzoni (diretor de programação), o André Dias (diretor de novos contratos), o Paulo Ubiratan (diretor de teledramaturgia), só não estava o Boni, ainda bem. Todos eles estavam almoçando com o Faustão. Reclamei que minha sobrinha tinha sido barrada, que aquilo era um absurdo, enfim, queimei bonito meu filme. O Mário Lúcio ligou para a portaria e falou que minha sobrinha estava autorizada a acompanhar minha gravação. Lembro que o Faustão me fuzilou com os olhos, já devia estar puto com a história da camisa da Arrebentação. **POR TUDO ISSO QUE EU JÁ TINHA APRONTADO, QUANDO O TALMA LEU TODOS AQUELES MEMORANDOS RECLAMANDO DA MINHA CONDUTA, EU FIQUEI CALADO. VOU FALAR O QUÊ?"**

Apesar do histórico de barracos e confusões, Talma compreendia o momento de Alexandre Frota. Ele sabia que a morte do pai, naquelas circunstâncias, tinha sido um duro golpe e tirar Frota da novela seria um tiro de misericórdia, acabaria com sua carreira, pelo menos na Tv Globo. Confiou no ditado "o tempo é o senhor da razão", mas o tempo, em relação a Alexandre Frota, está mais para "caixinha de surpresas", como o futebol, do que senhor de qualquer razão.

"NO MEIO DAS GRAVAÇÕES DE PERIGOSAS PERUAS, ANTES DA NOVELA ESTREAR, FUI CHAMADO NA SALA DO DANIEL FILHO. JÁ FUI CABREIRO, SABIA QUE O DANIEL NÃO GOSTAVA DE MIM. CHEGANDO LÁ, O DANIEL ME AVISA QUE VAI ME TIRAR DA NOVELA DO LOMBARDI E ME BOTAR NA PRÓXIMA NOVELA DAS OITO. NÃO GOSTEI E FALEI PARA O DANIEL FILHO QUE NÃO QUERIA. O DANIEL SE EXALTOU E DISSE QUE EU ERA CONTRATADO DA EMISSORA. RESPONDI QUE NÃO IRIA FAZER E PEGUEI PESADO:

- VOCÊ NÃO FAZER COMIGO O QUE FEZ COM O MÁRIO GOMES! – GRITEI

- VOU FAZER PIOR, GAROTO. SAI DA MINHA SALA!

Pronto. Estava demitido. Me levantei, saí da sala, peguei o elevador e subi direto no Boni. Aguardei a secretária dele autorizar minha entrada. O Boni fez uma cara de espanto, já prevendo que vinha cagada:

- Vim aqui me despedir de você. – falei já apertando sua mão.

- Como assim se despedir? – ele questionou sem entender nada.

Expliquei que o Daniel queria me tirar de Perigosas Peruas e me obrigar a fazer a novela das oito, que ele já tinha tentado me sacanear na "Boca do Lixo". O Boni pediu que eu me acalmasse e chamou seu assessor Edwaldo Pacote:

- Pacote, liga para o hotel Maksoud Plaza em São Paulo, tira passagem aérea de ida e volta para o Alexandre, mas só marca a volta quando eu mandar. Ele vai ficar hospedado lá, bota um carro com motorista à disposição dele.

Fiquei na maior mordomia no Maksoud durante uma semana, saía todas as noites em São Paulo até que a secretária do Boni me ligou e disse para eu voltar que ele queria falar comigo. Peguei a ponte aérea e fui para a Globo. Perguntei se estava tudo tranquilo e ele foi direto ao assunto:

- Frota, você não vai ser demitido e também não vai fazer a novela das oito. Seu contrato termina ano que vem e já autorizei a renovação por mais dois anos. O Daniel Filho é assunto meu, não te interessa. Pode ir agora.

Agradeci a força e voltei a gravar Perigosas Peruas."

Anos depois, quando Daniel Filho saiu da Globo para dirigir e produzir o seriado "Confissões de Adolescente" para a Tv Cultura, ele e Frota se reencontraram no Shopping Eldorado em São Paulo. Conversaram animadamente, se abraçaram e cada um seguiu para um lado. A vida como ela é. E quem imaginava que depois de tantos contratempos, Alexandre Frota "sossegaria o facho" em

"Perigosas Peruas", não conhece o filho de Dona Laís. Faltava um grand finale, digno dessa comédia de erros, e ele veio.

"O QUE EU MAIS CURTIA EM "PERIGOSAS PERUAS" É QUE EU ERA GALÃ DA NOVELA. ACHAVA O MÁXIMO, ME SENTIA NO MESMO PATAMAR DO TARCÍSIO MEIRA E DO MÁRIO GOMES, MEUS DOIS ÍDOLOS. POR ISSO NÃO PERCEBI O PRESENTE QUE O LOMBARDI QUIS ME DAR. MEU PERSONAGEM, O JAÚ, QUE ERA UM PEGADOR, IRIA SUMIR POR TRÊS CAPÍTULOS E DEPOIS VOLTAR GAY, UM GAY ENRUSTIDO. ERA A MINHA CHANCE DE MOSTRAR QUE ERA UM ATOR DE VERDADE, VERSÁTIL, MAS ENTENDI TUDO ERRADO, ACHEI QUE ELE ESTAVA QUERENDO ME SACANEAR E FALEI QUE NÃO IA FAZER. MANDEI AVISAR AO CARLOS LOMBARDI QUE NÃO IRIA GRAVAR, QUE AQUILO ERA UMA PALHAÇADA. O PEPINO FOI PARAR NAS MÃOS DO TALMA. ELE ME PERGUNTOU SE EU NÃO QUERIA MESMO FAZER E EU DISSE QUE NÃO. O TALMA GOSTAVA MUITO DE MIM, MUITO MESMO, FAZIA TODAS AS MINHAS VONTADES. AÍ ELE PROCUROU O LOMBARDI E SUGERIU UM OUTRO TIPO DE MUDANÇA. TROCARAM O GAY POR UM PORTO-RIQUENHO, QUE TAMBÉM FUNCIONOU, MAS NÃO DEMOROU MUITO E O LOMBARDI MATOU MEU PERSONAGEM COM UM TIRO NO PEITO, OS CARAS JÁ DEVIAM ESTAR DE SACO CHEIO DAS MERDAS QUE EU APRONTAVA."

A morte do Jaú havia sido decretada, encomendada, não se sabe por quem, a lista de prováveis suspeitos era grande. E qualquer coisa que Alexandre Frota fizesse só iria agravar ainda mais sua péssima reputação. Só restava sair de cena, mas ele quis deixar sua assinatura.

"Então eu decidi por conta própria que iria ter uma cena de morte apoteótica. Procurei o departamento de efeitos especiais e pedi para os caras prepararem uma explosão no meu peito quando fosse disparado o tiro na gravação. E não falei para ninguém. Gravamos na Floresta da Tijuca, eu levaria um tiro e cairia dentro d'água, tinha que ser de primeira, não daria para repetir a cena porque eu estaria todo molhado. Na hora do disparo, todos os câmeras a postos, foi aquele estrondo com litros de sangue jorrando para todos os lados. Ficou todo mundo surpreso."

IDENTIDADE FROTA
A ESTRELA E A ESCURIDÃO
5.0

Na ilha de edição, na hora de montar a cena, a surpresa dos editores foi ainda maior. Roberto Talma foi chamado às pressas, viu as imagens com a mesma perplexidade e mandou buscar Alexandre Frota imediatamente. Apesar da seriedade da situação o encontro foi surreal: Assim que Frota chegou, tranquilo como sempre, Talma apertou o play e mostrou a cena pré-editada com o corpo do Jaú explodindo após um tiro de espingarda. Ao final, respirou fundo, se virou para Frota e perguntou, resignado, em voz baixa:

- Que porra é essa? Rambo? Predador? O cara te dá um tiro e explode uma bomba dentro de você?

Resumo da ópera e da cena final: só foi aproveitado o plano geral, a cena com o enquadramento mais aberto, da sequência da morte do Jaú. Depois disso, se alguém fosse editar o tradicional "a seguir cenas do próximo capítulo" de Alexandre Frota na Tv Globo, simplesmente não teria material para mostrar.

"QUANDO ROLOU AQUELA CONFUSÃO COM O DANIEL E O BONI SEGUROU MINHA BARRA, IMAGINEI QUE O DANIEL TIVESSE FICADO COMIGO ENTALADO NA GARGANTA, AINDA MAIS QUE O BONI RENOVOU MEU CONTRATO POR MAIS DOIS ANOS. REALMENTE, FIQUEI MAIS DOIS ANOS CONTRATADO, MAS NA GELADEIRA, NÃO FIZ MAIS NADA DEPOIS DE PERIGOSAS PERUAS. MERGULHEI FUNDO NA ESCURIDÃO, A DANIELA THOMAS ME FEZ MUITA COMPANHIA NESSE PERÍODO. QUANDO ACABOU MEU CONTRATO COM A GLOBO, FUI EMBORA. NEM QUIS PROCURAR O BONI PARA PEDIR MAIS NADA, ELE JÁ TINHA FEITO MUITO POR MIM. HOJE, PASSANDO MINHA VIDA A LIMPO, VEJO QUE A GLOBO TENTOU, INVESTIU, MAS EU NÃO TIVE MATURIDADE. E MINHA PERSONALIDADE FORTE TAMBÉM INCOMODOU MUITA GENTE."

Uma conclusão melancólica ainda mais que, depois de "Roque Santeiro", Alexandre Frota esteve pertinho de atuar novamente em uma novela das oito, "De Corpo e Alma" de Glória Perez, quando chegou a disputar um dos papéis com um obscuro ator, na época seu colega e desafeto em "Blue Jeans", ele mesmo, Guilherme de Pádua.

O RETRATO DE UM ASSASSINO E UMA ESTRELA NO CÉU

Antes mesmo de terminar "Perigosas Peruas", Roberto Talma foi escalado para ser o diretor geral da nova novela das oito, "De Corpo e Alma", de Glória Perez. E como sempre acontece nesses casos, as primeiras reuniões são feitas com bastante antecedência para definir o elenco e dar o start na pré-produção. Quando soube que haveria um personagem gótico na trama, Eri Johnson procurou Alexandre Frota e pediu que sugerisse seu nome para Roberto Talma desencadeando uma sucessão de eventos com desdobramentos.

"Falei para o Eri que ia ver, eu não gostava de pedir essas coisas para o Talma. Em Perigosas Peruas já tinha sugerido incluir uma música do Rômulo Arantes na trilha sonora da novela porque o Rômulo vivia me pedindo. Assim que desliguei o telefone, o Talma me ligou me chamando para jantar na casa dele na Lagoa. A gente morava pertinho um do outro, nessa época eu estava na Fonte da Saudade. O Talma fez um macarrão, tomamos vinho e eu na dúvida se pedia ou não pelo Eri. Aí resolvi falar. O Talma não respondeu nem olhou mais na minha cara. Botou um filme para gente assistir. Fiquei muito sem graça e não toquei mais nesse assunto. O Eri me ligou no dia seguinte e falei o que tinha acontecido. Uma semana depois, o Talma me liga, avisa que tá indo jantar com a Glória Perez na casa do Mário Lucio Vaz e me convoca para ir junto. Sentamos à mesa, Talma, Mário Lucio, sua esposa, Glória Perez e eu. Nunca vou me esquecer desse jantar. Eles começaram a discutir o elenco da novela, falaram do Victor Fasano, da Cristiana Oliveira (recém contratada pela Globo após o sucesso em Pantanal), da Daniela Perez (filha de Glória Perez), de um monte de gente e de repente, surge o nome do Eri. Caraca, o Eri estava escalado! No final da reunião, o Talma vira para Glória Perez e fala:

- Glória, estou pensando em botar o Frota também.

Ela meio que concordou enquanto eu fiquei parado igual a uma estátua. Na volta para casa, comentei com o Talma do Eri, falei que ia ligar para ele, contar a novidade e o Talma me interrompeu:

- Liga porra nenhuma, depois você liga. Te chamei aqui porque eu quero te botar nessa novela, tenho um personagem bacana para você.

Agradeci, mas falei que não queria emendar outra novela depois de Perigosas Peruas, isso foi antes do meu personagem morrer explodindo com um tiro de espingarda. O Talma insistiu:

- Porra, Frota! O papel é legal, você vai contracenar com a Daniela Perez, a filha da Glória. Você vai fazer sim, eu já sugeri seu nome para Glória.

O Talma estava tão decidido que eu comecei a pensar na possibilidade, ainda mais com o Tarcísio Meira, meu ídolo de infância, no elenco."

Roberto Talma não aguentava mais olhar para sua gaveta lotada de memorandos com reclamações de Alexandre Frota e sua notória rebeldia indomável. Sabia que ele precisava crescer como ator, a única forma de apagar a péssima reputação conquistada nos bastidores. "De Corpo e Alma", uma novela das oito, era mais uma chance. Ele só não contava com o imponderável.

"Naquele ano (1991), fiz uma festa de arromba no meu aniversário, fiquei louco e acabei faltando ao Blue Jeans. O Wolf me suspendeu por 15 dias e botou o Guilherme de Pádua no meu lugar. Ele já fazia a peça, só que no elenco de apoio. Não sei se a Glória Perez foi ver a peça justamente nesse período, como cheguei a escutar, mas se foi, viu o cara no papel que era meu, dá para acreditar? Depois soube que o Raul Gazolla (naquela época, casado com Daniela Perez) reagiu mal ao meu nome para fazer par romântico com a Dani, provavelmente por conta do rolo dele com a Cláudia Raia em Splish Splash, quando ela ainda era casada comigo. Vai ver achou que eu tentaria dar o troco, mas jamais faria isso. Nunca fui de azarar mulher de qualquer ator. Nessa época comecei a namorar a Juliana Monjardim, sobrinha do Jayme, que eu conheci na plateia de Blue Jeans, estava apaixonado por aqueles olhos azuis."

Fatos ou versões? Difícil saber se a suposta crise de ciúmes de Gazolla pesou no veto ao nome de Alexandre Frota em "De Corpo e Alma", ou sua ausência em Blue Jeans. Apenas conjecturas.

"Talvez eu não fosse a opção da Glória Perez para aquele papel, pode ser, mas o Talma estava disposto a bancar meu nome, tanto que me levou naquele jantar."

O fato é que dois de seus colegas de musical foram escalados para a novela de Glória Perez: Fábio Assunção e Guilherme de Pádua, cabendo a este, o papel de Bira, o personagem que poderia ter sido de Alexandre Frota pela vontade de Roberto Talma. Também é fato que Frota nunca engoliu a presença de Guilherme de Pádua na peça.

"Briguei várias vezes com ele em Blue Jeans, era um sujeito muito esquisito, nunca fui com a cara dele. Lembro que nesse mesmo período, o pó rolava solto no meio do nosso elenco."

O resto é história, uma triste e trágica história de uma jovem atriz com futuro promissor brutalmente assassinada por um colega de profissão e sua esposa.

"Eu estava com a Juliana Monjardim no meu apartamento no Leblon quando vi na tv a notícia do assassinato da Dani (na noite do dia 28 de dezembro de 1992). A única coisa que pensei foi em procurar o Raul Gazolla. A Juliana estava feliz porque iria se reencontrar com o pai depois de anos sem vê-lo. Dei um beijo nela e saí no encalço do Gazolla."

O curioso é que Cláudia Raia, atriz e mulher da rara sensibilidade, um dos pilares na recuperação do amigo Reynaldo Gianecchini durante sua batalha contra o câncer conforme relatado no livro "Giane: Vida, Arte e Luta" de Guilherme Fiuza, jantou com Raul Gazolla meses antes do crime e foi enfática ao falar de seu ex-marido:

- Raul, escuta bem o que vou te falar. O Alexandre é um dos caras com o maior coração que eu conheço. Independente do que aconteceu entre você e ele, ele é o tipo do cara que vai estar ao seu lado quando você mais precisar, pode acreditar.

Palavras proféticas de alguém que não tinha mais motivos para exaltar o caráter de Alexandre Frota.

"Foi o próprio Gazolla que me revelou esse encontro com a Cláudia depois. Na morte da Daniela, eu fiquei ao lado dele, lembro até hoje do Raul chorando vindo na minha direção no cemitério falando "mataram minha mulher" e me abraçando. Eu fiquei abraçado e não saí mais de perto dele naquele momento tão triste. O corpo tinha acabado de chegar na capela, saímos um pouco para tomar um café, ficamos conversando e voltamos. O Maurício Mattar logo que chegou, foi logo abraçando o Gazolla. Nesse momento a mãe dele me chamou em um canto para revelar que o Guilherme de Pádua era o assassino e me pediu ajuda para contar para o Gazolla. Porra, o Gazolla tinha acabado de comentar que o Guilherme tinha consolado ele na noite anterior na delegacia, ele e a mulher, a Paula. Falou que sentia muito. Conversei com o Maurício Mattar, ele subiu em uma cadeira e pediu para todos saírem da capela porque a mãe do Gazolla queria conversar com o filho. Ficou só quem já sabia da parada. O Gazolla estava sentado em um sofá. Eu o abracei pela cintura, ajoelhado de frente para ele, o Maurício ficou de um lado, já segurando seu braço, o Zé de Abreu do outro e o Tony Tornado, que é enorme, ficou atrás do Gazolla, fazendo massagem nas costas dele. Aí sua mãe falou que o delegado já sabia a identidade do assassino da Daniela. Suas palavras foram "você vai ter que ser forte, meu filho". O Gazolla perguntou quem era e quando ela disse o nome do Guilherme de Pádua, seu corpo enrijeceu e ele se levantou bruscamente. Mesmo com quatro caras fortes segurando ele, grudados nele, o Gazolla se levantou, gritando enfurecido, levando nós quatro junto com ele. Depois, caiu no chão e todo mundo foi junto também. Eu agarrei a cintura dele e não soltei mais. Ele urrava, gritava sem parar, o José de Abreu segurou o rosto dele, tentando acalmá-lo, o Tony Tornado ficou na frente da porta para ele não sair, ele gritava de ódio, chegou a morder o estofamento do sofá, arrancou um pedaço do estofamento com os dentes, nunca vi isso. Quando o Guilherme de Pádua foi preso, não deixamos o Gazolla ir na delegacia."

Mesmo preso e assassino confesso, Guilherme de Pádua chegou a ser liberado pela polícia, mas por pouco tempo. Com uma nova ordem de prisão emitida e uma denúncia anônima que ele se encontrava escondido na Rua Timóteo da Costa no Alto Leblon, Alexandre Frota e Maurício Mattar decidiram participar da busca por vontade própria, pedindo informações de portaria em portaria durante toda aquela madrugada. O criminoso só foi preso novamente pela manhã quando se dirigia ao encontro de sua esposa em uma clínica na zona sul. Frota e Maurício foram até a delegacia, na Barra, e ficaram cara a cara com o assassino.

"Estava o maior tumulto, nós entramos, prestamos depoimento e descobrimos que ele estava em uma cela provisória com outros presos bem ao lado. A gente se aproveitou daquela confusão toda e fomos falar com ele. Ficamos frente a frente, separados só pela grade, eu e Maurício. Xinguei muito, o Maurício também falou, e o Guilherme o tempo todo calado. Só abriu a boca quando perguntei se era para gente acreditar na inocência dele ou nas tesouradas. Aí ele respondeu, olhando na nossa cara:

- Vocês tem que acreditar nas tesouradas.

Puta que pariu! Fiquei alucinado! Comecei a gritar para os outros presos "vocês tem que passar o rodo nesse cara!", "vou comprar pão com mortadela, suco de laranja para todo mundo", aí o delegado mandou nos tirar dali, o advogado dele protestou, disse que eu estava ameaçando seu cliente. Eu e Maurício saímos, a imprensa toda do lado de fora da delegacia, foi um inferno."

IDENTIDADE FROTA
A ESTRELA E A ESCURIDÃO
5.0

Mais tarde, a perícia confirmou que Daniela Perez morreu vítima de 18 golpes de punhal e não de tesoura como chegou a ser noticiado. No segundo dia do julgamento do ator Guilherme de Pádua, foram lidos os depoimentos de Alexandre Frota e Maurício Mattar, seus ex-colegas de Tv Globo e "Blue Jeans". Frota afirmou que Guilherme era uma pessoa "invejosa, ciumenta e agressiva" e que o réu chegou a ameaçá-lo com um pedaço de pau depois de uma luta de judô no palco do Teatro Galeria onde encenavam "Blue Jeans". Guilherme de Pádua, ao ouvir o depoimento de Frota, apenas sorriu e balançou a cabeça. Ao final, bateu palmas ironicamente. Guilherme de Pádua e sua esposa Paula Thomaz foram condenados (19 anos ele, 18 anos e 06 meses ela) por homicídio duplamente qualificado com motivo torpe. Cumpriram menos de 07 anos, um terço da pena e foram soltos. Quando voltou da delegacia da Barra no dia 30 de dezembro, Frota foi avisado pela mãe de sua namorada, Juliana, que o pai dela tinha falecido. Infarto fulminante. Depois de ter literalmente "explodido" na morte de seu personagem em "Perigosas Peruas", mais uma bomba tinha caído em seu colo.

"Foram 72 horas de fogo cruzado, a notícia da morte da Dani, o desespero do Gazolla, a caçada ao Guilherme, o depoimento na delegacia e quando chego em casa, descubro que o pai da Juliana tinha morrido. Eles não se falavam há anos, iriam se reencontrar no dia seguinte. Assim que a Juliana chegou, no final da tarde, levei ela para a praia. Sentamos na areia e ficamos abraçados, namorando, até que apareceu uma estrela no céu. Apontei para ela e falei no ouvido da Juliana:

- Está vendo aquela estrela ali? – Ela confirmou com a cabeça.
- Aquela estrela é teu pai. – falei, dando um beijo em sua cabeça em seguida.
Ela começou a chorar, entendeu tudo.
- Meu pai morreu? – perguntou chorando.

Não falei mais nada. Só a abracei mais forte e choramos juntos."

Naquela noite, uma pequena estrela brilhou intensamente no céu. No dia seguinte, Alexandre Frota acordou, olhou em direção ao horizonte e viu a ponte aérea.

UM **BAD BOY** CURTINDO A VIDA ADOIDADO EM SÃO PAULO

Em 1993, Alexandre Frota foi com a peça Blue Jeans para uma temporada em São Paulo. Com algumas mudanças no elenco, entraram Marcos Pasquim e Ricardo Macchi (o eterno cigano Igor). Alexandre se encantou com a capital paulista, especialmente sua vida noturna. Pensou seriamente em ficar por lá, mesmo com o contrato com a Globo ainda em vigor. Roberto Talma fez uma última tentativa para trazê-lo de volta, oferecendo um dos principais papéis da nova novela das sete, o mecânico Raí, de "Quatro por Quatro".

"Fui escalado pelo Talma para ser o Raí, um personagem muito parecido com o Apolo de Sassaricando. Cheguei a ler os dez primeiros capítulos, ia fazer par com a Letícia Spiller que estava estreando como atriz, depois de ser paquita da Xuxa. Com certeza iria arrebentar, só que o Talma precisou deixar a novela e o Ricardo Waddington assumiu a direção geral. O Ricardo Waddington era ligado ao Paulo Ubiratan (diretor de núcleo da Tv Globo), que apesar de grande amigo do Talma, nunca gostou de mim. Então, a primeira coisa que o Ricardo fez foi me tirar da novela. Botou o Marcello Novaes no meu lugar. Menos mal que entrou o Marcello, meu camarada desde os tempos do Teatro Tablado quando fizemos juntos a peça "Os 12 Trabalhos de Hércules". Eu e o Roberto Bataglin já tínhamos apresentado o Marcelo Novaes ao Talma, quando fiz Top Model. Em Quatro por Quatro, ele se consagrou como o Raí e eu voltei de vez para São Paulo. Minha história na Globo havia terminado. Na real, o que eu mais lamentei nisso tudo foi ter perdido a chance de pegar a Letícia Spiller, ela estava um tesão como a Babalu. Certamente teria rolado alguma coisa entre a gente. O Marcello casou com ela depois da novela."

Logo na chegada uma novidade. Sua amiga Mary Nigri precisava de ajuda. A cantora Madonna iria se apresentar em São Paulo e procurava uma academia para malhar. Alexandre Frota fez os contatos e conseguiu a Fórmula. No acerto, a academia se dispunha a fechar para que Madonna, seus bailarinos e seu staff pudessem malhar à vontade. Com isso, Frota recebeu convites para ficar no palco, junto à produção do show no Morumbi.

"A Rádio Cidade FM soube que eu ficaria no palco e me entregou um celular com várias baterias. Abriram um link e me botaram ao vivo para transmitir o que estava acontecendo. Apresentei o show inteiro, direto do palco do Morumbi, pelo celular."

Alexandre Frota não esteve na cama com a cantora pop, mas se envolveu em confusões bem mais sérias do que as habituais. E o namoro com Juliana Monjardim não resistiu à tentação das baladas paulistanas.

"Eu estava morando na Alameda Lorena, no Jardins, namorando a Juliana e resolvi comemorar meu aniversário em uma boate em Campinas. Só que na noite anterior, deixei a Juliana em casa e fiquei com uma morena muito gata em uma balada, no meio de um monte de gente. Na festa do meu aniversário, aluguei um ônibus para os meus convidados. A Juliana estava comigo. De repente, vejo na janela do ônibus a gata que eu tinha ficado na noite passada. Pensei comigo, não vai pegar nada, ela vai ficar na dela, só que uma amiga da Juliana chegou e me entregou:

- Juliana, você sabia que o Alexandre te deixou em casa ontem à noite, depois saiu e ficou com aquela garota? – falou apontando para a garota na janela.

A Juliana olhou na minha cara, perguntou se era verdade e nem esperou minha resposta. Foi embora. Eu estava com um quadro na mão, uma foto minha no Blue Jeans em uma moldura de vidro, era um presente de aniversário. Nem pensei, quebrei o quadro na cara da garota. Ela foi para a delegacia, acompanhada da mãe, com a cara toda ensanguentada. Naquela noite virei um bad boy em São Paulo."

A agressão de Alexandre Frota foi notícia em todos os jornais. O episódio foi comparado a outro incidente envolvendo o vocalista da banda Guns N' Roses, Axl Rose, em sua primeira passagem pelo Brasil. Diante de uma pequena multidão feminina que pedia insistentemente seu telefone, Axl arrancou o aparelho da parede do seu quarto de hotel e jogou, atingindo em cheio o rosto de uma fã. Sexo, drogas, *rock and roll* e muita estupidez, uma receita infalível. Nesse mesmo período, depois de uma apresentação, Frota e parte do elenco de Blue Jeans partiram para o Guarujá. Chegando lá, entraram em um restaurante esfomeados. O local estava praticamente vazio. Próximo a eles, apenas uma mesa com dois casais. E quando menos se espera...

"Um dos caras veio até nossa mesa e brincou dizendo que sabia que tinha um artista famoso ali e queria o autógrafo, já puxando papel e caneta. Eu estava cansado, morrendo de fome, de saco cheio, empurrei o papel e a caneta para o Ricardo Macchi e disse para ele autografar. O Ricardo ficou sem graça e o cara não gostou. Pegou a caneta de volta e falou que não queria mais, que não queria autógrafo de viado. Levantei na hora, perguntei se ele tinha falado isso mesmo, o cara confirmou e levou um soco no meio do rosto que explodiu como uma bomba. Ele estava de óculos, voou sangue para tudo que é lado. O amigo dele me deu uma cadeirada, eu caí, demorei alguns segundos para me recuperar mas consegui derrubar meu agressor, nessa época eu estava treinando jiu jitso direto, não foi difícil levá-lo para o chão. Montei nele e dei uma sequência de socos até os seguranças me puxarem para trás. No meio daquele bolo, um deles ainda queria vir para cima. Peguei uma concha de metal pendurada, dessas que servem feijoada, e arranquei um pedaço do nariz do cara, ficou pendurado, meio decepado."

Sangue e porrada na madrugada. Mesmo em seus piores momentos, Alexandre Frota sempre pôde contar com ajudas inesperadas. Em meio a toda aquela carnificina, digna de um filme de terror, foi levado embora por uma pessoa que ele nem conhecia direito, o dono de uma concessionária de veículos, que estava na hora certa e no lugar certo para livrá-lo daquela situação completamente errada.

"Esse cara é meu amigo até hoje. O Betinho me levou para São Paulo depois da confusão e me colocou em um flat. Falou para eu sumir por 48 horas. Fiquei escondido, apavorado. Os dois caras agredidos foram na delegacia prestar queixa e fui processado. Tive que ir no fórum duas, três vezes, só que eles faltaram a uma das audiências, chegaram atrasados na outra e acabei absolvido. Como a imprensa só se referia a mim como "o *bad boy* Alexandre Frota", resolvi assumir essa identidade. Fui para o fórum com a camisa da Bad Boy, logo depois conheci o Marcos e fiquei associado a marca por muito tempo. Muita gente, até hoje, acha que eu sou sócio."

A marca Bad Boy, surgida na Califórnia, chegou ao Brasil trazida pelo surfista e empresário Marcos Merhej e viveu seu auge nos anos 90 justamente com o crescimento do jiu-jitsu, quando patrocinou o lutador Rickson Gracie. Atualmente, patrocina vários atletas de MMA, as lutas marciais mistas, febre no Brasil. Alexandre Frota se identificou de cara com a marca e mais uma vez mostrou visão de marketing: se tornou garoto propaganda da Bad Boy de corpo e alma e fez de tudo para cultuar essa imagem (as confusões ajudaram muito), principalmente teatralizar sua postura. Badalado pela mídia, Frota se tornou um personagem da noite paulistana.

"O Blue Jeans já tinha acabado e eu incorporei o bad boy, a mulherada adorou. Passei a frequentar um monte de festas, fazer um monte de bicos, presença em eventos. Virei DJ, comecei a tocar em várias casas noturnas, até que o José Victor Oliva (famoso empresário dono de várias casas noturnas de São Paulo) me convidou para fazer uma balada, todas as terças, no Resumo da Ópera (boate) do Shopping Eldorado em parceria com a Rádio Jovem Pan. Virou uma coqueluche, lotava direto. Convidei vários DJs da noite paulistana para tocar lá."

Durante a Copa do Mundo de 1994, Frota viveu uma de suas aventuras sexuais mais extravagantes.

"Eu fiz a Copa de 94 dentro do Resumo da Ópera, casa lotada, e teve um dia que eu subi no telhado do shopping com uma futura companheira de Casa dos Artistas. A gente ficou transando no telhado do shopping. O Brasil fez gol, pipocou um monte de fogos de artifício no céu e a gente ali, atracado. Quando desci, a repórter da Jovem Pan me perguntou o que eu estava achando do jogo, falei 'está muito bom, quero mais gol'".

Na clássica imitação de Alexandre Frota, "dimaischh!", carregando no "schh". E cada vez "maischh", ele foi se tornando uma celebridade da mídia, um conceito que nem existia na época.

"Eu fiz tanto sucesso que a Veja SP fez uma capa comigo com o título 'O Bonitão da Praça'. Na matéria escreveram 'Alexandre Frota lota as casas noturnas com seu som'. Fiz essa capa sentado na Avenida Paulista. Quando o farol ficou vermelho, eu sentei e o fotógrafo bateu a foto. Gastei muito nessa época. Eu fui um cara que sempre ganhou dinheiro, já botei mais de 1 milhão na conta e torrei tudo. Cheirei, fumei, bebi, comi mulher, viajei e aluguei jatinho. Teve uma vez, que comprei um carro, uma S10 preta (caminhonete da Chevrolet), paguei no pau (à vista). Saí da agência com o carro, sem emplacar nem nada. O dono ficou louco atrás de mim. Eu não tinha documento nem carteira de motorista, devo ter ficado uns quatro anos dirigindo em São Paulo sem carteira de motorista. Viajei para o Rio com esse carro e fui parado na Dutra. O carro ficou apreendido. Eu estava indo lançar um quiosque meu em parceria com a Jovem Pan na praia da Barra. Era para ser o novo point do verão. Cheguei de ônibus com a imprensa toda me esperando. Era para eu fazer um sanduíche, uma brincadeira na frente dos repórteres, mas deu tudo errado. A medida que eu montava o sanduíche, os ingredientes iam caindo pelo chão, fazendo uma sujeira danada. Quando percebi que todos estavam rindo da minha falta de jeito, liguei o foda-se: joguei o sanduíche em cima dos repórteres, mandei todo mundo para puta que pariu e fui mergulhar no mar. Isso no dia da inauguração. Desisti daquela merda. O Tutinha (empresário dono da Jovem Pan) ficou louco, tentou me convencer a voltar, mas a verdade é que eu só queria ter um quiosque porque o Romário também tinha um."

Falando em Romário, Alexandre Frota viveu nessa época, meados dos anos 90, a inusitada experiência de um casamento relâmpago. Foi com Andréa Oliveira, uma ex-vendedora que ficou famosa pela relação extraconjugal com Romário e virou capa da Playboy por conta dessa súbita "notoriedade". Frota conheceu Andréa em uma balada, na Lagoa Rodrigo de Freitas, no Rio, e a levou para um hotel de luxo no Leblon onde ficaram trancados por cinco dias.

"Foi uma maluquice. Nos conhecemos em 1996, depois dela ter feito a Playboy, já tinha terminado com o Romário, não entendi porque ele parou de falar comigo. Ficamos cinco dias direto sem sair do quarto. Pedi pizza, pedi comida de restaurante, foi uma loucura. Quando saímos, nos casamos no civil, mas não tinha nada a ver, por isso durou pouco."

Exatos 65 dias. Essa foi a curta duração do segundo casamento de Alexandre Frota, um dos mais fugazes da história das celebridades. Antes mesmo do término oficial, Frota já tinha retornado à São Paulo.

Depois de três anos de esbórnia, já estava na hora de Alexandre Frota voltar à ativa, neste caso, a televisão. Só precisava de uma oportunidade, ela veio e ele "correu para galera".

ANDRÉA OLIVEIRA

NEM PASSOU PELA MINHA CABEÇA QUE O ALEXANDRE FOSSE MENCIONAR NOSSA HISTÓRIA, DUROU TÃO POUCO, NÃO TEM NENHUM ACONTECIMENTO PICANTE.

MAS JÁ QUE MENCIONOU, QUERO QUE ELE SAIBA QUE PENSO MUITO DIFERENTE DE ALGUMAS DAS SUAS EX-MULHERES. ELE SEMPRE FOI MUITO GENTIL E CAVALHEIRO COMIGO, TEVE UMA PACIÊNCIA ENORME. EU ERA UMA MENINA DE 20 ANOS, MIMADA. NÃO ERA O MEU SONHO DE VIDA SER FAMOSA (EU E ROMÁRIO TIVEMOS UM LONGO ROMANCE E FUI APAIXONADA POR ELE). ACABOU QUE OUTRAS COISAS ACONTECERAM NA MINHA VIDA COMO A PLAYBOY. NÃO ESTAVA PREPARADA PARA NADA DISSO, PRINCIPALMENTE PARA SER ESPOSA DO ALEXANDRE FROTA. DEI DORES DE CABEÇA QUE EU SEI.

PEÇO DESCULPAS. NO FUNDO, EU SÓ QUERIA MORAR EM UM CONDOMÍNIO E SER DONA DE CASA, QUE É O QUE SOU HOJE, COM 3 MENINOS. ESTOU NO MEU TERCEIRO CASAMENTO E ACHO QUE ENCONTREI MINHA CARA METADE. TORÇO PARA A FELICIDADE DO ALEXANDRE COM SUA NOVA ESPOSA. TENHO UM CARINHO MUITO GRANDE PELA FAMÍLIA FROTA, SÓ TENHO COISAS BOAS PARA FALAR DELE. CONHECI UM FROTA QUE NÃO SEI SE TODAS CONHECERAM.

IDENTIDADE FROTA
A ESTRELA E A ESCURIDÃO
5.0

GALERA, O CALDEIRÃO DO FROTA NA RECORD

As consequências do descontrole orçamentário de Alexandre Frota eram mais do que previsíveis. Ele tanto gastou, de forma irresponsável, que aconteceu o inevitável: a fonte secou. Mesmo tentando controlar os gastos e sem condições de morar em flats de alto luxo, manteve seu estilo de vida com festas e viagens. Em um final de semana em Búzios, se encantou com a amiga de sua "ficante", Simone Ribeiro, e deu um jeito de trazer as duas para São Paulo. Não demorou muito, Frota e Simone estavam namorando.

"Comecei a viver intensamente um romance com a Simone Ribeiro, ela praticamente bancava minhas despesas, eu estava sem carro, sem casa, sem nada, aí a gente resolveu morar junto."

Frota se juntou com Simone e foi morar em uma casa, montada pelo sogro (um dos maiores empresários de transporte de carga do país), no tradicional bairro da Mooca, em São Paulo. Precisando trabalhar, foi convidado pelo diretor Atílio Riccó para ser o protagonista da minissérie evangélica "Olho na Terra", da Tv Record, uma produção modesta se comparada às minisséries bíblicas mais recentes: Sansão e Dalila e Rei Davi, ambas com ares e orçamento de superprodução. Olho na Terra era uma trama rural que abordava assuntos muito polêmicos: feitiçaria e magia negra. A minissérie foi exibida durante o mês de março de 1997.

"Meu sotaque é muito carregado para o carioca. Minha personagem era o fazendeiro Marcelo. não fiquei satisfeito com o resultado e pedi para o Atílio Riccó para regravar os quinze capítulos que já tinha feito. Encontrei uma maneira de falar que tirava o sotaque carioca. Acho que foi a primeira vez que me preocupei com meu trabalho de ator na tv. O Atílio aceitou e regravamos tudo lá em Itu. Em seguida, fiz "Por Amor e Ódio", também da Record, também dirigida pelo Atílio, com o Gabriel Braga Nunes. Dessa vez eu era o policial Santiago. O Atílio Riccó foi muito bacana comigo, ainda mais naquele momento, casado com a Simone Ribeiro, sem dinheiro e com muitas dívidas."

Por Amor e Ódio marcou a retomada de uma teledramaturgia da Record livre da obrigação de temas religiosos, mas sofreu com a troca de horário na grade de programação, uma prática recorrente da emissora. Estreou às oito e meia da noite e na segunda semana já estava às cinco e meia da tarde, um horário esdrúxulo para uma minissérie policial. Na sequência, quem lhe estende a mão novamente, é seu grande amigo, Roberto Talma, que havia saído da Globo para se dedicar a novos projetos em parceria com João Paulo Vallone e Otávio Mesquita na produtora JPO Produções, em São Paulo. No período entre 1996 e 1998, Talma dirigiu três novelas para o Sbt, todas produções independentes da JPO: "Colégio Brasil", "Dona Anja" e uma nova adaptação de "Direito de Nascer", uma novela que fez muito sucesso no Brasil em 1964, na Tv Tupi, com Lima Duarte na direção. O Alexandre Frota foi trabalhar com o Talma e ajudou a produzir novelas e alguns programas, como o Perfil, que era apresentado por Otávio Mesquita, também no SBT.

"O Talma me salvou, estava no osso, completamente sem grana. Me deu até um carro para trabalhar. No início, fiquei como assistente pessoal dele, depois fui para a produção. Quando casei com a Simone, montei uma casa maneira, minha mãe veio nos visitar, a gente tinha empregada, tinha cachorro, o Bad Boy, um rottweiler. Então eu dei uma acalmada na minha vida, não em relação as drogas, mas passei a ter uma casa, um endereço. Lembro de ver o Sai de Baixo todo domingo junto com a família dela, eles eram nossos vizinhos."

Nesse período, Frota apresentou um programa de esportes radicais, o TRUPE, sigla de Turma Radical Unida Pelo Esporte, ao lado de Dominique Scudera.

"Foi uma espécie de Zona do Impacto ,do Sportv, no passado. Fiz mais de 250 programas. Eu voava, pulava de paraquedas, viajava pelo Brasil em busca de adrenalina. Me inspirei muito no Realce (programa pioneiro de surfe da antiga Tv Corcovado, no Rio) apresentado pelos meus amigos Antonio Ricardo e Ricardo Bocão (atuais donos do canal de tv Woohoo, de esportes de ação e música). Cheguei a gravar com o Bocão pegando onda em Santa Catarina, muita gente achou que era eu, nós temos o rosto parecido. Nesse período, teve uma passagem muito engraçada com o Otávio Mesquita. Nós brigamos feio, eu fiquei puto, invadi sua sala e peguei uma estalactite, ou estalagmite, que ele havia trazido de um lugar embaixo da Avenida Paulista. Levei aquela peça para a rua, em frente à produtora, e quebrei. Joguei no chão com toda a força. Depois, quando soube que ele tinha ficado muito chateado, eu chorei. Fui na Paulista, descobri o lugar onde dá para descer nas galerias subterrâneas e peguei uma peça parecida. O Tavinho é adorável, gosto muito dele."

Em 29 de março de 1998, Roberto Talma recebeu uma notícia chocante: Paulo Ubiratan, seu grande amigo e parceiro na direção de várias novelas na Tv Globo, havia falecido. Frota partiu de São Paulo, com Talma, para o velório do seu desafeto.

"Ele foi um grande amigo do Roberto Talma, que é o cara que mais me ajudou e me deu força na televisão, mesmo assim, o Ubiratan jamais gostou de mim, declarava isso direto para todo mundo ouvir. Nunca soube o motivo. Quando morreu, levei o Talma no velório, ele estava muito abalado. Chegamos antes do velório começar. Fiz questão de ir. Quando chegamos, o Talma foi falar com algumas pessoas e eu fiquei circulando pelo local. Dei de cara com a sala onde o corpo do Paulo estava sendo preparado, então me aproximei. Queria ter a certeza que ele não iria mais me perturbar. Fui até seu caixão, a única pessoa que estava lá era o Ricardo Waddington, chorando muito, não sei se de tristeza, pela morte do seu mentor, ou de emoção, por vislumbrar uma ascensão profissional que acabou acontecendo. O Ricardo Waddington foi outro que me sacaneou bastante lá dentro da Globo, por ser amigo do Paulo. Me tirou de Quatro Por Quatro e de Malhação. Vi o corpo do Paulo Ubiratan, olhei bem para ele, peguei uma flor e depositei sobre seu peito. Foi minha despedida. Jamais contei isso para o Talma."

Uma sutileza cruel e ao mesmo tempo pouco comum para alguém que sempre se expressou com imensa agressividade e truculência. De volta à São Paulo, um desentendimento marcou o fim da parceria entre Roberto Talma e João Paulo Vallone. Frota, como não podia deixar de ser, tomou as dores de Talma, desancou Vallone e largou a JPO. Procurou a Record, onde já tinha atuado em duas minisséries naquele mesmo ano, e conseguiu uma vaga como produtor do Ratinho Livre, programa apresentado por Ratinho, que chegou a ser líder de audiência no horário nobre com 35 pontos. Desde Pantanal, a Globo não sofria uma derrota como aquela. Na Record, Frota conseguiu convencer Eduardo Lafon, diretor de programação, a produzir um programa musical direcionado para o público jovem. Não foi difícil convencer Lafon, que iniciou sua bela carreira na tv na década de 60 ajudado por Antônio Carlos de Andrade, o Formigão, um grande produtor de tv e pai de Alexandre Frota. Lafon ficou feliz em poder prestigiar o filho de um amigo tão querido. Nascia o Galera, apresentado por Frota e pela novata Juliana Garavatti.

"ERA UM PROGRAMA DE AUDITÓRIO NAS TARDES DE SÁBADO. BOTEI MUITA COISA QUE APRENDI COM O CHACRINHA, SÓ QUE MAIS MODERNO, MAIS JOVEM, VOLTADO MESMO PARA A GAROTADA. E LOGO NA RECORD COM A IGREJA UNIVERSAL NO COMANDO. APRESENTEI DE CAMISETA, CHEIO DE TATUAGENS, COM UM MONTE DE MULHER GOSTOSA DANÇANDO DE BIQUINI. ERA UM PROGRAMA MUITO À FRENTE DAQUELE TEMPO. O LUCIANO HUCK FOI UM DOS MEUS PRIMEIROS ENTREVISTADOS, CERTAMENTE O GALERA SERVIU DE INSPIRAÇÃO PARA O CALDEIRÃO, SÓ QUE ALI, ERA O CALDEIRÃO DO FROTA."

Loucura, loucura, loucura, principalmente se levarmos em conta que mais uma vez o pássaro fênix Alexandre Frota estava renascendo das cinzas. Mirou em um determinado segmento e acertou na mosca. Enquanto isso, o casamento com Simone Ribeiro não ia nada bem...

"ELA ENTROU EM DEPRESSÃO, FICAMOS DOIS ANOS JUNTOS, MONTAMOS UMA CASA, MAS ACHO QUE ELA NÃO SEGUROU A ONDA DE VIVER COMIGO. PERTO DE ESTREAR O GALERA, ELA SAIU DE CASA, FOI MORAR EM ARRAIAL D´AJUDA (PORTO SEGURO, BAHIA). QUERIA SER DANÇARINA DO GRUPO É O TCHAN E FOI ATRÁS DO SEU SONHO. QUANDO A SIMONE FOI

EMBORA, ALUGUEI UMA CASA NO MORUMBI E DEIXEI AQUELA VIDA DE CASADO, NA MOOCA, PARA TRÁS."

Vida nova para Alexandre Frota, que vai morar no Morumbi, dividindo uma casa com o produtor de tv Jaspion e o lutador e campeão de jiu-jitsu Carlão Barreto, hoje em dia comentarista de MMA do canal Combate. Quem também passou um período morando por lá foi a ex-mallandrinha, Vivi Fernandez, atualmente no elenco da Praça É Nossa e que a exemplo de Frota, se aventurou no mercado de filmes pornográficos na década passada "atuando" com seu namorado.

"A VIVI ESTAVA MEIO PERDIDA, RECÉM CHEGADA EM SÃO PAULO, NÃO CONHECIA NINGUÉM. ACABOU FICANDO NA NOSSA CASA E BOTEI ELA PARA DANÇAR NO GALERA. DEPOIS FOI MALLANDRINHA DO SÉRGIO MALLANDRO."

A mineira Vivi Fernandez se lembra bem daquele período, quando tudo era novidade. Mal chegou em São Paulo e se viu morando na casa de Alexandre Frota e seus amigos. Ficou impressionada e naturalmente seduzida por Frota.

"EU ACHAVA AQUELE HOMEM LINDO, ELE JÁ TINHA ME CONVIDADO PARA DANÇAR NO GALERA, E EM UMA NOITE, ME BEIJOU DENTRO DE CASA. FIQUEI NERVOSA E MUITO SEM GRAÇA, NÃO SABIA COMO LIDAR COM AQUILO. ELE PERCEBEU E ME FALOU:

- TUDO BEM SE VOCÊ NÃO FICAR COMIGO. VOCÊ VAI CONTINUAR NO PROGRAMA.

Achei muito fofo ele dizer aquilo e não me pressionar. Nunca tivemos nada, acabei ficando amiga de todos os meninos da casa, eles eram meus irmãos mais velhos. O mais fofo é que eles se preocupavam comigo. Teve uma vez que levei uma paquera para o meu quarto e quando a gente começou a se beijar, apareceu o Frota e o Carlão. O rapaz ficou tão apavorado que foi embora correndo. Já vi muita coisa na tv, falam muito do teste do sofá, se eu tivesse que fazer para entrar no programa do Alexandre Frota, com ele eu teria feito (risos). Morei um ano naquela casa. Muito tempo depois, foi o Frota quem me indicou para fazer os filmes pornográficos. Sugeri fazer com o meu ex-namorado e eles toparam. Eu lembro que na época, todos esperavam um filme meu com o Frota, mas não houve acordo."

ALÉM DE VIVI, OUTRA DANÇARINA DO GALERA TAMBÉM SE DESTACOU E HOJE É UMA ATRIZ DE PONTA NA TV GLOBO: PAOLLA OLIVEIRA, A PROTAGONISTA DE "AMOR À VIDA", DE WALCYR CARRASCO. COM ALGUNS LAPSOS NA MEMÓRIA, SEQUELAS PROVOCADAS PELAS DROGAS, FROTA SÓ SOUBE DESSA COINCIDÊNCIA POR ACASO.

"NEM ME LEMBRAVA MAIS DISSO. ANOS ATRÁS EU ESTAVA EM UMA FESTA, CONVERSANDO EM UMA RODA DE AMIGOS, QUANDO A PAOLLA VEIO FALAR COMIGO:

- TU NÃO LEMBRA MAIS DE MIM? FUI DANÇARINA DO SEU PROGRAMA.

Impossível lembrar, não só pelas drogas que afetaram a minha memória, mas também porque naquela época era o maior entra e sai de mulheres na casa do Morumbi. Todo dia, toda noite, aparecia uma gata diferente. Além disso, eu estava começando um namoro com a Juliana Garavatti, que também apresentava o Galera. Preferi ficar longe das dançarinas, apesar de gostar muito. A Paolla escapou (risos). Tinha acabado de me separar da Simone Ribeiro, quando ela foi embora para a Bahia, levei um monte de coisa da nossa casa na Mooca para o Morumbi e coloquei o antigo sofá da nossa sala, um sofá bem bacana, no cenário do Galera. Para que? Assim que o programa estreou, ela reconheceu o sofá e reclamou na imprensa. Publicaram que eu tinha roubado a mobília da casa dela (rindo). É mole?"

De qualquer forma, daria uma bela manchete no finado Furo MTV com o Bento Ribeiro anunciando "Alexandre Frota flagrado no teste do sofá!" e a Dani Calabresa corrigindo "na verdade o sofá é que foi flagrado no teste do Alexandre Frota". Brincadeiras e mobiliários à parte, o Galera foi ao ar entre 1997 e 1998 com atrações musicais, entrevistas e matérias de esportes radicais feitas pelo próprio Frota. O programa marcou a estreia do diretor Vildomar Batista, um dos principais diretores de entretenimento da Tv Record.

"O Galera tinha tudo para dar certo, era só uma questão de tempo. Passou muita gente boa por lá: Titãs, Barão Vermelho, Capital Inicial, Léo Jaime, É o Tchan, para uma plateia com 800 pessoas, o teatro bombava. Eu chamei a Maisa, irmã da minha ex, Juliana Monjardim, para dirigir, mas não funcionou. Passei o Vildomar para a direção do programa, ele começou no Galera. O problema foi que o Bispo Gonçalves (Honorilton Gonçalves, vice-presidente da Rede Record de Televisão) cismava comigo, chegou a me chamar em sua sala, perguntou se eu precisava apresentar de camiseta preta, mostrando as tatuagens. Até que em uma gravação, o Vildomar avisa do switcher (sala onde o diretor de imagens seleciona o que vai ao ar) que teria que repetir por causa de algum problema técnico. Peguei o microfone e mandei para quem quisesse ouvir:

- VILDOMAR, VOU TE FALAR UMA COISA MUITO SÉRIA: NEM O BISPO PEDINDO EU FAÇO DE NOVO."

Prestes a completar 50 anos, com 37 tatuagens espalhadas pelo corpo, Alexandre Frota costuma cumprir o que promete e já se estrepou muitas vezes por isso. No dicionário, "estrepar" significa fazer alguma coisa e sair todo arrebentado. Além das tatuagens, Frota também coleciona uma infinidade de cicatrizes, visíveis ou não. Desafiar a vontade do homem forte da Record em alto e bom som, em um microfone ligado, é pedir para cair. À beira do precipício, bastava um empurrãozinho ou um novo diretor de programação.

"O Eduardo Lafon era o diretor de programação da Record, foi o cara que autorizou e deu força para o Galera. Com o programa no ar, tudo indo bem, o Lafon foi para o Sbt junto com o Ratinho. E quem vem para assumir seu lugar? João Paulo Vallone, o cara da JPO que eu tinha esculachado depois que ele brigou com o Talma. O Vallone chegou e soube que o Bispo Gonçalves não estava satisfeito comigo. Mandou me chamar em sua nova sala. Entrei, o cumprimentei e quando me preparava para sentar na cadeira ele me disse:

- Nem precisa se sentar porque vai ser rápido. Você tem três programas gravados de frente que fecham esse mês, não é mesmo? – perguntou. Eu confirmei com a cabeça e ele emendou:

- Então você não precisa gravar mais nada. Eu estou te demitindo e cancelando seu programa. – eu só respondi "beleza" e saí da sala.

O Vallone me demitiu em seu primeiro dia de trabalho na Record. Deve se orgulhar disso."

Um nocaute rápido daqueles que a gente via antigamente nas lutas do Mike Tyson e ,hoje em dia, nos combates do UFC. Ao final daquele mês de novembro, no ano de 1998, o programa Galera saiu do ar e Frota foi à lona. Perdeu.

Mas ele sempre se levantou.

IDENTIDADE FROTA
A ESTRELA E A ESCURIDÃO
5.0

A ÚLTIMA CHANCE NA GLOBO COM O JIU-JITSU

Desde 1991, Alexandre Frota treinava jiu-jitsu, na tradução, arte suave. Mínimo de força, máximo de eficiência. O jiu-jitsu é uma arte marcial milenar japonesa aperfeiçoada no Brasil pela família Gracie, o brazilian jiu-jitsu, que ao longo de três gerações criou uma dinastia de grandes lutadores. Ganhou adeptos em todos os segmentos, inclusive no meio artístico. Wagner Moura (e seu Capitão Nascimento), Cauã Raymond, Alexandre Frota, Maurício Mattar, Raul Gazolla, Márcio Garcia, Evandro Mesquita, Luciano Szafir, Marcello Novaes, Sérgio Mallandro, Dudu Nobre e Junior Lima são ou foram alguns de seus praticantes mais famosos. Frota foi aluno do mestre Carlson Gracie em sua academia em Copacabana e também treinou com Marcelo Behring em São Paulo.

"Comecei a treinar com o Carlson em Copacabana no início dos anos 90, sou faixa roxa. Quem passou por lá antes de mim, treinado forte, foi o Sérgio Mallandro. Aprendi muito com o Carlson."

Demitido da Record em novembro de 1998, Alexandre Frota sacudiu a poeira e um mês depois já estava dando a volta por cima em um grande evento, o segundo "Rio Oscar de Jiu-jitsu", realizado na praia de Copacabana. Frota enfrentou o também ator André Segatti em uma das lutas preliminares do histórico combate entre Wallid Ismail e Royce Gracie, vencido por Wallid em apenas 5 minutos e meio de luta. Diante de sete mil pessoas, a grande maioria alunos de academias de jiu-jitsu, Frota não se intimidou e finalizou André Segatti com um armlock (chave de braço) no quarto minuto da luta.

"Foi o próprio Carlson Gracie que me convidou para esse evento. Foi sensacional, arena lotada, eu estava preocupado de levar uma vaia das torcidas das outras academias, aí resolvi entrar no tatame com a camisa do Flamengo antes de botar o quimono. Deu certo, ganhei a galera. Foi a segunda vez que a camisa do Flamengo me salvou, a primeira foi na apresentação do Rock in Rio 2, em pleno Maracanã (em 1991). O Lobão já tinha sido vaiado, então botei o manto sagrado rubro-negro e fui ovacionado no Maraca."

De volta a Globo e com um grande "pepino" nas mãos, a quinta temporada de Malhação, Roberto Talma aproveitou a alta popularidade do jiu-jitsu para reformular toda a trama, e de quebra, resgatar Alexandre Frota...

"Assim que o Vallone me demitiu, liguei para o Talma e falei que a casa tinha caído. Como ele precisava dar uma mexida em Malhação, teve a ideia de me colocar como professor de jiu-jitsu. Foi demais. Eu voltei para a Globo e levei o jiu-jitsu comigo."

Àquela altura, o mercado televisivo reagiu com grande surpresa ao ver Alexandre Frota novamente na Tv Globo, em 1999. Muita gente apostava que ele jamais voltaria depois de tantas confusões e escândalos policiais. A péssima fase de Malhação ajudou. Ao final da temporada anterior a academia foi demolida e os autores resolveram inovar: o personagem Mocotó interpretado por André Marques (atual apresentador do Vídeo Show ao lado de Ana Furtado) transmitia direto de seu quarto, o muquifo do Mocotó, o programa Malhação.com em uma rede pirata. Não tinha como dar certo. Em uma intervenção providencial, Talma trouxe a academia de volta, totalmente repaginada, como cenário principal e Alexandre Frota como o professor de jiu-jitsu Robson, contracenando com André Marques, Juliana Baroni, Bruno de Luca, Thais Fersoza, Luciano Szafir e Gisele Fraga.

"Voltei com tudo para a Globo. Chamei muita gente boa para fazer participação especial, o Wallid

Ismail, o Carlão Barreto, o Vítor Belfort, eu estava super sarado, treinando muito jiu-jitsu. O Luciano Szafir fez o meu antagonista e lutamos um vale tudo em um dos capítulos. Só que eu continuei muito louco, aluguei uma cobertura no Barra Beach (residencial na Barra da Tijuca) de frente para o mar. De manhã era Praia do Pepê e de noite, Rocinha, passei a frequentar a Rocinha. Como o Talma era o diretor do núcleo da Malhação, eu achava que mandava nos bastidores, fazia o que queria."

Difícil saber o que preocupava mais a direção da Globo no fim de 1999: Alexandre Frota ou o Bug do Milênio, uma possível pane mundial em todos os sistemas na virada daquele ano, século e milênio. Como o segundo não se confirmou, Frota ganhou todas as atenções da casa.

"Eu escancarei de novo. Já entrava no Projac, pegava aquele carrinho elétrico sem o motorista perceber e saía acelerando em direção à cidade cenográfica. Fiz várias vezes isso, passava na frente de um monte de diretores, os caras ficavam apavorados. Também fiz guerra de comida dentro do restaurante do Projac, discuti várias vezes com os seguranças do estacionamento da portaria 3, chamei os caras para a porrada. Como quem escrevia as minhas cenas era a autora Yoya Wursch, minha amiga, eu pegava o roteiro e reescrevia do jeito que eu achava melhor. Tive uma briga feia com o Edson Spinello, um dos diretores, mandei ele tomar no cu e disse que quem mandava era o Talma. No meio disso tudo, juntei com o André Marques, que hoje é DJ, e montamos uma pequena rave no nosso camarim, a gente ficava curtindo música eletrônica ali dentro, tinha até iluminação especial. Virou uma boate dentro do Projac. Lógico que ia dar merda. Um dia, o Talma me mostrou sua caixa de remédios:

- Tá vendo esses três comprimidos? O nome deles é Mário Gomes. Tá vendo esses outros três aqui? Se chamam Alexandre Frota.

E ainda tinha a mulherada, a Malhação sempre teve um elenco de apoio forte, no mínimo umas 20 gatas, mais as figurantes, foi shark attack geral (ataque de tubarão), ainda mais com a minha própria boate dentro do Projac. Era muito louco isso (risos)."

Tem bububu no bobobó, elas são do barulho e Alexandre Frota quer é rosetar. Expressões do teatro de revista, com suas vedetes escrachadas, e um rebolado capaz de tirar do sério qualquer bom moço. Frota nunca foi bom moço, também teria feito a festa naquele tempo, se bem que as vedetes de outrora estão bem representadas aos domingos.

"Não resisti, ataquei as dançarinas do Faustão. Saí com três dançarinas e as três caíram. O Faustão detesta esse tipo de coisa, o Chacrinha também não gostava. Não sei se isso foi a gota d´água. Quando acabou a quinta temporada de Malhação, o Ricardo Waddington assumiu a direção geral e foi logo me avisando que eu estava fora. Disse também que meu contrato não seria renovado. Os caras devem ter falado para o Talma que não dava mais. Tive outra oportunidade na Globo e não aproveitei."

E aqui termina a saga de Alexandre Frota na Tv Globo. Será? em uma rápida reflexão, ao mesmo tempo em que reconhece as oportunidades perdidas e isenta a Globo, também chega à conclusão que Wolf Maya foi o diretor que mais o prejudicou.

"FORAM MUITAS SACANAGENS DO WOLF COMIGO, NA GLOBO E NO TEATRO: ele registrou Splish Splash com o Flávio Marinho e me deixou de fora; em Blue Jeans, eu tinha os direitos por um ano, ele esperou vencer a anuidade, pegou os direitos para ele e chamou o Rômulo Arantes para o meu papel contratual; depois, em Blue Jeans, me suspendeu por falta, outros atores também faltaram, mas só eu fui supenso; quando levou Blue Jeans para São Paulo, chamou o Humberto Martins para me substituir, mas como o Maurício Mattar teve problemas pessoais, me trouxe de volta e botou o Humberto no papel do Maurício; na Globo, me deu um esporro humilhante na frente de todo mundo em Livre Para Voar e me tirou de uma cena, por causa de um topete que fiz no cabelo, quando outros também fizeram, mas só eu fui punido; Vetou uma minissérie adaptada de Splish Splash que eu iria fazer com o Talma, os direitos eram dele, a Globo já tinha topado; em Barriga de Aluguel, chegou a falar comigo sobre o papel de um caminhoneiro na novela, mas depois chamou o Humberto Martins; e ainda tivemos uma conversa sobre um projeto do Blue Jeans para o cinema, combinamos de conversar em sua casa em Friburgo, levei um produtor de cinema comigo, mas chegando lá, o Wolf estava dando uma festa junina, me cumprimentou e me ignorou a noite inteira, nem tocou mais no assunto, quer dizer, viajei e levei o cara à toa. Nunca tinha juntado todos esses fatos. O Wolf foi uma pedra no meu sapato."

Difícil saber se todas essas ilações de Alexandre Frota presentes neste livro correspondem totalmente à realidade, tão difícil como estabelecer uma verdade absoluta para qualquer tema ou fato histórico. Mais do que pontos de vista, estamos falando de sentimentos profundos, arraigados, e esse é o sentimento que ele carrega até hoje, um sentimento de perda ao ver alguns de seus projetos mais valiosos escapando de suas mãos. Aconteceu em sua vida toda. Vale para Blue Jeans, no teatro, vale para a Fazenda, na Record, vale para o núcleo de novos projetos do Sbt. Como na música "Epitáfio", do Titãs, composta por Sérgio Britto, "cada um sabe a alegria e a dor que traz no coração", se a relação com Wolf nunca deu liga, Frota sempre teve o acaso e Roberto Talma para lhe proteger enquanto andava distraído.

No próximo capítulo, a chegada do primeiro filho. No meio de toda essa loucura vivida dentro do Projac com raves no camarim, ataques em série ao elenco de apoio e às dançarinas do Faustão, bandalhas dentro do restaurante e corridas com os carrinhos de transporte, seu primogênito nasceu. Dá para acreditar?

ROBERTO TALMA

A IMPORTÂNCIA DO ALEXANDRE NA MINHA VIDA É DE IMPRESSIONAR QUALQUER UM. TENHO O PRIVILÉGIO DE CONHECER UM FROTA QUE POUCOS CONHECEM. FIZEMOS ÓTIMAS COISAS JUNTOS. ESSE ADORÁVEL GAROTO DE 50 ANOS É UM FILHO, UM IRMÃO, UM FIEL AMIGO. TENTEI MUITO FAZÊ-LO ENTENDER QUE SUA FORÇA, EM DETERMINADOS CASOS TINHA UM LIMITE, MAS COM O ESPÍRITO DE LUTADOR QUE SEMPRE TEVE, NÃO CONSEGUI SEGURÁ-LO.
FIGURA ÚNICA, PERSONALIDADE FORTE, CARISMÁTICO, FROTA PODE SE REINVENTAR SEMPRE, INCANSÁVEL, DETERMINADO, MAS DESAPEGADO. EU O ENTENDO E SEI COMO LEVÁ-LO, POR ISSO COMIGO DAVA CERTO, NOS DIVERTÍAMOS. ACHEI EM DIVERSOS MOMENTOS QUE EU CONSEGUIRIA FAZER DELE O QUE SEMPRE SONHEI. TRABALHARMOS JUNTOS ATÉ OS DIAS DE HOJE, TAREFA DIFÍCIL. INDOMÁVEL, DIRIGIDO QUANDO DEIXA OU QUER SER DIRIGIDO. HÁ POUCO TEMPO PROVOU DE NOVO QUE PODEREI CONTAR SEMPRE COM ELE E ELE COMIGO.

IDENTIDADE FROTA
A ESTRELA E A ESCURIDÃO
5.0

UM FILHO COM O DOM DE VOAR

Papai Sabe Tudo é um seriado de tv americano dos anos 50, Papai Sabe Nada é um desenho animado da Hanna Barbera dos anos 70. Ambos mostravam situações engraçadas entre pai e filhos. Perto da virada do século, Alexandre Frota estava mais para o personagem festeiro e pegador de Charlie Sheen em "Two and a Half Men" do que para qualquer pai de família. Embalado pelos carnavais fora de época, foi para o Micarecandanga de Brasília no ano de 1998, a convite do empresário Sergio Monday, dono do evento, e se impressionou com uma das moças que trabalhava no camarote.

"Foi na época do Galera, eu fui gravar o Micarecandanga e vi uma gata espetacular no camarote do Sergio Monday, o dono do evento. O nome dela é Samantha Gondim. Linda, toda tatuada, pernuda, do jeito que eu gosto. Falei com o Monday que queria ela para mim e já cheguei junto. Me apresentei e falei que não sairia dali sem ela. Quando o Monday liberou, nós descemos para ver o Chiclete com Banana. Ficamos nos beijando e não desgrudei mais dela. Voltei para São Paulo e dez dias depois ela veio para ficar comigo em um flat. Foram quase dois meses de intensa paixão até ela voltar para Brasília. Aí percebi que a empolgação tinha passado, deixou de ser novidade. O que eu nunca poderia imaginar é que ela fosse me ligar para dizer que estava grávida e ia ter o filho. Foi uma porrada. Eu não tinha a menor condição de ser pai, não com a vida que eu levava, lógico que não estava preparado. Pensei muito e resolvi ir à Brasília. Sentei com a Samantha e a mãe dela para um papo reto:

- Samantha, se você quer ter o filho, não vou ser eu que vai te dizer para tirar. Vou assumir a criança, registrar como meu filho. Mas quero deixar bem claro que não vou ser seu marido, nem namorado, nem amante.

"NUNCA PEDI DNA. DURANTE A GRAVIDEZ, DEVO TER VISTO A SAMANTHA DUAS VEZES NO MÁXIMO, MAS NO DIA DO NASCIMENTO DO MEU FILHO, 01 DE MAIO DE 1999, EU ESTAVA LÁ. ESCOLHI UM NOME INDÍGENA, MAYÃ, DE UMA MÚSICA DO OSWALDO MONTENEGRO."

Mayã significa "aquele que tem o dom de voar". Ser pai deveria significar para Alexandre Frota uma nova emoção, um amor incondicional por toda a eternidade. Mas a chegada de seu primogênito não o sensibilizou.

"A VERDADE É QUE EU NÃO SENTI NENHUMA EMOÇÃO, FALEI ISSO EM UMA ENTREVISTA PARA A MARÍLIA GABRIELA E ELA SE CHOCOU, FICOU TODO MUNDO CHOCADO. NÃO SOU HIPÓCRITA, NÃO VOU MENTIR. EU NÃO TINHA ESTRUTURA, MATURIDADE, PARA ENTENDER O QUE É SER PAI. DEPOIS VIERAM AS COBRANÇAS, DE TODOS OS LADOS, FAMÍLIA, IMPRENSA, A SAMANTHA ENTROU NA JUSTIÇA PARA QUE EU PAGASSE A PENSÃO, O VALOR FOI ESTIPULADO COM BASE NO MEU SALÁRIO NA GLOBO E COM ISSO EU ME AFASTEI DO MAYÃ. DEIXEI A SAMANTHA DURANTE MUITO TEMPO COMO MÃE SOLTEIRA E TENHO CONSCIÊNCIA QUE ISSO NÃO FOI LEGAL. HOJE ESTOU TENTANDO RECUPERAR O TEMPO PERDIDO."

SAMANTHA GONDIM

BOM, FALAR DO ALEXANDRE É FALAR DE MUITAS EXPERIÊNCIAS INUSITADAS E CHEIAS DE EMOÇÃO. EU O CONHECI EM UMA FESTA DE CARNAVAL FORA DE ÉPOCA EM BRASÍLIA. ELE CHEGOU NO CAMAROTE ONDE EU TRABALHAVA, CHEIO DE AMIGOS, COM TODA AQUELA POSE DE BAD BOY, EU OLHEI E "DESDENHEI" DAQUELE CARA "MARRENTO". DURANTE OS DIAS DA MICARETA ELE FOI SE APROXIMANDO, QUANDO VI, ESTAVA LÁ EMBAIXO NO BLOCO DO CHICLETE AO SEU LADO DANÇANDO E NO FIM, ELE ME BEIJANDO.

EU LEMBRO QUE MINHAS PERNAS TREMIAM! EU ERA APENAS UMA MULECA DE 16 ANOS E ESTAVA AO LADO DO CARA QUE TINHA COMO REFERÊNCIA DE HOMEM BONITO NA TELEVISÃO. QUE DESTINO.

PARA MINHA SURPRESA, ELE FOI O ESCOLHIDO PARA ME DAR O MAIOR PRESENTE DA MINHA VIDA QUE SE CHAMA MAYÃ, O NOSSO FILHO.

NA ÉPOCA FOI UM GRANDE SUSTO PARA TODOS. DECIDI QUE INDEPENDENTE DAS CIRCUNSTÂNCIAS INSTÁVEIS, EU TERIA O FILHO, UM FILHO DO ALEXANDRE FROTA.

MUITAS PESSOAS ME JULGARAM, MAS PARA MIM, EU ESTAVA GRÁVIDA DO ALÊ, NÃO DO FROTA. ME SINTO ORGULHOSA PELA NOSSA HISTÓRIA E PELO PRESENTE QUE É SER MÃE DO MAYÃ. POR OUTRO LADO, NUNCA GOSTEI DE ME EXPOR, MUITO MENOS DAS PESSOAS JULGAREM QUE EU

TENHA PREMEDITADO ESSA GRAVIDEZ. ÀS VEZES, O MAIS CHATO É TER QUE RESPONDER PELAS ATITUDES DELE, POR EXEMPLO, QUANDO AS PESSOAS ME PERGUNTAVAM SOBRE OS FILMES PORNÔS. SEMPRE ME RECUSEI A ASSISTIR. APESAR DE TODAS AS POLÊMICAS, ISSO NUNCA INTERFERIU NO MEU JEITO DE GOSTAR DA PESSOA DELE.

EU E ALEXANDRE TIVEMOS ALGUMAS DIFICULDADES DURANTE ESTES 15 ANOS QUE NOS CONHECEMOS, MAS SEMPRE BUSQUEI ENTENDER E COMPREENDER TODAS AS SUAS LOUCURAS E INSTABILIDADES, QUE DIFICULTARAM ELE SER UM PAI PRESENTE NA VIDA DO MAYÃ. NO FUNDO, PERCEBIA QUE HAVIA, DA PARTE DELE, UMA IMENSA VONTADE DE ACERTAR. EU JÁ ME MAGOEI MUITAS VEZES COM O ALEXANDRE EM RELAÇÃO ÀS SUAS PALAVRAS E ATITUDES, MAS APRENDI A LIDAR COM ELE. SOU FELIZ POR TER CONHECIDO MUITAS PESSOAS ESPECIAIS ATRAVÉS DELE, ESPECIALMENTE SUA MÃE DONA LAÍS E SUA IRMÃ ANGELA, DUAS GUERREIRAS LINDAS QUE DÃO MUITO VALOR À FAMÍLIA E SEMPRE FAZEM O ALEXANDRE SE LEMBRAR QUE ELE TAMBÉM É UM CARA FAMÍLIA E CHEIO DE COISAS BOAS, QUE MUITAS VEZES, ELE MESMO FEZ AS PESSOAS NÃO O VEREM ASSIM.

EU TORÇO PELO ALEXANDRE, ESTOU FELIZ POR ELE TER AMADURECIDO, ESTAR SE PERMITINDO FORMAR UMA FAMÍLIA, E PRINCIPALMENTE, ESTAR SE TORNANDO MELHOR COMO PESSOA.

Já **MAYÃ**, aquele que tem o dom de voar, **IMPRESSIONA PELA MATURIDADE** de um garoto com apenas catorze anos, pronto para os primeiros voos na vida. A história de um garoto, seus dias de luta, dias de glória. A citação final ao trecho do hino das novas gerações cantado por Chorão, não é por acaso. **ELE É FILHO DE ALEXANDRE FROTA.**

MAYÃ

MEUS PAIS SE CONHECERAM NA MICARECANDANGA DE 1998. DEPOIS DESSE DIA, ELES CONTINUARAM SE ENCONTRANDO MAIS UM TEMPO, E NESSA PONTE AÉREA BRASÍLIA–SÃO PAULO, FOI QUE EU NASCI.

NO INICIO, MEU PAI SE MOSTROU INTERESSADO, ATÉ MEUS 2 ANOS ACHO QUE ESTAVA TUDO NORMAL, NASCIMENTO, BATISMO, ANIVERSÁRIOS. ATÉ QUE OS "TRAUMAS" DELE DE INFÂNCIA COMEÇAREM A ATRAPALHAR A PARTE DA MINHA VIDA RESERVADA PARA "PAI E FILHO." APESAR DE NA ÉPOCA EU NÃO ENTENDER MUITO, ESTA AUSÊNCIA FOI SUPRIDA PELO CARINHO E APOIO POR PARTE DA MINHA FAMÍLIA PATERNA. E SE FOSSE PARA FALAR DELAS, VÓ LAÍS, TIA ANGELA E MINHAS PRIMAS MARI E MARIA, EU TERIA QUE ESCREVER UM LIVRO, SÓ AGRADECENDO ESTE CUIDADO E DIZENDO O QUANTO EU AS AMO.

MUITA GENTE ME PERGUNTA COMO É SER FILHO DO ALEXANDRE FROTA. BEM, COMO ESTAMOS NOS CONHECENDO MELHOR AGORA E ELE ESTÁ INTERESSADO EM SER PAI, ESPERO QUE SER FILHO DELE SEJA ALGO QUE ME TRAGA SEGURANÇA, APOIO, EXEMPLO, QUE POSSA SER ALGO POSITIVO, JÁ QUE ATÉ UM TEMPO ATRÁS, ALÉM DA FALTA DE UM HOMEM COMO EXEMPLO DE PAI, EU AINDA PRECISAVA TER DE ENFRENTAR ALGUMAS CHATEAÇÕES COM AS PESSOAS, DEVIDO AS ESCOLHAS E ATITUDES QUE MEU PAI JÁ TEVE. COISAS QUE PARA UM MOLEQUE PRÉ-ADOLESCENTE, NÃO FORAM NADA AGRADÁVEIS, MAS QUE HOJE EU TIRO DE LETRA.

TAMBÉM ME PERGUNTAM SE SINTO FALTA DELE. LÓGICO! ÀS VEZES FICO PENSANDO COMO TERIA SIDO SE ELE ESTIVESSE POR PERTO. NAS MINHAS APRESENTAÇÕES TEATRAIS, NOS MEUS CAMPEONATOS ESPORTIVOS, NA HORA DE TER DE FALAR ALGO SOBRE MENINOS, ENFIM, NA MINHA VIDA.

MAS ACREDITO QUE DEUS NUNCA ME DEIXOU FALTAR NADA. E NUNCA DEIXARÁ. NÃO VIVO COM O TODO O "GLAMOUR" DE SER FILHO DE ALGUÉM CONHECIDO, MAS SÓ TENHO A AGRADECER TUDO O QUE PASSEI E PASSO QUE ME TORNARAM QUEM EU SOU HOJE. APESAR DA SUA AUSÊNCIA, GANHEI UMA FAMÍLIA PATERNA MARAVILHOSA, MINHA MADRINHA ME AJUDA EM TUDO, TENHO UM MONTE DE AMIGO QUE GOSTA DE MIM PELO QUE EU SOU E ASSIM VOU VIVENDO.

"A VIDA ME ENSINOU A NUNCA DESISTIR.
NEM GANHAR, NEM PERDER,
MAS PROCURAR EVOLUIR."

(CHARLIE BROWN JR / CHORÃO)

IDENTIDADE FROTA
A ESTRELA E A ESCURIDÃO
5.0

O PROIBIDO DO FUNK E A LOIRINHA NA BOQUINHA DA GARRAFA

No meio dos dois últimos trabalhos de Alexandre Frota, apresentando o programa Galera, na Record, e voltando para a Globo como ator de Malhação, entre o fim de um e o começo do outro, Mayã nasceu. A chegada de seu primeiro filho em nada mudou a rotina do *bad boy* galanteador e festeiro. Ao final da quinta temporada de Malhação a sensação de Frota era puro déjà vu: confusões em série e geladeira até o fim do contrato. Ele já tinha passado por tudo isso na própria Globo antes.

Ano novo, século novo, mas nada de vida nova. Que fase.

"EM 2000, EU ESTOU NA ROUBADA. PERDI TUDO DE NOVO. SAÍ DO BARRA BEACH NO RIO E VOLTEI PARA SÃO PAULO COMPLETAMENTE SEM GRANA. COMECEI UM NAMORINHO COM UMA PROMOTER, A GENTE FOI PARA ILHABELA (LITORAL PAULISTA) E EU APROVEITEI PARA CONCLUIR UM CURSO DE MERGULHO. SÓ QUE EU ESTAVA PILHADO, MEU FILHO TINHA NASCIDO, NÃO ESTAVA EM CLIMA DE ROMANCE, AÍ ME LIGARAM ME CONVIDANDO PARA O PRÉ-CAJU, O CARNAVAL FORA DE ÉPOCA DE ARACAJU. TOPEI E DECIDI CHUTAR O BALDE. PEDI O CARRO DA PROMOTER EMPRESTADO SÓ POR QUINZE MINUTINHOS E FUI EMBORA COM O CARRO DELA. PASSEI NA CASA DO JASPION E MANDEI:

- Entra aí, nós vamos em busca da balada perfeita. – ele não entendeu nada.
- Como assim, Frota? Que porra é essa?
- Também não sei. Nós vamos pegar estrada e onde tiver praia e balada maneira a gente vai.
- E como a gente vai viver, vai comer? – perguntou, assustado.
- Meu irmão, eu toco de DJ, faço uma presença aqui, outra ali e vamos levando.

E foi assim, com aquele carro que eu peguei emprestado por 15 minutos que eu e meu brother Jaspion caímos na estrada e passamos por Maresias, Ubatuba, Rio, Saquarema e Búzios. Só voltamos para embarcar direto no aeroporto de Congonhas e seguir para o Pré-Caju em Aracaju. Deixei o carro no estacionamento do aeroporto e avisei à proprietária, que já tinha me ligado milhões de vezes, furiosa."

Sem Destino, Fuga Alucinada, Velozes e Furiosos, qualquer um desses títulos de filmes serve para ilustrar essa insanidade cometida por Alexandre Frota, sem saber que estava prestes a conhecer seu novo amor.

"Eu e o Fabiano Oliveira, o empresário que organiza o Pré-Caju, alugamos uma mansão em Aracaju só para a diretoria (amigos mais chegados). Mandei vir do Rio dez aviões que aterrissaram na nossa mansão, todas garotas de programa. Em uma tarde, estava relaxando na piscina,ao lado de três gatas, todas nuas, quando apareceu uma loirinha que me chamou a atenção."

Era Daniela Freitas, chegou junto com o grupo de axé "Companhia do Pagode", aquele do hit "Na Boquinha da Garrafa". Daniela era uma das dançarinas do grupo, que já tinha se apresentado no Galera,da Record. Frota se impressionou com Dani, só não a abordou naquela gravação porque estava namorando Juliana Garavatti, que também apresentava o programa com ele. Daniela Freitas havia perdido para Sheila Melo a final do concurso A Nova Loira do Tchan, realizado pelo Domingão do Faustão, e foi convidada a fazer parte do "Companhia do Pagode", dos mesmos empresários do É o Tchan, junto com a terceira colocada do concurso, Leila Farias. As duas novas dançarinas do grupo posaram juntas para a Playboy em fevereiro de 1999. Naquele reencontro inesperado com Dani, Frota disfarçou, dispensou as mulheres da piscina e conversou animadamente com ela. Ao final, trocaram telefones. Eles não se encontrariam mais naquele carnaval, nem em Aracaju, nem em Salvador para onde Frota seguiu, provavelmente em busca do carnaval perfeito. Só que na volta para São Paulo, sua irmã Angela ligou do Rio para avisar que "uma tal Daniela Freitas" estava procurando muito por ele. Foi a senha para entrar em contato com ela e armar o bote.

"A DANI ESTAVA RESCINDINDO O CONTRATO COM OS EMPRESÁRIOS DO COMPANHIA DO PAGODE E QUERIA SAIR DE SALVADOR. PEGUEI UM AVIÃO ATÉ LÁ E LOGO NA CHEGADA, FALEI PARA ELA:

- FICA TRANQUILA, VOU CUIDAR DE VOCÊ.

Dito e feito. Ajudei a arrumar as malas, botar tudo no seu carro, um Gol prateado que ela havia ganho no Domingão do Faustão e partimos para São Paulo. Vim dirigindo, aquela distância toda, quase 2.000 km, sem ar condicionado. Com 100 km, fizemos nossa primeira parada e nos entregamos. Era como se não existisse mais nada, somente dois corpos suados tomados pelo desejo. Devemos ter feito umas quinze paradas no total. Quando cheguei em São Paulo, já estava apaixonado por ela. Fomos morar em um apartamento na Al. Maracatins, em Moema. Arrumei um job (trabalho) em uma produtora de eventos ali perto e uma academia para a gente malhar, a Dani começou a encorpar comigo, ficou bem mais sarada. Só a falta de dinheiro me incomodava, e muito. Nosso apartamento não tinha um móvel sequer, foi a Dani que bancou a gente nesse período com seus shows. Procurei meu cachorro, o Bad Boy, que deixei no sítio do Talma em Araras (região serrana do Rio de Janeiro) mas ele vinha muito triste, não aguentou a saudade e morreu. Como minha mãe estava morando em Arraial do Cabo (litoral norte do Rio na Região dos Lagos), fomos passar o Natal e o Reveillon com ela. Eu fiquei na depressão, de um jeito que nunca tinha ficado antes. A Dani ia para a praia com minha mãe e eu ficava sozinho na casa, com a janela fechada, não mergulhei um dia no mar. Jurei para mim mesmo que no ano seguinte seria diferente."

Naquele verão, Frota observou a intensa movimentação de paulistas que vinham para o Rio de Janeiro se esbaldar nos bailes funk que proliferavam nas favelas e na zona norte. Enxergou ali uma oportunidade.

"Fui no Salgueiro falar com o Rômulo Costa e com a Mãe Loira (a vereadora Verônica Costa, sua mulher e sócia na época), da Furacão 2000. Falei para eles que queria levar o funk para São Paulo. Quando eu cheguei, o Gugu estava gravando para o Domingo Legal do Sbt, ele correu na minha frente, perdi. O Gugu ia inaugurar naquela época a casa noturna Fábrica 5 com o Miguel Falabella. O Rômulo e a Verônica nem me atenderam."

Alexandre Frota não se deu por vencido e no dia seguinte foi conhecer o Castelo das Pedras, tradicional reduto carioca do baile funk localizado na comunidade (termo politicamente correto de favela) Rio das Pedras, em Jacarepaguá.

"Lá um cara me abordou, me disse que já estava sabendo que eu tinha tomado uma volta do Rômulo da Furacão 2000 e que se eu quisesse, ele iria comigo para São Paulo. O nome dele é Jason, era o cara que mandava prender e mandava soltar naquele pedaço. Levamos o Castelo das Pedras para São Paulo e estreamos quinze dias depois da Furacão 2000 no Fábrica 5. Lotou nos dois, mais de sete mil pessoas, foi ali que eu decidi lançar o funk tocando de DJ da parada."

A concorrência se acirrou. Frota trocou farpas pela imprensa com Gugu e a Furacão 2000 enquanto levava o funk para as danceterias da Vila Olímpia (bairro nobre paulistano conhecido por sua intensa agitação noturna). Em uma noite, teve uma grande sacada e tirou um coelho da cartola, no caso, uma futura coelhinha da Playboy.

"Eu tinha que fazer alguma coisa diferente dos caras, ficava vendo as minhas dançarinas, todas de shortinho, era tudo muito igual, aí em uma noite, resolvi botar uma das morenas fantasiada de enfermeira. Lancei a Enfermeira do Funk. Foi um sucesso, virou uma nova Tiazinha. Os programas de tv começaram a me ligar querendo gravar com ela, até que fui intimado pela associação das enfermeiras, sindicato das enfermeiras, Cruz Vermelha, todo mundo protestando na justiça. Por isso que eu sempre falo que o mundo tá muito viadinho, nada contra os gays, adoro os gays, mas hoje tudo é considerado ofensa, não pode falar isso, não pode falar aquilo, é um saco. Na hora que eu ia me dar bem, veio uma avalanche de processos e o pior é que eu não tinha nem contrato com as dançarinas, era tudo de boca. Tinham uns caras de um escritório, uma pequena produtora de eventos, que estavam me ajudando, marcando vários shows, eu como DJ com as dançarinas de funk. Só que eles fecharam um contrato com as meninas sem o meu conhecimento, ou seja, tomei mais uma volta, essa é a minha sina, sempre tomando volta. No meio dessa confusão, a Playboy quer fazer um ensaio com a Ariane, a Enfermeira do Funk. Por causa dos processos, que proibiam o nome enfermeira, brinquei em alguns shows que ela era a Proibida do Funk. A Playboy deve ter gostado, botou ela na capa com esse título, toda vestida de rosa e não vi a cor do cachê. Fui para a tv e esculachei todo mundo, falei no programa da Claudete Troiano (Mulheres, da Tv Gazeta) que queria o silicone das dançarinas de volta, virou um hit no youtube."

Incrível como um cara cheio de malandragem, picardia, criado no subúrbio carioca consegue levar tanto balão, tanta volta e se mete em tantas batalhas judiciais. Até o momento em que este livro estava sendo escrito, seu imbróglio mais recente tinha sido com Joana Machado, a vencedora do *reality show* A Fazenda 4, quando reivindicou parte do prêmio, de acordo com um contrato assinado com o então advogado de Frota, Paulo Mariano. As confusões de Alexandre Frota obedecem a um mesmo padrão. Jogo jogado, quando perdeu a Enfermeira do Funk, Ariane Latuf, rebatizada de Proibida do Funk, Frota contra-atacou com a Ninja do Funk, guerra é guerra. Chegou a chamar um jovem funkeiro do Rio de Janeiro para ajudá-lo a compor o funk da Ninja, o MC Koringa, um dos grande nomes do funk em 2013 ao lado de Naldo. Em uma tacada de mestre, levou a Ninja para debutar em plena festa da Playboy de Ariane, a Proibida do Funk e roubou as atenções. Tudo em vão. Depois vieram mais processos, inclusive da própria Ninja. Uma tentativa de criar um nova personagem, a Loira da Galera, e mais processos. Até Daniela Freitas se apresentou com uma peruca preta como a nova Proibida do Funk. No fim das contas, ficou no zero a zero.

"Não ganhei dinheiro com o funk naquela época. Tentei de tudo, mas não ganhei porra nenhuma (fala revoltado). Quem surge nesse período é o Dudu Rocha. Ele acompanhou toda essa fase do funk, ficou meu amigo e virou meu assistente de produção, secretário, fiel escudeiro, meu faz tudo. Conheci o Dudu em uma balada no Bar do Elias que misturava música e gastronomia, a "Massa na Faixa", promovida pelo Cidão, filho do Elias e meu grande amigo também."

Como diz o ditado: Quem tem um amigo, tem um tesouro.

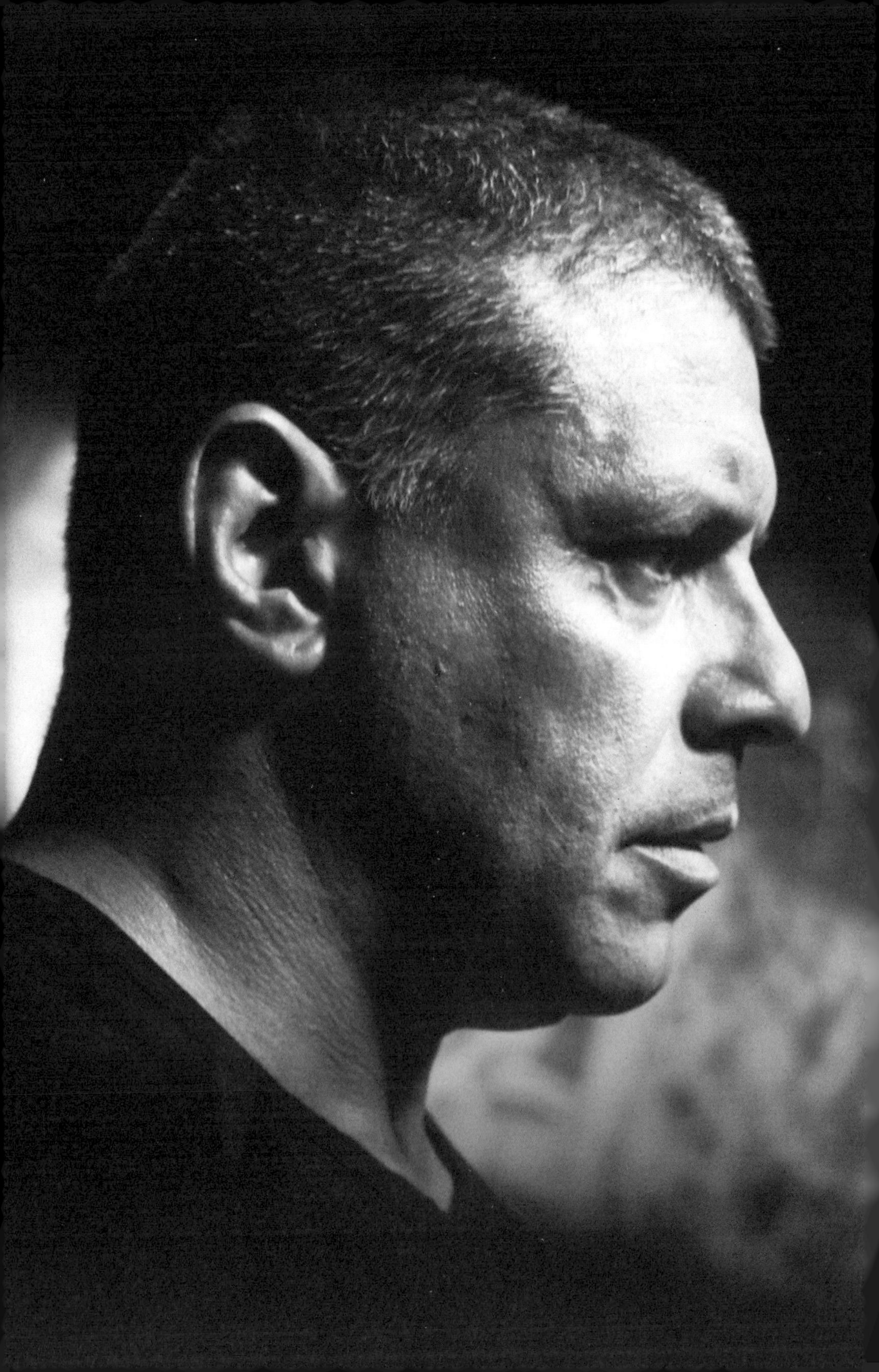

"EU RESGATEI MEU PAI. MEU PAI, QUE TINHA FICADO PARA TRÁS, EU TROUXE ELE DE VOLTA PARA MINHA VIDA."

IDENTIDADE FROTA
A ESTRELA E A ESCURIDÃO
5.0

O RINOCERONTE DE SUNGA NA CASA DOS ARTISTAS E SEM SUNGA NA G

Alexandre Frota sempre viveu intensamente (a frase mais repetida deste livro). Viajou pelo mundo, esteve nas melhores festas, saltou de paraquedas, voou de asa delta, pulou de bungee jump, mergulhou em águas profundas, encarou um tubarão frente à frente, treinou com o BOPE, atravessou o deserto do Jalapão em Tocantins e nunca declinou de nenhum desafio. Fez o que quis e o que não precisava fazer. Por conta das drogas, levou a loucura à tiracolo, mas não se arrepende de nada. Em 2001, casado com Daniela Freitas, "durango kid" e muito frustrado com sua tentativa de promover o funk em São Paulo, recebeu uma proposta ousada, quase indecente.

"O WALCYR CARRASCO (AUTOR DE NOVELAS DA TV GLOBO) E A ANA MARIA FADIGAS (SÓCIA E DIRETORA DA REVISTA) ME CONVIDARAM PARA FAZER UM ENSAIO NU PARA A G MAGAZINE, FOI A PRIMEIRA G. ANOS ANTES EU JÁ TINHA FEITO UM ENSAIO PELADO, MAS SEM NUDEZ FRONTAL, PARA A REVISTA CONTIGO. FOI NO *REVEILLON* DE 1995, BRINDANDO A CHEGADA DO HOMEM SENSUAL MASCULINIZADO."

Alexandre Frota analisou a proposta, e como sempre, não consultou ninguém. Aceitou posar nu para uma revista gay. A obrigação de pagar todo mês a pensão de seu filho Mayã pesou na decisão. Mas se é para fazer, tem que ser com a assinatura de Alexandre Frota...

"Até hoje eu não peço autorização para ninguém para nada. Assim como eu não falei dos filmes pornôs depois, não falei dessa G. A Daniela soube porque estava comigo, a gente precisava de dinheiro, fui fazer a G e acabou o assunto. A mulher que estiver ao meu lado, que já me conheceu nessa estrada, ou entende ou vai embora. E mesmo na dureza, não deixo faltar nada, carro, roupas, academia, clínicas de beleza, nem que seja na base da permuta. Quando aceitei fazer a G, pensei comigo, preciso dar uma porrada na sociedade, na classe artística, preciso mexer com a fantasia das pessoas. Não posso ficar nu em uma piscina, isso todo mundo faz. Planejei um roteiro, um cara que atravessa as noites em vários puteiros, na rua Augusta, em beira de estrada, com aquela luz vermelha. Foi uma superprodução. Fotografamos em várias locações com homens, travestis e até uma mulher. Foi a primeira e única vez que uma mulher apareceu nua na G Magazine. Meu personagem era um cafetão que vendia homens, mulheres e travestis. Vendia e consumia também. Para ficar excitado, pedi uma equipe toda de mulheres, inclusive a fotógrafa, e que elas ficassem de calcinha pelo estúdio, pelas locações e funcionou. A produção também trouxe duas facilitadoras, duas mulheres que ficam fazendo sexo oral para te ajudar a ficar excitado, isso é muito comum no cinema pornô americano. Foi um sucesso, vendeu muito e bateu o recorde de vendas."

Aproveitando o embalo, Daniela Freitas também posou nua, foi capa da Sexy no mesmo ano, o próprio Frota negociou com a revista. No total, Alexandre Frota realizou cinco ensaios como veio ao mundo para a G Magazine, nos anos 2001, 2003, 2004, 2006 e 2010, todos com a supervisão de Ana Maria Fadigas e produção de Klifty Pugini. Foi o único a posar cinco vezes para a revista que em seu início, em 1997, tinha o sugestivo título Banana Louca e a partir da sexta edição mudou para G Magazine.

"NA MINHA PRIMEIRA CAPA EU ESTAVA DE CALÇA JEANS, OLHAR AGRESSIVO, MÁSCULO, BEM DIFERENTE DO MEU SEGUNDO ENSAIO QUANDO ESTOU MAIS GAY, MAIS SUAVE. SE VOCÊ OLHAR AS DUAS CAPAS VAI DIZER O QUE O PRIMEIRO ALEXANDRE FROTA COME E O SEGUNDO ALEXANDRE FROTA DÁ. FOI TÃO EXPLOSIVO ESSE MEU PRIMEIRO ENSAIO PARA G QUE CHAMOU A ATENÇÃO ATÉ DO SILVIO SANTOS."

IDENTIDADE FROTA
A ESTRELA E A ESCURIDÃO
5.0

O ano de 2001 foi histórico para a televisão brasileira, especialmente no segundo semestre. Duas coberturas ao vivo mobilizaram o país: o sequestro de Silvio Santos em agosto e o ataque terrorista de 11 de setembro com a derrubada das duas torres gêmeas do World Trade Center, em Nova York. Foi também o ano em que a televisão brasileira descobriu o *reality show* com a Casa dos Artistas, no Sbt. Antes disso, a Globo já tinha veiculado duas edições de No Limite, formato inspirado no americano Survivor em 2000 e 2001, mas com a chegada do *Big Brother*, tudo mudou. Diferente de No Limite que é um *reality* de sobrevivência em regiões inóspitas, como florestas e desertos, o *Big Brother* coloca seus participantes confinados em uma casa com câmeras acompanhando todos os seus movimentos 24 horas por dia. Para um país que adora e consome diariamente telenovelas, um programa desse tipo tinha tudo para agradar. Ao contrário de outros países que focavam no conceito de "concorrentes na disputa pelo prêmio", no Brasil virou uma novela da vida real com heróis, vilões, romances e intrigas. A Endemol, produtora holandesa especializada no ramo, criadora do *Big Brother*, enxergou no mercado brasileiro uma excelente oportunidade e ofereceu seu *reality show* de maior prestígio para Globo e Sbt. A Globo comprou os direitos e anunciou o Big Brother Brasil para o início de 2002 (estreou em janeiro). Em uma manobra ousada, digna de Silvio Santos, o Sbt pegou todo mundo de surpresa e estreou Casa dos Artistas sem avisar ninguém, nem público nem imprensa, no dia 28 de outubro de 2001. Menos de dois meses depois de ser sequestrado, mantido em cativeiro em sua própria casa durante horas e negociado a libertação de sua família, tudo ao vivo na tv. Menos de dois meses depois, Silvio Santos surpreende o Brasil novamente e lança um *reality show* com um formato similar ao *Big Brother* apresentado por ele próprio ao vivo logo após o Programa do Silvio Santos no mesmo dia e horário da estreia de outro *reality*, a terceira edição do No Limite na Globo. Difícil encontrar algo tão espetacular na historia da televisão mundial.

"O FERNANDO RANCOLETA, DIRETOR DE ELENCO DE MUITOS ANOS DO SBT, ME LIGOU E MARCOU UM JANTAR NO QUATTRINO, NA OSCAR FREIRE. ME FALOU DO PROJETO DA CASA DOS ARTISTAS E DISSE QUE O SILVIO ME QUERIA NO PROGRAMA. EU ERA UM FRANCO-ATIRADOR, NÃO TINHA NADA A PERDER. TOPEI A PARADA. ASSINEI UM TERMO DE SIGILO E PARTIMOS PARA A ELABORAÇÃO DO CONTRATO. EXATAMENTE NESSA ÉPOCA ENTROU EM CENA O ADVOGADO PAULO MARIANO, QUE PASSOU A ME REPRESENTAR, GERENCIAR

MINHA CARREIRA E RESOLVER MEUS PROBLEMAS NA JUSTIÇA, QUE ERAM MUITOS. NÃO FIZ NENHUMA PREPARAÇÃO ESPECIAL, A NÃO SER MALHAR. FUI ESCRAVO DO MEU CORPO POR 30 ANOS, A MAIOR PARTE DA MINHA VIDA. MALHEI, FIZ DIETA PARA FICAR MAIS FORTE, MAIS MAGRO, PARA SECAR. MESMO USANDO DROGAS, SEMPRE MALHEI MUITO. USEI MEU CORPO NO TEATRO, NO CINEMA, NAS NOVELAS SEM CAMISA, NAS MINISSÉRIES SEM CAMISA, NOS FILMES PORNOGRÁFICOS, NAS CAPAS DE REVISTA, NAS FOTOS, MEU CORPO SEMPRE FOI MUITO EXPLORADO PELA MÍDIA."

Alexandre Frota chegou em plena forma, física e mental, na grande novidade da tv brasileira naquele ano, a Casa dos Artistas. A Endemol, detentora dos direitos autorais do *Big Brother*, produzido e exibido em mais de 50 países, não gostou das semelhanças com seu principal ativo e processou o Sbt por plágio na justiça brasileira (junto com a Globo) e no tribunal internacional de Haia, na Holanda, famoso por julgar crimes de guerra. Sem entrar no mérito da jurisprudência, a principal diferença em relação ao Big Brother Brasil, que estrearia em seguida, estava no elenco, já que ambos os apresentadores, Silvio Santos e Pedro Bial, mesmo com estilos completamente distintos, são incríveis, fantásticos, extraordinários. Enquanto, na Globo, os participantes eram ilustres desconhecidos da mídia, no Sbt eram artistas, famosos e celebridades, algumas de critérios bem duvidosos, da mesma forma que A Fazenda da Record. O elenco da primeira Casa dos Artistas contou com doze participantes: o roqueiro Supla, a atriz Bárbara Paz, os atores Mateus Carrieri, Taiguara Nazareth e Marco Mastronelli, o cantor Leandro Lehart, vocalista do grupo de pagode Art Popular, a cantora Patricia Coelho, a assistente de palco do Gugu Alessandra Scatena e as modelos Núbia Óliiver, Mari Alexandre e Nana Gouvêa, além de um Alexandre Frota revigorado. Ao apresentá-lo para o público como um dos participantes da Casa, Silvio Santos exibiu a G Magazine com Frota na capa para delírio de suas colegas de trabalho.

"JÁ ENTREI NA CASA COM A CABEÇA DE JOGADOR, ENTREI NA FRENTE, DE BRAÇOS ABERTOS, PORQUE EU SABIA QUE SERIA UMA IMAGEM IMPORTANTE, A NOSSA CHEGADA. ESCOLHI O QUARTO, A CAMA AO LADO DA PORTA PARA VER A MOVIMENTAÇÃO DAS PESSOAS NA MADRUGADA, JÁ QUE MEU SONO É MUITO LEVE. COMO TINHA PISCINA E ESTAVA CALOR,

LANCEI A SUNGA BRANCA QUE O MACACO SIMÃO ADOROU, FICAVA DIRETO DE SUNGA BRANCA E ÓCULOS ESCUROS."

Em uma de suas colunas na época, José Simão escreveu:

"Fiz uma enquete perguntando: Qual a cor da sunga branca do Alexandre Frota? Ganhou: Parda! Seguida de: Pierre Encardida! E o nosso rinoceronte de sunga, o Frota, incluiu mais uma palavra no seu já extenso vocabulário: bróder! Agora já são: porra, parada e bróder, O big bróder! Rarará!"

Criativo, inventivo e intuitivo, Alexandre Frota pôde exercitar na Casa uma de suas maiores qualidades, o estrategista. Só não exercitou o lado galanteador em respeito à Daniela Freitas.

"TINHA MUITA MULHER GOSTOSA NAQUELA CASA, TIVE QUE SEGURAR MUITO A MINHA ONDA POR CAUSA DA DANI. MAS MEU FOCO ERA NO JOGO, ENTENDI MUITO RÁPIDO COMO FUNCIONAVA E SELECIONEI MEU PRIMEIRO ALVO, A ALESSANDRA SCATENA, QUE TRABALHAVA NO DOMINGO LEGAL DO GUGU, E ERA MUITO QUERIDA NO SBT. CONVENCI OS HOMENS A VOTAREM NELA, SÓ QUE NO DIA DA VOTAÇÃO, O SILVIO RODOU UMA EDIÇÃO MOSTRANDO MINHA ARTICULAÇÃO, QUER DIZER, ME EXPÔS, ACABOU COM A MINHA ESTRATÉGIA. TODAS AS MULHERES FICARAM OLHANDO PARA A MINHA CARA, A SCATENA CHORANDO. VIREI O VILÃO DA PARADA. A SCATENA FOI ELIMINADA, MAS EU FIQUEI SEM CLIMA NA CASA, O SUPLA APROVEITOU A SITUAÇÃO E COMEÇOU A BANCAR O BOM MOÇO. PENSEI MUITO, REUNI TODO MUNDO E AVISEI QUE IA EMBORA, PORQUE O SILVIO ERROU COMIGO. NA VERDADE, O SILVIO NÃO TINHA ENTENDIDO O JOGO, ELE SEMPRE FAZ O QUE DÁ NA CABEÇA DELE, E SEM QUERER, ME QUEIMOU NO JOGO. PEDI PARA SAIR. NA SEGUNDA SEMANA, FUI EMBORA DA CASA, A PRODUÇÃO E O RANCOLETTA TENTARAM ME CONVENCER, MAS EU ESTAVA IRREDUTÍVEL. EM VEZ DE IR PARA O MEU APARTAMENTO, FUI PARA A CASA DO MEU AMIGO EDUARDO CAMPANELLA, TAMBÉM EM MOEMA."

Frota chegou, para espanto de seu amigo, e viu a televisão da sala ligada. Foi nesse momento que caiu a ficha, descobriu que aquele *reality show* tinha se tornado uma verdadeira febre em todo o Brasil, com toda a imprensa repercutindo o que acontecia. Ouviu um barulho do lado de fora. A casa estava cercada de fotógrafos, jornalistas e equipes de tv de todas as emissoras, inclusive a Globo que estava documentando provas para o processo na justiça. Hora do show, na gíria americana, *Showtime*!

"Pedi para o Campanella deixar todo mundo entrar e comuniquei que daria uma coletiva. Botei óculos escuros, camisa da Bad Boy e fiz uma declaração dizendo que tinha saído da Casa porque estava muito puto com o Silvio Santos. Expliquei o que ele tinha feito, interferindo no jogo, e passei a responder as perguntas pacientemente. De repente, entra um produtor do Sbt assustado e me avisa que o Silvio Santos queria falar comigo, devem ter avisado que eu estava dando uma coletiva para a imprensa e detonando ele. O Silvio foi rápido, me pediu para encontrar com ele no camarim do Sbt mais tarde, às 17 horas. Voltei para a coletiva, continuei metendo o pau no Silvio e aproveitando toda aquela mídia a minha volta. Depois chegou a Daniela Freitas, fomos para nosso apê e retornei ao Sbt para encontrar o Silvio com o Paulo Mariano, meu advogado. Já tinha sacado que era uma peça chave naquele programa. Entrei no camarim, o Silvio estava comendo um sanduíche de queijo, parou e foi direto ao ponto: me perguntou porque eu tinha saído da Casa. Expliquei tudo de novo, falei que ele tinha fudido com meu jogo e não havia mais nada a fazer. Ele ouviu tudo em silêncio e ao final, perguntou se eu voltaria para a Casa. Antes que eu respondesse, me ofereceu 100 mil reais, além do cachê combinado, uma bela quantia em 2001. Topei e ele determinou que eu voltasse naquela mesma noite. Chamou o diretor da Casa dos Artistas, o Rodrigo Carelli e anunciou sua decisão. O Carelli tentou ponderar, mas o Silvio cortou, disse que era o dono do programa e que já estava decidido. Depois soube que o Jassa tinha falado com ele que eu não podia sair da Casa, que se eu saísse, acabava o programa. Fui em uma van sem saber que o próprio Silvio Santos estava nos seguindo. A Casa dos Artistas ficava no Morumbi, era uma casa vizinha a casa do Silvio. Antes de entrar, enquanto o técnico de som botava o microfone de lapela em mim, o Silvio apareceu, pegando todos de surpresa, confirmou que já tinha acertado tudo comigo e fez uma ressalva: caso os outros participantes reclamassem muito, eu teria que sair da Casa e do jogo de vez. Apertou minha mão e me disse a seguinte frase:

- Você não vai ganhar, mas você vai até a final. - Nunca me esqueci disso."

Palavras proféticas do maior comunicador da história da televisão brasileira. Se Alexandre Frota é craque no processo intuitivo, Silvio Santos é gênio, o Pelé da comunicação. Em uma reviravolta fantástica, o rinoceronte de sunga branca voltou para o jogo e não saiu mais. Articulou votos, sobreviveu a todos os paredões, eliminou seus oponentes, um por um, encenou esquetes de humor, compôs músicas em parceria com Supla, brigou com Núbia, imitou Nana Gouvêa, chamou Mari Alexandre de pata, viveu um romance platônico com Patricia Coelho, chorou de saudades de Daniela Freitas e criou o personagem Silvio Melon, um melão que virou seu amigo imaginário, escancaradamente baseado no filme Náufrago, com Tom Hanks e seu amigo Wilson, uma alucinação com uma bola de vôlei dessa marca.

"O SBT TINHA PROGRAMADO A EXIBIÇÃO DO NÁUFRAGO E TEVE QUE CANCELAR DEPOIS QUE VIRAM O SILVIO MELON NA CASA. PODIA PARECER COMBINADO, QUANDO NA VERDADE, FOI IDEIA MINHA. JÁ TINHA VISTO AQUELE FILME E ADORADO."

Autor de pérolas como "quem gosta de beleza interior é decorador", Frota assumiu o protagonismo da "Casa dos Artistas" e foi até a final, junto com Mari Alexandre, Patrícia Coelho e o casal Supla e Bárbara Paz. Supla, que havia se comportado como um príncipe, quebrando o paradigma do roqueiro irresponsável, ficou em segundo, para orgulho dos pais Eduardo e Marta Suplicy, presentes na final. A campeã foi a princesa plebeia Bárbara Paz, que levou o prêmio de 300 mil reais e assinou contrato como atriz do Sbt. A final registrou a maior média do programa, 47 pontos no Ibope da Grande São Paulo, com incríveis picos de 55 pontos contra 15 pontos da Globo. Foi a maior audiência da história do Sbt, superando os 42 pontos de média da final da Copa do Brasil Corinthians x Grêmio em 1995, transmitida com exclusividade pelo Sbt. A Casa dos Artistas ganhou do Fantástico sucessivamente em todos os domingos. A final do *reality* No Limite, programada para o mesmo domingo da final da Casa dos Artistas, foi adiada. Quem também alcançou um grande ibope foi o programa Terceiro Tempo da Record, apresentado por Milton Neves que tinha como sua assistente, Daniela Freitas. Um link ao vivo permitiu que Dani e Milton conversassem com Frota e Silvio Santos, outro ineditismo sensacional. Milton pediu para que Silvio mantivesse Frota preso na casa por mais dois anos para ele cuidar da Daniela. Por alguns minutos, Sbt e Record trocaram figurinhas enquanto a Globo amargava uma surra histórica. A Casa dos Artistas teve mais quatro edições, nenhuma chegou perto dos números e da incrível repercussão da primeira, tão marcante, que até hoje se especula uma possível volta do *reality show* no Sbt. Por conta desse sucesso, a Globo descartou produzir um Big Brother Brasil com celebridades, previsto no pacote comprado da Endemol. Para Alexandre Frota, também descartado da programação da Globo, foi a volta por cima que ele precisava.

"SAÍ DOIDO DE NOVO, JÁ COM SEIS COMERCIAIS DO PONTO FRIO AGENDADOS. QUIS LOGO MUDAR DE RESIDÊNCIA, FUI PARA UMA CASA MANEIRA COM A DANIELA, ELA MERECIA. A DANI SOFREU DEMAIS, FICAVA EM CASA ME VENDO PELA TV NO MAIOR CLIMA COM A PATRÍCIA COELHO, A IMPRENSA A ASSEDIANDO DIARIAMENTE PARA FALAR SOBRE ISSO, ELA FICOU MUITO MAL. MUITOS ME PERGUNTAM ATÉ HOJE O QUE ACONTECEU DE FATO DEBAIXO DAQUELE EDREDON, ENTRE EU E A PATRÍCIA COELHO, UM DIA ANTES DA FINAL. ACONTECEU O QUE TODO MUNDO IMAGINOU."

No dia 16 de dezembro de 2001, Alexandre Frota deixou a Casa dos Artistas em quinto lugar na votação final. Sua sunga branca foi arrematada por 500 reais pelo ator Jorge Lafond, conhecido pela personagem Vera Verão, em um leilão promovido pelo programa vespertino Melhor da Tarde, da Band, apresentado por Astrid Fontenelle e Leão Lobo. O rinoceronte triunfou e a campeã, Bárbara Paz, pôde enfim realizar seu grande sonho, consolidou sua carreira de atriz protagonizando três novelas no Sbt em sequência, Marisol, Cristal e Maria Esperança, todas adaptações de folhetins mexicanos, até que em 2009, estreou na Globo, na novela Viver a Vida de Manoel Carlos, no papel da alcoólatra Renata, recebendo merecidos elogios da crítica. O namoro com Supla, como quase todos os romances iniciados dentro de um *reality show*, findou. Já Frota, cumpriu o que prometera a si mesmo e voltou a Arraial do Cabo, onde sua mãe morava, para um *réveillon* completamente diferente do ano anterior: reuniu toda a família, alugou três casas na mesma rua da mãe para abrigar seus mais de 30 convidados e promoveu uma grande queima de fogos.

IDENTIDADE FROTA
A ESTRELA E A ESCURIDÃO
5.0

"Foram oito minutos de fogos. Tive o *réveillon* que há muito tempo queria ter. Arraial do Cabo parou, o prefeito me recebeu, pude juntar vários amigos, até o Maurício Mattar apareceu, junto com a Déborah Secco, e o mais importante, recuperei minha família, que estava afastada."

SEM DÚVIDA, ALEXANDRE FROTA FOI O GRANDE VENCEDOR DA CASA DOS ARTISTAS.

UM VILÃO DE CORAÇÃO PARTIDO

PASSADA A EUFORIA PELO SUCESSO NA CASA DOS ARTISTAS, ALEXANDRE FROTA FOI CHAMADO PARA UMA NOVA CONVERSA COM SILVIO SANTOS EM SEU CAMARIM NO INÍCIO DE 2002.

"SILVIO ME PERGUNTOU SE EU QUERIA FAZER NOVELA E EU RESPONDI QUE SIM. PERGUNTOU SE EU PREFERIA MOCINHO OU BANDIDO, ESCOLHI SER O BANDIDO, SEMPRE QUIS FAZER UM VILÃO CASCA GROSSA."

Dias depois, Frota foi comunicado pelo departamento de teledramaturgia do Sbt que iria atuar em Marisol, um remake de uma novela mexicana homônima, resultado de uma parceria entre o Sbt e a Televisa, a maior rede de televisão do México, produzindo 16 novelas por ano, a quinta maior emissora de tv do planeta, atrás apenas, pela ordem, da americana e líder ABC, da Globo e das americanas CBS e NBC (em 2012, a Rede Globo se tornou a segunda maior emissora comercial do mundo). Em Marisol, Bárbara Paz viveu a personagem-título, sua primeira protagonista, uma moça pobre que vende flores e tem uma grande cicatriz no rosto por conta de um acidente. Coincidentemente, Bárbara viveu esse mesmo drama na vida real, um acidente de carro a deixou com várias cicatrizes, duas no rosto, precisando sempre de muita maquiagem para disfarçar. Em uma entrevista ao Jornal

Extra em 2013, ela declarou:

- Não gosto de me ver. Quando passei a me preocupar mais com a emoção da cena e menos com a cicatriz, me tornei uma atriz melhor. Não preciso ser perfeita.

Frota, ao contrário, sempre buscou a perfeição física, mirando na figura do galã sedutor, não importa se mocinho ou vilão, engraçado ou atrapalhado, truculento ou refinado, o que limitou muito sua carreira. Em Marisol, foi a vez de um vilão, Mário Soares, um dos algozes da personagem principal. Também no elenco, os futuros galãs globais, Rodrigo Lombardi, Carlos Casagrande e Jonatas Faro, além de Karina Bacchi, Gabriela Alves e Glauce Graieb, irmã de Nívea Maria.

"Fiz Marisol, para o Sbt foi bom, mas novela mexicana é foda. Se eu já não tinha paciência para fazer novela na Globo, imagina Marisol? Quando descobri que meu personagem tinha que gravar 30 cenas por dia, trocar de figurino 30 vezes por dia, fui logo avisando a produção que não iria trocar de roupa toda hora. Usei a mesma calça, o mesmo sapato e só trocava a camisa. Pedi para deixar todas em uma arara dentro do estúdio. Meu personagem se envolvia com a Gabriela, a filha da Tânia Alves, magrinha, parecia um fiapo, depois inventaram um romance com a irmã da Nívea Maria, aí não aguentei, fui à loucura. Meu problema é que eu não encarava como ator, encarava como se fosse o Alexandre Frota, isso sempre me prejudicou muito. O Henrique Martins, o diretor da novela teve muita boa vontade comigo, eu chegava para gravar sem ter decorado nada. Muito chata essa novela, 12 horas de gravação por dia. **PARA VOCÊ TER UMA IDEIA, COM MARISOL NO AR, ENCONTREI UM AMIGO MEU NA PRAIA. ELE ME FEZ A MAIOR FESTA E FALOU:**

- E AÍ, FROTA? TÁ SUMIDO CARA. TÁ FAZENDO O QUE? – DESCONVERSEI E FUI DAR UM MERGULHO."

Exibida entre abril e novembro de 2002, "Marisol" foi a oitava e última novela de Alexandre Frota (além de cinco minisséries e três seriados), pelo menos até os 50 anos, mas não seu último vilão. Com o fim do contrato com o Sbt, aceitou o convite para fazer a segunda temporada do seriado da

Record Turma do Gueto, produzido pela Casablanca. Um projeto concebido pelo cantor e atualmente político Netinho de Paula para ser a primeira produção televisiva brasileira com um elenco composto em sua maioria por atores negros. Netinho foi o criador, o produtor executivo e interpretou o personagem principal, Ricardo, um professor de português que luta para melhorar a vida de seus alunos através do conhecimento. Depois de um ótimo começo, com participação especial de Pelé no primeiro episódio, a audiência caiu. A proposta de Netinho, discutir a realidade da periferia de São Paulo e o papel do negro na sociedade, foi questionada internamente pela direção da Record e na segunda temporada tudo mudou. Turma do Gueto virou um seriado policial com o foco na bandidagem e sua disputa pelo poder. Um festival de violência com cenas de tiroteios e mortes em todos os episódios. Inconformado, Netinho preferiu sair, aquele não era mais o seu projeto. Netinho saiu, Alexandre Frota entrou, na pele do traficante Nenê, de uma facção rival. O banho de sangue aumentou e o público reagiu positivamente. Turma do Gueto saltou para médias superiores a dois dígitos, uma das maiores audiências da Record em 2003 e Frota se tornou o destaque do seriado. Em um dos episódios, Nenê esfregou o rosto de um inimigo no motor quente do seu carro só por diversão enquanto ensinava para seus comparsas suas pérolas de sabedoria: "é fácil ter chifre, difícil é sustentar a vaca". Mais poético, impossível.

"Quando eu cheguei, vi que o papel era a minha cara. O seu Pedro (Pedro Siaretta, diretor do seriado) me deu carta branca e eu dominei o pico. Estava praticamente escrevendo as minhas cenas. Só que depois de um tempo, o seriado fazendo sucesso, meu personagem indo bem para caralho, eu cismei de sair. Avisei que ia embora, de novo, aquela porra de não chegar até o final. O seu Pedro implorou para eu ficasse e eu impus a seguinte condição: meu personagem tinha que morrer, uma morte espetacular, para que eu voltasse como seu irmão gêmeo policial. O Nenê morreu e voltei na temporada seguinte como o Kadu, um policial durão. Gravei tudo em 2003, meu salário era muito bom, mas tive uma encrenca no final. Eu estava no estúdio com meu amigo Presunto, que é lutador de jiu-jitsu, e me estranhei com um ator, nem lembro o nome dele. Falei para o Presunto pegar o cara. O Presunto deu um mata-leão (golpe de estrangulamento) e apagou o sujeito, o cara ficou desmaiado. O clima ficou pesado depois disso, um monte de gente me olhando atravessado, mas já era o final do seriado, nem me preocupei."

Duas vezes vilão na ficção, Marisol e Turma do Gueto, o temperamento agressivo de Alexandre Frota somado a imagem de bad boy, o tornavam sempre um alvo permanente da mídia e do público, quase um vilão da vida real. Uma ligeira distorcida nos fatos sempre ajudava. Só que a diferença entre realidade e fantasia é gritante. Na ficção, por exemplo, o belo casal Alexandre Frota e Dani Freitas certamente teria um final feliz, depois de tantas adversidades. Na vida real, não foi bem assim.

"ESTÁVAMOS EM CABO FRIO COM UM GRUPO DE AMIGOS, EM UMA CASA QUE EU ALUGAVA. A DANI TINHA UMA AMIGA MUITO PRÓXIMA QUE ESTAVA SEMPRE COM A GENTE. NAQUELE FINAL DE SEMANA, ELA TROCOU UNS BEIJOS COM UM CAMARADA MEU E DEPOIS, DURANTE O CHURRASCO, DEU UMA SACANEADA NO CARA NA FRENTE DE TODO O MUNDO. MEU SANGUE SUBIU NA HORA. PEGUEI UMA LATA DE CERVEJA E ATIREI NA CARA DELA. DEPOIS, XINGUEI A GAROTA, FUI PARA O QUARTO, PEGUEI SUAS ROUPAS, SUA MALA E JOGUEI NA RUA, A EXPULSEI DE CASA. AQUELE MEU AMIGO QUE TINHA SIDO SACANEADO, VENDO A GAROTA COM O ROSTO ENSANGUENTADO, TENTOU ME RECRIMINAR E BOTEI ELE PARA FORA TAMBÉM, FORAM OS DOIS EMBORA. A DANI FICOU MUITO CHOCADA COM ISSO, LÓGICO."

Nada justifica a violência, ponto final. Abre parênteses, Alexandre Frota nunca precisou de justificativa, fecha parênteses. E antes que alguém pense nas drogas, como o provável motivo para uma separação iminente.

"ELA NÃO CURTIA E EU NÃO USAVA. EU NÃO IA USAR DROGA COM A DANIELA SE ELA NÃO CURTIA, FICAVA DE BOA, SÓ BEBENDO. DEI UM TEMPO. VÁRIAS VEZES DEI UM TEMPO NAS DROGAS, MAS SEMPRE VOLTAVA. COM A DANI, FIQUEI QUASE TRÊS ANOS SEM USAR."

Frota resistiu às drogas, mas não ao encanto de Núbia Óliiver, com quem viveu uma tórrida fantasia sexual, no teto de um shopping Center, e depois a reencontrou na Casa dos Artistas. Com a relação com Dani estremecida, Núbia entrou em cena de novo. O dois se encontraram diversas vezes em 2002 até que ela engravidou. Semanas depois, sofreu um aborto espontâneo e perdeu o bebê. Se separaram. Mais tarde, Núbia se casou e engravidou novamente. Perto do nascimento de sua filha, Anne, o casamento se desfez. Quando Frota soube, ligou para Núbia e se ofereceu para assumir a menina. Núbia jamais esqueceu aquele gesto.

Seria um grande equívoco apontar Núbia Óliiver como o pivô da separação de Alexandre Frota e Daniela Freitas. As traições rotineiras dele sempre foram um sintoma de que a relação já estava em um declínio, quase sempre irreversível.

¨A verdade é que nossa relação foi se deteriorando, se deteriorando, e resolvi sair de casa. Cometi o erro de propor um triângulo amoroso para apimentar nossa relação e só piorou ainda mais. Pode ser uma fantasia muito bacana, mas na prática, não é bom para o casal. Fui morar na casa do Campanela, mas aí, já separado, descobri que ainda amava a Dani, continuava apaixonado por ela. Com a Dani foi diferente. Assim que a gente se separou, ela pegou as amigas dela e foram para o Guarujá se divertir, acho que ela viu que não teria futuro comigo. Quando eu tentei me reaproximar, ela já estava namorando um empresário, encontrei os dois no Guarujá, o cara ficou amedrontado, achou que eu partir para a briga, mas não fiz nada. Sofri muito com essa separação porque eu me separei gostando dela, sempre falo pros meus amigos nunca fazerem isso, separar gostando. Com

NÚBIA ÓLIIVER

FROTA É UM DOS CARAS MAIS VERDADEIROS E AUTÊNTICOS QUE JÁ CONHECI. CONHEÇO BEM SUA VIDA, VI MUITAS COISAS QUE VIVEU. TEM GENTE QUE FICOU COM ELE, DEU MUITO PARA ELE, SE PROMOVEU AS CUSTAS DELE E HOJE PAGA DE SANTA, SE ARREPENDENDO DO PASSADO. DEVERIAM SIM, TER GRATIDÃO. EU ME ORGULHO DE SER AMIGA DELE.

a Cláudia Raia, que eu amei muito, quando me separei, tinha certeza que o nosso casamento tinha acabado, então foi mais fácil. Com a Dani, fiquei um bom tempo em casa, depressivo, chorei muito."

Pela primeira vez em sua vida, Alexandre Frota experimentava uma dor de cotovelo, suprema ironia do destino. A ressaca amorosa durou, mas era preciso combater o desânimo. Um show do Chiclete com Banana parecia o remédio perfeito, mas o destino aprontou de novo.

"Fui com amigos para Ribeirão Preto, em São Paulo, ver o Chiclete com Banana. Chegamos no hotel e fui logo pegar o abadá (camisa do camarote dos convidados). Estava na recepção esperando meus amigos descerem dos quartos quando o elevador se abriu e sairam a Daniela Freitas e o Eri Johnson, os dois juntos. Fiquei sem ação. A Dani com o Eri?? Minha cabeça pirou. Porra, o Eri foi o cara que me alertou da traição da Cláudia com o Gazolla, sempre considerei o Eri meu irmão, considero até hoje. Ele tem muito talento, mas eu sei também que o ajudei muito no início, praticamente abri as portas da televisão para ele. A gente se cumprimentou rapidamente, aquele constrangimento no ar, e cada um foi para o seu lado. Meus amigos chegaram depois, todos lutadores, queriam arrebentar o Eri. Claro que não deixei, falei para eles esquecerem essa ideia. O Lui Mendes (ator), que fez a Turma do Gueto comigo estava junto. Depois, soube que o Eri ficou tão abalado com o nosso encontro que foi embora de Ribeirão Preto com a Dani, nem viram o show do Chiclete com Banana. Liguei o foda-se e bebi sem parar durante o show. Tinha uma gostosa mascarada, a Bandida, uma personagem tipo Tiazinha que usava uma máscara, um lenço tapando o rosto, e sempre aparecia no Tv Fama e no meu amigo Gilberto Barros. Quando a vi, estava tão louco que fui logo agarrando ela e puxando o lenço. Ela ficou muito puta, resultado, perdi a Bandida também."

Depois disso, Alexandre Frota e Eri Johnson voltaram a se falar. O amigo ficou e o amor se foi. Frota e Daniela Freitas nunca mais se falaram. De assistente do Milton Neves no Terceiro Tempo da Record, Dani cresceu, fez matérias de esportes radicais para Sonia Abrão no Sbt, foi comentarista de esportes no próprio Jornal do Sbt, apresentadora da Tv Corinthians, repórter do Programa Amaury Jr. e várias vezes eleita entre as 100 mulheres mais sexy do mundo pela revista VIP.

"A Dani parou de falar comigo, acho que me odeia ou odeia que eu faça parte do seu passado, vai ver tem vergonha. Seu estilo de vida mudou completamente. Ela está casada com o Pedrinho Queirolo (empresário), tem dois filhos, uma família rica da alta sociedade de São Paulo, frequenta torneios de golfe, viaja para esquiar na neve, essas coisas. Ela conheceu o inferno comigo e hoje está no paraíso, mas eu a ajudei muito a chegar lá. Botei no curso de teatro do Deto Montenegro, irmão do Oswaldo, faculdade de jornalismo da UNIP, curso de rádio e tv e abri as portas da televisão para ela. Mas se passar por mim hoje, acho que não olha nem na minha cara, nunca entendi isso."

Atualmente apresentando o programa esportivo Band Clássicos, Daniela Freitas mantém um blog na internet com dicas de moda e beleza, o "Dani-se", sua marca registrada. Voltando ao ano de 2003, com o fim da relação e o coração partido, quem se danou para valer foi Alexandre Frota.

OH! REBUCETEIO!

O título desse capítulo é uma homenagem ao filme homônimo do diretor Cláudio Cunha, o "Analista de Bagé" do teatro. Lançado em 1984, foi considerado pela crítica americana um dos dez melhores filmes pornográficos da história (sim, existe crítica de filme pornô), uma mistura de Oh! Calcuttá! e Chorus Line (dois musicais famosos da Broadway), daí o título genial.

Curado da fossa pelo término da relação com Daniela Freitas, Alexandre Frota caiu na noite novamente. Formou um grupo de amigos barra pesada, uma verdadeira tropa de elite. Policiais, lutadores de jiu-jitsu e alguns aspirantes a atores, todos bombados, corpos sarados entupidos de anabolizantes e botou para quebrar, aliás, quebrou tudo na gíria e literalmente. Embarcou em uma Cherokee, carregada de bebidas, lança-perfume, maconha e cocaína, passar o reveillon em Porto Seguro, depois seguiu para Salvador.

"A gente mandava no pedaço, ainda mais com dois delegados junto. Chegava nos traficantes e tomava a mercadoria dos caras na moral:

- Aí meu irmão, perdeu! Vai embora e deixa a mercadoria! – fizemos isso várias vezes.

Depois que eu separei da Dani, voltei para as drogas, para as baladas selvagens, descaralhei de novo. A verdade é que eu comi o pão que o diabo amassou por causa da Dani. E o funk me ajudou. Quando voltei a fazer shows de funk para faturar uns trocados, comecei a pegar várias funkeiras. Quando dei por mim, a tristeza no meu coração tinha sumido. Passei a malhar forte, estava sem perspectiva, sem horizonte. AÍ VEIO O CONVITE PARA FAZER O SEGUNDO ENSAIO DA G, DESSA VEZ FOI UM ENSAIO TOTALMENTE DIFERENTE DO ANTERIOR. POSEI DE SUNGA NA AVENIDA PAULISTA, USEI ESCARPIN DE ONCINHA, BOTA DO FERNANDO PIRES, AVENTAL NA COZINHA. FOI UMA PARADA MEIO QUERELLE (CLÁSSICO DO CINEMA GAY), BEIJEI NA BOCA UM MODELO VESTIDO DE MARINHEIRO, ISSO ESCANDALIZOU MUITA GENTE. FOI A PARTIR DESSE ENSAIO QUE AS PESSOAS PASSARAM A ACREDITAR QUE EU ERA GAY."

Depois da G, Alexandre Frota prosseguiu sua rotina de sexo, drogas, funk, axé, música eletrônica e rock and roll. A falta de um horizonte profissional o incomodava. Como não havia luz no fim daquele túnel, pisou fundo e acelerou no escuro, a escuridão que sempre o acompanhava.

"Em 2004 eu estou parado, sem futuro e precisando de dinheiro para a pensão do meu filho Mayã. Comecei a analisar a minha condição. Meu corpo era meu grande patrimônio. Eu era um cara que muitas mulheres queriam pegar, muitos gays queriam pegar, muitos homens queriam ser como eu, sempre exerci uma sedução forte nas pessoas, eu sou o Alexandre Frota, porra! E o que eu mais gosto de fazer? Sexo, eu gosto de sexo. O sexo já tinha atrapalhado várias vezes minha vida profissional, então, resolvi fazer filme de sexo, filme pornô. Eu tive essa conversa comigo mesmo me olhando no espelho. A Globo não ia me chamar, a Record também não. Fiz Roque Santeiro, fiz Malhação, fiz Casa dos Artistas, fiz Turma do Gueto, apresentei o Galera e ninguém mais me procura. Porra! Meu currículo tem novela, minissérie, seriado, *reality show*, programa de auditório e as emissoras não me ligam, está na hora de fazer o mais gosto na vida: fuder. Já estava fudido mesmo."

Polêmica à vista, e das grandes. Depois de encadear toda essa linha de raciocínio e sentir sua revolta crescer, Alexandre Frota estava convicto de sua decisão. Após uma rápida pesquisa no mercado de filmes pornográficos no Brasil, decidiu procurar a Buttman Brasil, filial da Buttman americana, mas não foi nem recebido.

"Os caras me ignoraram, devem ter se arrependido depois. Ouvi falar de uma tal de Brasileirinhas, consegui o endereço, fui lá e bati na porta. Fui recebido pelo Luis Alvarenga, o dono da Brasileirinhas. Nosso diálogo foi assim:

- Luis, eu quero fazer filme pornô, se tem uma coisa que sei fazer é sexo. – afirmei.
- Você não vai fazer, é muito diferente do que você imagina, sem chance.
- Bota 500 mil reais na minha mão que eu faço. – garanti.

Quando soltei minha pedida, ele entendeu que eu estava falando sério. Assinamos um contrato para cinco filmes, parte do pagamento foi em dinheiro, a outra parte, um apartamento duplex em Moema, que eu acabei cheirando depois. Meu primeiro filme foi em uma casa em Búzios que a Brasileirinhas alugou, na Praia da Ferradura. Me falaram que o proprietário era um francês, depois descobri por acaso que aquela casa era do Wolf Maya, dá para acreditar, meu primeiro pornô foi em uma casa do Wolf Maya? Nem sei se ele sabe disso, se não sabia, vai saber pelo livro."

Mais um tópico para a lista de incríveis coincidências na vida de Alexandre Frota. Em seu primeiro filme, Obsessão, Frota "contracenou" com seis atrizes, uma delas, Chloe Jones, estrela do mercado americano de filmes adultos. Números dessa empreitada: No total foram 19 filmes como ator pornô, por duas produtoras diferentes, Brasileirinhas e Sexxy,1 filme como diretor, todos produzidos e lançados entre 2004 e 2009. Fez sexo explícito diante das câmeras com 78 mulheres e 01 travesti. Entre as atrizes brasileiras que mais o impressionaram, Frota destaca duas: Gina Jolie e Adriana Hickman. O sobrenome famoso não é mera coincidência, apenas um chamariz banal.

"Para um cara viciado em sexo como eu, foi uma festa. A produtora me trazia um catálogo com fotos das atrizes. Eu sempre selecionava um número maior do que precisava, no primeiro filme selecionei dez meninas, eles escalaram seis. Fiz várias exigências, não queria dividir nenhuma cena com outro ator, não queria cortes, na hora que eu começasse a transar, era para ir até o fim, sem interrupções. Eu ficava com muito tesão para fazer esses filmes, mesmo assim tomei Cialis (remédio que ajuda a manter a ereção prolongada), tinha que gravar horas seguidas de pau duro. Em um primeiro momento, eu curti muito fazer filme pornô. Estava ganhando dinheiro, voltei a morar bem, comer bem, tanto que continuei fazendo. Tive que malhar bastante, ficar bronzeado, para pegar um monte de gatas. A Brasileirinhas vendeu como nunca os meus filmes, mudei a história do cinema pornô no Brasil. Melhorou a qualidade, a fotografia, a luz, gerou mais empregos. Eu gostaria de ter filmado nos Estados Unidos, a Meca do cinema adulto, mas o Luis não deixou. Teve medo de perder sua maior estrela."

A entrada de Alexandre Frota causou um boom no mercado brasileiro de filmes adultos, especialmente no segmento de celebridades. Na festa de lançamento de seu primeiro filme, realizada na extinta Lov.E, um dos templos da música eletrônica em São Paulo, todos os principais programas de tv dedicados à celebridades estavam lá. Os filmes pornográficos brasileiros deixavam o submundo underground e entravam para o mainstream, ao alcance do grande público. Vinte anos depois do filme de Cláudio Cunha, Frota lançava seu próprio "rebuceteio" e abria a porteira para outras celebridades seguirem o mesmo caminho. Como diz o ditado, porteira por onde passa um boi, passa uma boiada. Depois de Frota, outros nomes conhecidos criaram coragem como a eterna chacrete Rita Cadillac e a rainha do rebolado Gretchen, dois ícones dos anos 80. A lista aumentou com o ator Mateus Carrieri, colega de Frota na Casa dos Artistas, a falecida atriz de novelas Leila Lopes (a professorinha Lu, de Renascer), a musa de Fausto Fawcett, Regininha Poltergeist, e a ex-mallandrinha Vivi Fernandes, que só "contracenou" com seu namorado, a exemplo de Thammy Gretchen (a policial Jô, de Salve Jorge), que na época só topou fazer com sua namorada, a escultural Julia Paes. Frota fez um filme com Rita Cadillac, Puro Desejo, possivelmente o filme adulto mais comentado pela mídia em todos os tempos. Todas as celebridades citadas adotaram o mesmo discurso ao comentar a experiência sui generis: a alegação de que só fizeram pelo dinheiro, quase um pedido de desculpas. Frota, o precursor da moda, foi mais autêntico.

"EU ADORAVA, TINHA MUITO TESÃO, MAS EU ERA INDIRIGÍVEL, FAZIA DO MEU JEITO,

TANTO QUE PASSEI A ROTEIRIZAR TODOS OS MEUS FILMES, A PARTIR DAS MINHAS PRÓPRIAS FANTASIAS SEXUAIS. NUNCA FUI UM CARA DE VER FILMES PORNÔS, NEM NA ADOLESCÊNCIA, NEM ADULTO. QUANDO IA NOS MOTÉIS, JAMAIS LIGAVA NAQUELES CANAIS DE SACANAGEM, ACHAVA BROXANTE. PARA FALAR A VERDADE, NEM OS MEUS FILMES EU VI. SÓ GOSTAVA DE FAZER."

Se a decisão de entrar para o ramo de filmes pornôs já foi um tanto bombástica, o que dizer de um filme com a travesti Bianca Soares? Bianca surgiu no próprio Sbt, participou da quarta edição da Casa dos Artistas, que não chegou nem perto do sucesso da primeira com Alexandre Frota. Em uma entrevista para a revista TRIP em dezembro de 2010, em que posou para a capa vestido de noiva, Frota falou dessa experiência.

"CARA, TINHA R$ 150 MIL NA MESA. O LUIS (ALVARENGA, DONO DA PRODUTORA), SABE COMO SOU COMPLICADO. ENTÃO MOSTROU A GRANA E FALOU QUE EU SÓ GANHARIA DEPOIS. AÍ PENSEI: PUTA QUE PARIU, ME PROSTITUÍ. MAS, JÁ QUE ESTOU NO INFERNO, VOU ABRAÇAR O CAPETA. TOPEI, MAS FALEI: "VOU PEGAR A TRAVA, MAS COMO SE FOSSE UMA GATA. NÃO VOU PEGAR NA PICA, CHUPAR OU DAR O CU. VOU PEGAR ELA DE JEITO, COMO SE FOSSE UMA MULHER". NA HORA, A BIANCA ESTAVA MAIS NERVOSA QUE EU. FUI LÁ E GANHEI O CACHÊ. É LOUCO? TUDO BEM, MAS FOI A VIDA QUE ME LEVOU PARA ESSE CAMINHO E EU ENCAREI. FOI PICA NA TRAVA!"

"Deixa a vida me levar, vida leva eu", o refrão do sucesso de Zeca Pagodinho se aplica a Alexandre Frota, que deixou a vida levá-lo, muitas vezes ladeira abaixo, direto para o fundo do poço (outra expressão muito usada neste livro). Mas Frota sempre gostou de transgredir. Para ele, sempre foi tudo ou nada. Sua grande transgressão nesse episódio, mais do que transar com travesti ou transexual (Bianca operou, mudou de sexo depois do filme com Frota), foi a decisão de não usar camisinhas. Frota jamais usou em seus 19 filmes. Nos Estados Unidos, depois da morte de alguns atores e atrizes de filmes adultos infectados com o vírus HIV nas décadas passadas, a própria indústria pornô americana passou a adotar medidas rigorosas nesse sentido. O diretor John

Stagliano, criador do selo Buttman e do gênero gonzo, onde o próprio diretor filma e atua em rápidas cenas de sexo com a câmera na mão, contraiu o vírus da AIDS em 1997 e assumiu publicamente. Famoso por sua fixação por bundas, especialmente as brasileiras, Stagliano esteve diversas vezes filmando no Rio de Janeiro nos anos 90 ao lado do porn star italiano Rocco Siffredi.

"Tive que fazer o exame de AIDS, foi a primeira vez que fiz esse tipo de coisa. Deu um frio na barriga, mas o resultado foi negativo. Depois passei a fazer sempre, até hoje. Estou zerado. Não usar camisinha nos filmes pornôs era contra tudo que o Ministério da Saúde recomendava nas campanhas educativas. Eram campanhas milionárias, né? Anúncios na televisão, nas revistas, isso deu muita polêmica, mais até do que o Alexandre Frota estar fazendo filmes pornôs. **SÓ LIBERARAM PORQUE ANTES DE COMEÇAR OS FILMES, EU APARECIA DIZENDO QUE A VIDA NÃO É UM FILME, QUE ERA PARA TODO MUNDO SE PREVENIR USANDO CAMISINHA. SEMPRE ACHEI ISSO MUITA HIPOCRISIA DA SOCIEDADE, O CORPO ERA MEU, QUEM ESTAVA FUDENDO ERA EU. NÃO QUERIA SER EXEMPLO PARA NINGUÉM, NUNCA QUIS E NUNCA FUI. NA REAL, EU NUNCA USEI CAMISINHA NA MINHA VIDA.**"

Esse é Alexandre Frota em sua essência. Certo ou errado, ele sempre assume o que faz. O mais alarmante nessa história, mais até do que não usar camisinha nos filmes, já que os atores são submetidos a testes periódicos, é o fato dele nunca ter se protegido em sua vida particular, nem as suas parceiras. Para um cara que sempre teve uma rotina frenética de sexo e drogas, mesmo descartando as injetáveis, um cara que inúmeras vezes apelou para prostitutas de rua ou por telefone, um cara sem preconceitos que levou todo o tipo de mulher para a cama, inclusive as mais gatas, sem distinção de raça, credo, classe social ou peso na balança, como explicar que esse cara ainda esteja vivo? Sorte? Milagre?

- **"SE O PAPA CONDENA O USO DA CAMISINHA, NÃO SOU EU QUE VOU SER A FAVOR", DEBOCHA, COM IRONIA.**

Por trás dessa afronta à sociedade e à igreja, está uma pessoa absolutamente consciente de todos os riscos, não o franco-atirador sexual com ímpetos suicidas ou o praticante de roleta-russa com o vírus da AIDS que suas ações sugerem. Ele sempre apostou todas as suas fichas, ou quebra a banca ou perde tudo. Nessa caso, escapou vivo. E antes que haja pânico nas ruas com hordas de mulheres à beira de um ataque de nervos, vale repetir, ele está sadio. Apesar das boatarias no passado, os exames periódicos comprovam.

"Quando eu declarei que não iria usar camisinha nos filmes pornôs, não quis saber das consequências. Eu não liguei para minha mãe naquele período, pensei várias vezes em ligar, mas não liguei, nem para ela nem para Angela, minha irmã. Não quis saber, não quis falar, não olhei para trás. Meti o pau."

Literalmente. Mas lá no fundo (sem duplo sentido desta vez), nas profundezas do abismo que sua consciência se meteu, ele sabia que sua família estava sofrendo com sua nova vida. Sempre soube.

EM 2011, EM UMA ENTREVISTA PARA A PLAYBOY, CLÁUDIA RAIA COMENTOU SOBRE FROTA E SEUS FILMES:

"GOSTO MUITO DO ALEXANDRE, TENHO MUITO CARINHO POR ELE E POR TODA A NOSSA HISTÓRIA. NÃO QUERO ESQUECER NEM FICAR COM PRECONCEITO EM RELAÇÃO ÀS ESCOLHAS DELE. VI ALGUMA COISA (SOBRE OS FILMES PORNÔS), MAS ACHEI PUXADO DEMAIS ACOMPANHAR ESSE PEDAÇO DA CARREIRA DELE. FOI BEM ESQUISITO VÊ-LO ALI."

Prestes a completar 50 anos, Alexandre Frota faz uma autocrítica de sua passagem pelo universo de filmes pornográficos sem rodeios, nem desculpas.

"EU FIZ O PORNÔ PORQUE PRECISAVA FAZER. PONTO. SEMPRE PENSEI: VOU FAZER O PORNÔ, ARDER NO INFERNO, MAS VOU VOLTAR. De fato, dei a volta por cima, mas não voltei para lugar nenhum. Em todos os lugares que passei depois, carreguei o pornô comigo. Esse carimbo nunca mais saiu da minha cara. Hoje, qualquer pessoa que me vê, não pensa no Roque Santeiro, na

Casa dos Artistas, pensa no pornô. Quem me encontra e me conhece, a primeira coisa que pergunta é se eu tenho feito filme pornô. Detesto isso, me incomoda muito. Era preferível ter feito filme pornô e virado um grande diretor pornô, com a minha própria produtora, e ganhar dinheiro para o resto da vida. Eu não assumi isso, quis voltar depois, voltar às minhas origens, gravar novelas, apresentar programas, quer dizer, nem fui nem voltei. Me queimei de todas maneiras possíveis, com amigos, com a família, com as emissoras. Teve um amigo meu que me pediu para não ir no aniversário de sua filha. Eu era um bad boy, minha imagem vendia, agora, como ex-ator pornô, não vende mais. Isso não aconteceu com a Gretchen, com a Rita Cadillac, a Thammy Gretchen fez novela na Globo, mas comigo, pesa mais. (fala triste, melancólico) muito mais. O pornô acabou comigo, foi um tiro de 45. Não valeu a pena, eu envelheci muito depois disso. Não me arrependo de nada, mas definitivamente, não valeu a pena."

Triste, desolador, mas longe de ser o capítulo final.

"Tudo vale a pena quando a alma não é pequena" (Fernando Pessoa)

IDENTIDADE FROTA
A ESTRELA E A ESCURIDÃO
5.0

UM REALITY SHOWMAN CONQUISTA PORTUGAL

Como pode um raio cair duas vezes no mesmo lugar? Em 2001, o convite para fazer "Casa dos Artistas" no Sbt caiu no colo de Alexandre Frota. No final de 2004, quando se preparava para gravar seu terceiro filme pornô, Frota foi sondado para participar de um novo *reality show* em Portugal.

"Foi o Francisco Júnior, irmão da Nívea Stelmann (atriz da Globo), quem me ligou. Essa história começou com a Cláudia Raia. Ela estava em Portugal apresentando uma peça e foi jantar na Bica do Sapata, um famoso restaurante de Lisboa. O Miguel Falabella estava com ela. Nesse restaurante a Cláudia foi apresentada ao Pedro Curto, diretor da Endemol Portugal, filial da empresa que criou o *Big Brother*. Em um dado momento da conversa, ele perguntou a meu respeito, falou que ia produzir um novo *reality show* em Portugal e quis saber a opinião da Cláudia. Na verdade, ele já sabia que tínhamos sido casados e do meu sucesso na Casa dos Artistas, só queria uma opinião. A Cláudia deu muita força, me elogiou bastante. Depois, ele me procurou através do Francisco Júnior, que é empresário. O próprio Francisco negociou a minha ida para Portugal. Várias novelas que fiz na Globo passaram lá, a temporada de Malhação também. Peguei um avião e fui para Portugal, adorei dar um tempo no pornô."

O enorme sucesso de "Sassaricando" em terras lusitanas projetou o nome de Frota. O casamento com Cláudia Raia, o personagem *bad boy* da Casa dos Artistas e os filmes pornôs reforçavam ainda mais seu currículo e o credenciavam para participar de um *reality show* que estreava em Portugal, a "Quinta das Celebridades", produzido e exibido pela TVI, a segunda maior emissora portuguesa. Na Quinta (o equivalente à sítio ou fazenda no Brasil), os participantes teriam que se adaptar à vida rural de cem anos atrás, sem água quente, sem eletricidade, plantando na horta e cuidando dos animais. Qualquer semelhança com o *reality* da Record "A Fazenda" não é mera coincidência, ambos tem, ou deveriam ter, o mesmo formato.

"Quando desembarquei em Portugal, não acreditei no que vi: um batalhão de fotógrafos me esperando. Me senti o Eminem, não sabia que era famoso em Portugal. Me botaram na van com dois caras da Endemol que já me explicaram tudo no caminho para o hotel. Me isolaram em um hotel 5 estrelas, com academia, piscina, porta do quarto trancada. Tinha que pedir comida por telefone. Fiquei dez dias confinado. Gravaram vários depoimentos meus dentro do quarto com a camisa da seleção brasileira, até que um dia, o garçom trouxe uma comida e percebi que havia um jornal na bandeja, provavelmente deixado por algum hóspede. Discretamente, peguei o jornal sem o garçom perceber e escondi. Tinha uma matéria enorme sobre a Quinta das Celebridades, foto minha, falando da minha carreira. Comecei a ler sobre os outros participantes, isso foi fundamental para montar minha estratégia. Decidi que iria colar no José Castelo Branco, um mix do Mick Jagger com o Clodovil, provavelmente o cara mais popular daquele elenco. Aí, vi uma outra matéria sobre a Elsa Raposo, uma apresentadora de tv portuguesa, que estava internada em uma clínica de reabilitação, uma mulher linda. Ela foi namorada do João Kléber quando ele apresentava o Fiel ou Infiel na tv de Portugal. Resolvi arriscar tudo. Chamei o Francisco, que estava me agenciando naquele *reality*, e disse para ele botar um táxi à minha espera no estacionamento do hotel. Ele ficou apavorado, a gente tinha acabado de assinar o contrato com a Endemol. Olhei para ele e falei:

- Você não está entendendo, o programa vai começar agora.

Ele chamou o táxi, desci escondido e entrei. O motorista me reconheceu na hora, ou seja, já estava popular. Mostrei o jornal e pedi para ele me levar na clínica da Elsa. O Francisco me acompanhou desesperado. Bati na porta da clínica, pedi para a recepcionista chamar a Elsa. Ela veio, ficou surpresa em me ver. Ficamos conversando no jardim, disse que era uma pena que não iríamos fazer o Quinta das Celebridades juntos (recuperada, Elsa participou da segunda edição do *reality*), contei para ela que no Brasil havia uma atriz maravilhosa que também passou por uma fase difícil e que me lembrava muito ela, a Vera Fischer. Elsa ficou encantada comigo. Conversamos mais um pouco e nos despedimos com um selinho. Pedi para ela me acompanhar até a saída e, quando o portão se abriu, toda a imprensa estava lá, equipes de tv, fotógrafos, aquele circo todo que eu adoro. Me fotografaram, mas não dei entrevista, voltei direto para o hotel."

Frota apostou todas as suas fichas em uma jogada muito arriscada. Não havia como ele prever as consequências de sua fuga. Seguiu sua intuição, como de costume. Poderia dar muito certo ou muito errado. Naquela mesma noite, os representantes da Endemol ligaram para Francisco para confirmar que ele tinha realmente quebrado uma das mais importantes regras do jogo, o isolamento dos participantes antes do confinamento. Marcaram uma reunião em caráter de urgência logo cedo, faltava apenas um dia para o *reality show* começar. Se "a regra é clara", como costuma dizer o comentarista de arbitragem de futebol Arnaldo Cézar Coelho, Alexandre Frota teria que ser expulso do programa. Cartão vermelho para ele e fim de papo. Mas não foi o que aconteceu. No dia seguinte, todos os jornais portugueses noticiaram o encontro secreto de Frota com Elsa Raposo. Os representantes da Endemol rapidamente perceberam que tinham um brilhante jogador nas mãos, audiência garantida, como abrir mão de um trunfo desses? No dia seguinte, em 03 de outubro de 2004, Alexandre Frota foi apresentado no show de abertura do programa. Todos os participantes vieram em traje de gala. Os homens de smoking, menos Frota. A plateia foi ao delírio com seu figurino estilo rapper americano, camiseta, boné virado para trás, calça camuflada do exército, óculos escuros e... uma bíblia nas mãos. Mais uma tacada de mestre. De fato, seu jogo já tinha começado.

"EU SABIA QUE PORTUGAL ERA UM PAÍS MUITO CATÓLICO, POR ISSO LEVEI A BÍBLIA COMIGO. No estúdio, concentrei minhas atenções no meu alvo principal, o José Castelo Branco. Já tinha lido naquele jornal sobre ele, sua grande popularidade, só precisava seduzi-lo para ganhar sua confiança. Na Quinta, iria formar uma dupla engraçada, mas também duvidosa. Criar um ponto de interrogação na cabeça do público. Será que é um casal? Na primeira oportunidade ali mesmo no estúdio, fui cumprimentá-lo e cochichei no seu ouvido enquanto massageava seus ombros:

- Você só tem uma alternativa nesse programa, gostar de mim. Você não tem outra alternativa. Fica tranquilo que vou te proteger.

Minha estratégia se baseava em três pontos: a dupla com o Castelo Branco, criar antagonismos e mais à frente ter um romance com alguma participante. Logo no primeiro dia do *reality*, chamei o Castelo Branco para uma conversa e fui sincero:

- Se você me ouvir, fizer tudo que eu disser, no dia da final vamos estar somente nós dois aqui dentro. – lógico que esse papo também fazia parte do meu jogo."

Frota cumpriu fielmente o planejado. Fez uma dupla irresistível com José Castelo Branco, um moçambicano com múltiplos talentos: drag queen, apresentador de tv, cantor, negociante de arte e celebridade muito popular em Portugal. Conviveram juntos, trocaram confidências, riram, choraram, se desentenderam e discutiram a relação na Quinta. Também protagonizou várias brigas, a maior delas com a socialite Cinha Jardim, um dos destaques daquela edição, ex-mulher do primeiro-ministro de Portugal, Santana Lopes, apresentadora de *talk show* e ex-comentarista de futebol.

"A Cinha é uma espécie de Val Marchiori de Portugal. Acho que ela ficou impressionada comigo, quis comprar barulho. Tivemos embates fortíssimos. Uma das brigas foi horrível, o maior barraco. Mesmo assim, não perdi a linha. Fui delicado com ela e ganhei o público."

Um por um, Frota foi eliminando seus maiores rivais enquanto se envolvia com uma das participantes, a atriz e modelo Ana Afonso. Durante um período do programa, formou um triângulo amoroso inimaginável para o público português com Ana e Castelo Branco. E aproveitou para encenar várias esquetes, pequenos quadros de humor, sabendo que a edição iria se deliciar com o material.

"A gente encenava essas esquetes de madrugada, quando todo mundo estava dormindo. Sabia que esse tipo de coisa funcionava, tanto que virou um quadro fixo do programa e gerou a maior ciumeira no resto do grupo."

Frota, o *reality showman*, chorou quando Ana foi eliminada, uma cena que comoveu o país. Após o *reality*, contou para a imprensa portuguesa que eles fizeram sexo algumas vezes no estábulo da Quinta. Ana negou em um primeiro momento, mas depois confirmou. Na falta de um edredon, foram para debaixo do feno. A imprensa lusitana acompanhou extasiada o enlace amoroso e até hoje se especula sobre o paradeiro das fitas com os momentos calientes do casal. José Castelo Branco, com seus 75 pares de sapato, foi o grande vencedor da primeira Quinta das Celebridades, exibida entre outubro de 2004 e janeiro de 2005. Alexandre Frota foi o segundo colocado. Conforme previra no primeiro dia, ele e Castelo Branco foram juntos até a final.

"Foi tudo pensado, arquitetado, montei minha estratégia e segui minha intuição. Eu sou um cara que gosta de trabalhar, então eu acordava cedo todos os dias e pensava no que fazer para agradar o público, pensava na edição do programa. No paredão final, para minha surpresa, vi o Dudu na plateia, cercado por um monte de mulher gostosa. Quando soube que eu ia para Portugal, o Dudu, sem combinar nada comigo, viajou para Lisboa, e ficou por lá, me esperando sair. Levou um monte de piranha junto. Antes disso, o Dudu procurou a imprensa, falou que era meu assessor, deu entrevistas e abriu uma pequena agência com dançarinas de funk, strippers, balé russo e balé polaco. Montei um show com algumas dançarinas do Dudu, o "Sex Fever" e rodei várias cidades de Portugal depois que saí da Quinta. Minha mãe veio me visitar no Natal, dentro da Quinta e ficou até a final, logo depois do réveillon. Fomos ao Santuário de Fátima, foi muito emocionante poder proporcionar isso para ela, minha mãe sofreu muito comigo, com minhas confusões. Não demorou muito e fui convidado para um novo programa na TVI, o Trio Maravilha, eu, o José Castelo Branco e o Jorge Monte Real, era tipo um Zorra Total, com vários esquetes engraçados. Os caras viram a gente fazendo isso na Quinta e montaram um programa de humor com essa pegada.".

O humorístico "Trio Maravilha" foi exibido com sucesso entre fevereiro e junho de 2005. Após o término dessa temporada, Alexandre Frota voltou ao Brasil e fez dois novos filmes pornôs para a produtora Brasileirinhas. No voo de volta, encontrou o Bispo Honorilton Gonçalves, o homem forte da Record, um encontro muito importante como veremos nos próximos capítulos. Meses depois, já estava regressando à Portugal para participar de um novo *reality show*, "Primeira Companhia", também na TVI, com os participantes confinados em um quartel e submetidos a um rigoroso treinamento militar. José Castelo Branco também participou, mas dessa vez, a dupla passou em branco. Frota foi eliminado na quarta semana.

"Fui um fracasso nesse *reality show*, não estava concentrado, uma pena porque era um projeto bem bacana. Era para eu estar em Portugal até hoje, fiz muito sucesso na Quinta das Celebridades e não aproveitei. Dei um tiro no pé."

Mais do que um tiro no pé, ele esteve a ponto de perder a sua própria alma. As sombras que pairam sobre Alexandre Frota o fizeram mergulhar na mais profunda escuridão em Portugal, como veremos a seguir.

IDENTIDADE FROTA
A ESTRELA E A ESCURIDÃO
5.0

WARRIORS, OS SELVAGENS DA NOITE

Dirigido por Walter Hill, um mestre do cinema de ação americano, o cult "Selvagens da Noite", no original "*Warriors*", de 1979, mostra o submundo de Nova York dominado por gangues de rua, um retrato cruel e assustador da violência urbana. Para Alexandre Frota, apenas uma "sessão da tarde" interessante. Ele nunca foi de se impressionar com esse tipo de coisa, sempre circulou com desenvoltura pelas favelas cariocas e quebradas paulistanas controladas pelo tráfico. Mas isso iria mudar. Depois da eliminação no *reality show* português "Primeira Companhia", resolveu se fixar por um tempo em Lisboa. Em suas andanças noturnas, passou a frequentar várias boates, especialmente a Kremlin.

"Virei o rei da noite de Lisboa. Saí com várias portuguesas e muitas primas (na gíria, prostitutas) brasileiras também. Foi o meu amigo Pedro Anjo, dono do restaurante japonês Kinjolas, na rua do Século em Lisboa, quem me falou da Kremlin, disse que era a minha cara."

UMA DAS MAIS TRADICIONAIS BOATES DO SUBMUNDO DE LISBOA, A KREMLIN ERA O PONTO DE ENCONTRO DE ARTISTAS, MAGNATAS, BELAS MODELOS E PLAYBOYS ENDINHEIRADOS EM GERAL E DE UM GRUPO DE EMPRESÁRIOS SUSPEITOS DE ENVOLVIMENTO COM A MÁFIA EM PARTICULAR. QUANDO FROTA APARECEU, FOI RECONHECIDO E IMEDIATAMENTE ACOLHIDO

PELO GRUPO QUE LOGO LHE OFERECEU UM CARDÁPIO COM AS ESPECIALIDADES DA CASA: CHAMPAGNE, COCAÍNA, ECSTASY E MULHERES DE TODAS AS ETNIAS E PROCEDÊNCIAS. ERA SÓ PEGAR. SENTIU-SE EM CASA.

"O Kremlin era o ponto de partida para altas orgias com drogas circulando à vontade, mulheres nuas e gente graúda entrando e saindo. Geralmente, essas festas aconteciam em suítes alugadas nos grandes hotéis. Só eu em uma noite, contei 50 garrafas de champagne Cristal, festinha boa essa. Estávamos no mesmo hotel do grupo Black Eyed Peas, o empresário deles ficou com a gente um bom tempo. Vi modelos, prostitutas, travestis e muita gente da pesada, tudo junto e misturado. Teve uma festa que convidaram duas travestis brasileiras lindíssimas que trabalhavam em Portugal, elas ficaram só de calcinha e sandália. Em cima da mesa tinha um pacote de ecstasy com 100 comprimidos e pelo menos 40 gramas de pó, sem falar nas garrafas de Cristal. Eu sentei em um sofá, sem camisa, muito louco. De um lado, uma modelo ucraniana, do outro, uma modelo brasileira, nós três nos beijando ferozmente ao mesmo tempo, com uma das travestis dançando e se exibindo na nossa frente. No final, transei com a ucraniana e a travesti transou com a modelo brasileira do meu lado. Tudo era combinado dentro da Kremlin."

A Kremlin lembrava muito a Love Story, uma balada no centro de São Paulo que também só começa no meio da madrugada e reúne gente de todas as tribos, ricos, pobres, artistas, jogadores de futebol, mauricinhos e descolados, todos em torno de um enorme contingente de garotas de programa que costuma migrar para lá todas as noites em busca de diversão, assim que as boates de striptease daquela região fecham as portas. Frota foi frequentador assíduo, sócio atleta da Love Story, e adorou a Kremlin.

"Virei praticamente sócio da Kremlin, tinha um clima muito parecido com a Love Story. Os caras da máfia me reconheceram do Quinta das Celebridades e me adotaram, eram vários carecas fortes, eles largaram um Porsche na minha mão. Eu morava em um apartamento no bairro do Rato, um bairro bacana de Lisboa. Colei com esses caras, não havia espaço para mais ninguém. Viajamos pela Europa, principalmente Londres, Ibiza, Madrid, Barcelona, Milão, Paris e Amsterdã. A gente malhava junto, treinava jiu-jitsu, saía à noite. Com o passar do tempo, fui vendo muita coisa barra pesada, coisas que jamais tinha presenciado no Brasil. Teve uma noite que acompanhei os caras em um gueto dominado por nigerianos, uma quebrada muito violenta. Foram dar um corretivo em um segurança. Mesmo não atuando, eu via tudo. Cenas muito chocantes. Eles facilitavam tudo para mim, mulheres, drogas, bebidas, eu curtia, mas acabou me prejudicando, fiquei com a minha imagem associada aos caras. Uma vez entrei em um restaurante e as pessoas se levantaram quando cheguei, foram embora na hora, com medo."

ÀQUELA ALTURA, ALEXANDRE FROTA ESTAVA ENVOLTO NA ESCURIDÃO, PRESTES A TOMAR UM CAMINHO SEM VOLTA, DE CASO COM A MÁFIA. ATÉ QUE EM UMA MADRUGADA, VIU A MORTE DE PERTO. ACIDENTE, ACASO OU INTERVENÇÃO DIVINA?

"O Dudu estava dirigindo, eu do lado e uma modelo no banco de trás. A gente estava saindo de uma festa e indo para outra, em uma autoestrada em Lisboa. **DE REPENTE, UM CARRO VEIO EM ALTA VELOCIDADE E BATEU NA TRASEIRA DO NOSSO. CAPOTAMOS RIBANCEIRA ABAIXO. LEMBRO QUE PERGUNTEI PARA O DUDU O QUE ESTAVA ACONTECENDO, PARECIA QUE A GENTE ESTAVA EM CÂMERA LENTA ENQUANTO NOSSO CARRO CAPOTAVA. O DUDU SE ARREBENTOU, FICOU TODO ENSANGUENTADO, A GAROTA TAMBÉM. EU SAÍ INTEIRO, SOMENTE ALGUNS PEQUENOS ARRANHÕES.** Tirei o Dudu e a garota do carro e fui procurar ajuda. Foi aí que percebi que o carro que tinha porrado o nosso também tinha capotado. Fui até os caras com raiva, mas eles estavam detonados, com fraturas expostas e o rosto desfigurado. Eram dois caras. Depois soube que eles estavam na mesma festa que eu, ouviram quando o Dudu me chamou para uma outra balada e resolveram nos seguir, completamente bêbados. **COMEÇOU A CHEGAR GENTE ATÉ QUE CHAMARAM UMA AMBULÂNCIA. O DUDU E A MENINA FORAM ATENDIDOS, FIZERAM O RESGATE DELES E FORAM LEVADOS PARA UM HOSPITAL.** Falei para o Dudu que encontraria com ele mais tarde. Um carro me levou de volta para Lisboa. Fui para a Kremlin e fiquei pensando na vida que eu levava, no que estava me metendo. Já tinha convivido com traficante no Brasil, mas nada perto daquilo. **ERA INÉDITO E ASSUSTADOR. CHEGUEI A CONCLUSÃO QUE AQUELE ACIDENTE ERA UM AVISO. ESTAVA NA HORA DE VAZAR ANTES QUE FOSSE TARDE DEMAIS. CHAMEI**

OS CARAS E ANUNCIEI QUE VOLTARIA PARA O BRASIL. ELES AINDA FIZERAM QUESTÃO DE ME LEVAR AO AEROPORTO. NOS DESPEDIMOS E SEMANAS DEPOIS A ORGANIZAÇÃO CAIU. FORAM PRESOS PELA INTERPOL EM UMA OPERAÇÃO CONJUNTA COM A POLÍCIA DE PORTUGAL. SE EU AINDA ESTIVESSE LÁ, TINHA RODADO JUNTO."

Um relato surpreendente, digno de um roteiro de filme de ação e suspense. Na ficção, talvez ele morresse no final, seria um desfecho mais impactante, na vida real, escapou por pouco. De volta ao Brasil, Alexandre Frota voltou a brincar de polícia e ladrão, só que do lado dos mocinhos, já estava cansado dos bandidos e da escuridão.

"Quem sabe o mal que se esconde nos corações humanos?

O Sombra sabe..."

(trecho do clássico programa de rádio dos anos 30 com histórias do vingador mascarado Sombra)

IDENTIDADE FROTA
A ESTRELA E A ESCURIDÃO
5.0

CORRA QUE A POLÍCIA VEM AÍ

Alexandre Frota voltou ao Brasil em 2005, retomou sua rotina de filmes pornôs e madrugadas na Love Story. Nada como o aconchego do lar no nosso próprio país. Só que as confusões o acompanharam. Em uma noite, se irritou com o assédio a uma de suas "namoradas" e esmurrou o sujeito no meio da pista de dança. Em questão de segundos, se viu cercado por marginais. Alguns poucos abnegados seguranças tentavam impedir o massacre iminente. Frota tinha mexido com o cara errado, o sujeito oculto da frase "estava acompanhado de um monte de bandidos, todos armados". O sujeito oculto era o cara que xavecou (paquerar na gíria paulista) a garota de Frota e levou um soco por isso. Sozinho, acuado e prestes a ser linchado, na melhor das hipóteses, teve sangue frio para propor uma trégua, uma conversa a sós com o agredido no banheiro da Love Story. Era a última cartada.

"Tentei entrar em um acordo. Perguntei para ele se queria me bater de volta para ficarmos quites. O cara topou. Respirei aliviado. Botei a língua no céu da boca e dei a cara para bater. Ele encheu a mão, me deu um porradão que inchou na hora, felizmente. Minha preocupação era que isso não fosse o suficiente, afinal bati nele na frente de todo mundo."

O incidente foi a deixa para Frota dar um tempo de Love Story. Já estava visado por lá e na próxima confusão a sorte poderia abandoná-lo. Voltou a andar com sua própria gangue, na verdade, uma turma de amigos que incluía lutadores e alguns policiais. Um deles, percebendo que Alexandre Frota era viciado em adrenalina, entre outros vícios, o convidou para participar de uma operação policial. Depois de um bom tempo convivendo do outro lado da lei, a sensação de fazer parte do grupo dos mocinhos foi estimulante. Frota adorou a experiência e quis mais. Passou a acompanhar secretamente seus amigos policiais em rondas na madrugada, com roupas semelhantes ao uniforme da polícia. Botou gorro e óculos escuros para não ser reconhecido. Também adquiriu duas pistolas Glock 380 e um fuzil cromado (sim, Alexandre Frota comprou um fuzil como quem vai à feira) e todo fim de semana praticava tiro ao alvo.

- Fui mais policial que muito policial - limitou-se a dizer.

Em suas rondas, sentava sempre no banco traseiro da viatura para evitar a exposição. Na maioria das vezes, eram rondas tranquilas, somente pequenas ocorrências, brigas, desordem, indivíduos alcoolizados, nada demais. Em 2011, ou seja, seis anos depois dessa história, o ator e mestre de artes marciais, Steven Seagal, estrelou um *reality show*, "Steven Seagal: Lawman", em que trabalhava como assistente do xerife em uma pequena cidade do estado da Louisiana, nos Estados Unidos. Durante uma operação para desbaratar uma rinha de galos, prática ilegal tanto aqui quanto lá, matou um cachorro e está sendo processado por isso. O *reality show* foi cancelado. Frota também teve seu momento inusitado como "homem da lei". Em uma madrugada, passando pela rua Augusta, viu um homem xingar a polícia e jogar uma garrafa de cerveja na viatura. Frota saiu do carro, iniciou uma perseguição a pé e encurralou o "agressor". Como não podia dar voz de prisão, desferiu um tapa na cara do sujeito, que caiu estatelado com a "pranchada". O *grand finale* de sua temporada Robocop na capital paulista foi apoteótico: Frota e seus amigos policiais subiram à bordo de um tanque de guerra de um colecionador militar, um modelo utilizado em 1942, na segunda guerra mundial, que estava em exposição. Ligaram o motor e seguiram em direção a Love Story, em plena madrugada. Quem viu, não esquece mais. Na chegada, por volta das quatro e meia da manhã, apontaram o canhão para a entrada da casa noturna, para desespero de seguranças e frequentadores. Seus ocupantes desceram, entraram na boate e saíram minutos depois com duas loiras popozudas, carregadas de silicone. Entraram todos no tanque e foram embora antes que a polícia chegasse. Subiram a avenida Consolação e entraram na avenida Paulista, deixando boquiabertos todos os motoristas que testemunhavam aquele delírio visual.

RODARAM MAIS UM POUCO, DERAM UM ÚLTIMO ROLÉ PELA RUA AUGUSTA E ENTREGARAM O BLINDADO AO SEU DONO NA MARGINAL PINHEIROS. O TANQUE DESAPARECEU À CAMINHO DE INTERLAGOS. CASO FOSSE INTERCEPTADO, AS CONSEQUÊNCIAS PODERIAM SER BEM DESAGRADÁVEIS PARA TODOS OS ENVOLVIDOS. UMA NOITE PARA FICAR GUARDADA NA MEMÓRIA. LONGE DALI, FROTA E SUA TROPA DE ELITE TOMAVAM UMA "SAIDEIRA" EM UM BAR NA VILA MADALENA, RINDO SEM PARAR. UMA HISTÓRIA SENSACIONAL, DIGNA DO PERSONAGEM PANTALEÃO, CRIADO NOS ANOS 70 PELO GENIAL CHICO ANYSIO, QUE CONTAVA COM TODOS OS DETALHES AS HISTÓRIAS MAIS ESTAPAFÚRDIAS, SEMPRE DATADAS EM 1927. NO FINAL, PEDIA A CONFIRMAÇÃO DE SUA ESPOSA, O CLÁSSICO "É MENTIRA, TERTA?". VERDADE, ACREDITE SE QUISER. O EPISÓDIO DO TANQUE PELAS RUAS DE SÃO PAULO, APONTANDO SUA ARTILHARIA PARA A LOVE STORY EM PLENA MADRUGADA DE FATO ACONTECEU, NÃO EM 1927, COMO DIRIA PANTALEÃO, MAS EM 2005, MAIS PRECISAMENTE NO DIA 25 DE JUNHO DE 2005. AO MENOS, O TREINAMENTO MILITAR NO *REALITY SHOW* PORTUGUÊS "PRIMEIRA COMPANHIA" TEVE ALGUMA SERVENTIA. É MENTIRA, TERTA?

DEU NO JN: ALEXANDRE FROTA INDICIADO PELA NARCÓTICOS DE SÃO PAULO

"Dizem que ela existe... prá ajudar!
Dizem que ela existe... prá proteger!
Eu sei que ela pode... te parar!
Eu sei que ela pode... te prender!
Polícia para quem precisa...
Polícia para quem precisa de...
Polícia!"
(trecho da música "Polícia", do grupo Titãs)

Em novembro de 1985, o guitarrista Tony Bellotto e o vocalista Arnaldo Antunes foram presos por porte e tráfico de heroína, respectivamente. Arnaldo ficou preso por 26 dias, mesmo sendo réu primário, pelo fato do crime de tráfico de drogas ser inafiançável. No julgamento, os dois músicos foram condenados, mas puderam cumprir suas penas em liberdade. O episódio inspirou Tony a compor a música "Polícia" para o antológico álbum "Cabeça Dinossauro". Vinte anos depois, foi a vez de Alexandre Frota, dono de um repertório que incluía amizades com a máfia, rondas policiais na madrugada, passeio a bordo de um tanque de guerra pelo centro de São Paulo, filmes pornográficos e consumo desenfreado de drogas. Uma hora sua casa iria cair, dessa vez, no âmbito pessoal. No final de 2005, o reboco do teto não aguentou.

"NESSA ÉPOCA, EU TINHA RETOMADO OS TRABALHOS COMO *GOGO BOY* NAS BALADAS GAYS. TOMAVA MUITA BALA (COMPRIMIDOS DE ECSTASY), ERA MUITO FÁCIL CONSEGUIR. O DENARC SOUBE DISSO E RESOLVEU INVESTIGAR."

O DENARC, Departamento de Investigações sobre Narcóticos, é o órgão da polícia civil do estado de São Paulo que executa ações de prevenção, apuração e repressão da produção e tráfico de drogas ilícitas, portanto um órgão fundamental em qualquer política de segurança pública. O barulho provocado por Alexandre Frota na noite paulistana, sempre em busca de gostosuras ou travessuras, não passou despercebido.

"Não sei se a Polícia Federal chegou a investigar minha amizade com a máfia em Portugal, se isso teve a ver, mas virei alvo do DENARC. Os caras botaram agentes infiltrados nas baladas gays. Chegou a informação que eu consumia direto bala e possivelmente passava droga. Devem ter pensado que eu era o cara que financiava tudo, o chefe do tráfico. A confusão toda começou assim: dois *gogo boys* conhecidos meus estavam em dificuldades e eu os ajudei. Hospedei os caras por 10 dias em um hotel na avenida Consolação perto da Paulista. Comprei comida e paguei tudo no cartão de crédito. Deixei o recibo com eles. Fiz questão de alertá-los sobre o perigo de comprar drogas por aí. Os caras não me escutaram e foram presos em flagrante. Aquele recibo em meu nome foi encontrado no bolso de um deles. **ERA TUDO QUE O DENARC PRECISAVA. NO DIA SEGUINTE, LIGUEI A TELEVISÃO E O WILLIAN BONNER ANUNCIAVA NO JORNAL NACIONAL QUE O ATOR ALEXANDRE FROTA ESTAVA SENDO INDICIADO.**"

Deu no Jornal Nacional e em todos os veículos de comunicação do Brasil. Aos 42 anos, Alexandre Frota foi indiciado pelo crime de associação ao tráfico de drogas. Prestou depoimento no DENARC e foi liberado para responder ao inquérito em liberdade. Frota se apresentou espontaneamente à polícia para esclarecer o que de fato ocorreu. Foi acusado de ter dado dinheiro aos dois dançarinos detidos com a finalidade de comprar ecstasy. Os dois *gogo boys* foram presos com 104 comprimidos na região da Consolação, próximos ao hotel onde estavam hospedados. Nos depoimentos, afirmaram que Frota havia dado a quantia de R$ 2.700,00 para "buscar uma encomenda". Junto com os dois, outros quatro jovens também foram presos com maconha, cocaína e dez gramas de DI (uma nova droga à base de cocaína). No momento da prisão, a polícia constatou que um dos dançarinos havia ligado para Frota minutos antes. Seu número de celular constava na agenda telefônica do aparelho. Para a polícia, um indício suficiente de que o ator estava envolvido com tráfico de ecstasy. Frota se manteve tranquilo e confiante.

"MINHA VIDA VIROU UM INFERNO, MAS SABIA QUE NÃO ERA TRAFICANTE. POSSO TER CONSUMIDO, MAS TRAFICANTE NUNCA FUI. QUANDO CHEGUEI PARA DEPOR NO DENARC, ACOMPANHADO PELO PAULO MARIANO E OUTROS ADVOGADOS, O DELEGADO COMENTOU:

- QUEM DIRIA, PEGAMOS O BAD BOY. - RESPONDI NA HORA:

- PEGARAM O QUE?

O delegado falou que as investigações apontavam que eu era o cara que estaria movimentando o ecstasy na noite de São Paulo. Meus advogados rebateram, o clima ficou pesado e nesse meio tempo, fui levado por dois policiais para outra sala. Um deles falou para eu me acalmar, que dava para resolver tudo com 300 mil reais. Eles só não contavam com a minha reação. Estiquei os dois braços e falei:

- Faz assim, me algema e me leva preso. Mas se vocês estão pensando que vou sair daqui escondendo meu rosto debaixo da camisa, estão muito enganados. A imprensa está toda lá fora me aguardando, Tv Globo, Record, Band e Sbt. Eu vou parar e vou falar o que eu sei. Vou ser preso, mas metade desse departamento vai cair. Pode me prender. Não negocio com bandido, mas também não negocio com polícia. Não tenho medo de cadeia.

A chapa esquentou, me chamaram de marrento, mas fui liberado naquela mesma tarde, depois de assinar alguns papéis. Fui indiciado, autorizei a quebra do meu sigilo bancário e telefônico, fiz questão de entregar pessoalmente meu passaporte, mas a juíza não achou necessário. Levou quase um ano, mas consegui provar minha inocência. Vivi em estado de alerta máximo durante esse período, só saía à noite de calça moletom sem bolsos e sandálias, nada de meia. Tinha medo que forjassem algum flagrante. Provei minha inocência, nunca fui um traficante."

No dia 04 de agosto de 2006, o Tribunal de Justiça de São Paulo arquivou o inquérito contra Alexandre Frota. Todo o trâmite da ação correu em segredo de justiça.

"Uma coisa que me revoltou muito foi que o Jornal Nacional não noticiou a minha absolvição depois. Foi um período muito conturbado, talvez o mais difícil da minha vida. Eu estava começando um namoro com uma menina muito bacana, a Nathália Liuzzi, uma patricinha do bem. Seus pais eram radicalmente contra o nosso namoro, achavam que ela estava namorando um bandido. Nos conhecemos no auge das baladas gays de São Paulo."

Nathália, atualmente dona de um salão de beleza em Macaé, interior do estado do Rio de Janeiro, nunca vislumbrou uma carreira artística. Pegar carona na fama de Alexandre Frota não fazia o menor sentido, assim como os lançamentos dos filmes pornôs do seu namorado, entre eles, "Garoto de Programa", o polêmico filme com a travesti Bianca Soares. Difícil imaginar o que se passou na mente de uma jovem diante de uma situação dessas. Para Alexandre Frota, a noite sempre foi uma criança, com tudo que tinha direito, especialmente balas e doces, daí os problemas com o DENARC. E ainda tinha o assédio da mulherada.

NATHÁLIA LIUZZI

CONHECI O ALÊ NA BUBU LOUNGE, EM UMA SITUAÇÃO DE MUITA DOIDERA. FICAMOS E NO DIA SEGUINTE NOS ENCONTRAMOS POR ACASO NA THE WEEK, NA MESMA SITUAÇÃO.

FICAMOS NOVAMENTE, DESSA VEZ TROCAMOS TELEFONES E NO DIA SEGUINTE ELE ME LIGOU E SAÍMOS. FOMOS PARA A CASA DE UM GRANDE E QUERIDO AMIGO NOSSO, O PAULO MARIANO. NESSE MESMO DIA COMEÇAMOS A NAMORAR E JÁ TIVEMOS A PRIMEIRA BRIGA. O ALÊ NA INTIMIDADE É TÃO DIFERENTE DA IMAGEM PÚBLICA QUE MUITAS VEZES EU TOMAVA UM SUSTO QUANDO ASSOCIAVA O NOME À PESSOA. UM NAMORADO MUITO CARINHOSO, PARECIA ATÉ UM URSO DE TÃO ACONCHEGANTE. SÓ NÃO GOSTA DELE QUEM NÃO O CONHECE. SEMPRE MUITO CHEIO DE SURPRESAS, TANTO BOAS COMO RUINS. O SEXO NUNCA FOI O CARRO-CHEFE DA NOSSA RELAÇÃO, TINHA MUITA COISA QUE VINHA NA FRENTE DISSO. QUANDO COMEÇAMOS A NAMORAR EU TINHA 22 ANOS E ELE 42, FOI UM GRANDE CHOQUE PARA MINHA FAMÍLIA QUE É MUITO TRADICIONAL. ELE TINHA ACABADO DE FAZER AQUELES FILMES E MUITOS AINDA FORAM LANÇADOS AO LONGO DO NOSSO NAMORO.

A QUESTÃO DO CIÚME ERA NORMAL, NÃO SOU UMA PESSOA CIUMENTA, MAS SE ME DER MOTIVOS, SEREI. É CLARO QUE O FATO DELE TER FEITO AQUELES FILMES E ALGUMAS ATITUDES DELE CAUSAVAM ISSO, NÃO TINHA COMO EVITAR. O PIOR MOMENTO SEM DÚVIDA FOI QUANDO

> ELE FOI INTERNADO. NÓS ESTÁVAMOS JUNTOS HÁ SEIS MESES E FOI UM SUSTO MUITO GRANDE. POR INCRÍVEL QUE PAREÇA, NA ÚLTIMA VEZ QUE TERMINAMOS, NÓS VIVÍAMOS O NOSSO MELHOR MOMENTO, ESTÁVAMOS AJEITANDO O APARTAMENTO DO JEITINHO QUE A GENTE QUERIA, TÍNHAMOS MUITOS PLANOS, ELE ESTAVA SUPER BEM NA RECORD, MEUS PAIS JÁ NÃO TINHAM PROBLEMA NENHUM COM ELE, MAS O ALÊ TINHA ESSES ROMPANTES, ERA UMA COISA MEIO CÍCLICA, COMO OS NOSSOS TÉRMINOS, SEMPRE PRÓXIMOS AO ANIVERSÁRIO DELE. A PARTIR DISSO, RESOLVI MUDAR A MINHA VIDA RADICALMENTE, MUDEI ATÉ DE CIDADE.
>
> PASSAMOS UNS MESES SEM NOS FALAR, EU ESTAVA MUITO MAGOADA AINDA. ATÉ QUE UM DIA, ACORDEI E PERCEBI QUE EU NÃO TINHA QUE TER RAIVA E MUITO MENOS FICAR SEM FALAR COM UMA PESSOA QUE EU GOSTO TANTO E RESPEITO. ALEXANDRE FROTA DE ANDRADE TEM TODO O MEU RESPEITO!

Palavras de uma ex-namorada que teria todos os motivos para detestar seu antigo amor. Quem não gostaria de ter um namorado famoso, ator de novelas da Globo? Por outro lado, filmes pornográficos, sexo com travesti, acusações de tráfico de drogas, alguém se habilita? Com tudo isso, Alexandre Frota tem o respeito de muita gente que cruzou seu caminho. Prestou contas com a justiça, provou sua inocência, mas seu inferno astral estava longe de acabar. Existem leis que não estão no código penal, a lei do retorno por exemplo, tudo que você faz, volta, dar e receber, onde as pessoas recebem pelo que semearam. Na parábola do semeador de Alexandre Frota, ele colheu tudo o que plantou.

"FUI MUITO JULGADO. SOU JULGADO ATÉ HOJE POR TUDO QUE FIZ E CAUSEI. A VIDA FOI

MUITO FILHA DA PUTA COMIGO, MAS TAMBÉM FUI MUITO FILHO DA PUTA COM ELA. FUI DO LUXO AO LIXO".

No ano de 2006, a conta chegou. Era enorme, havia muito a pagar.

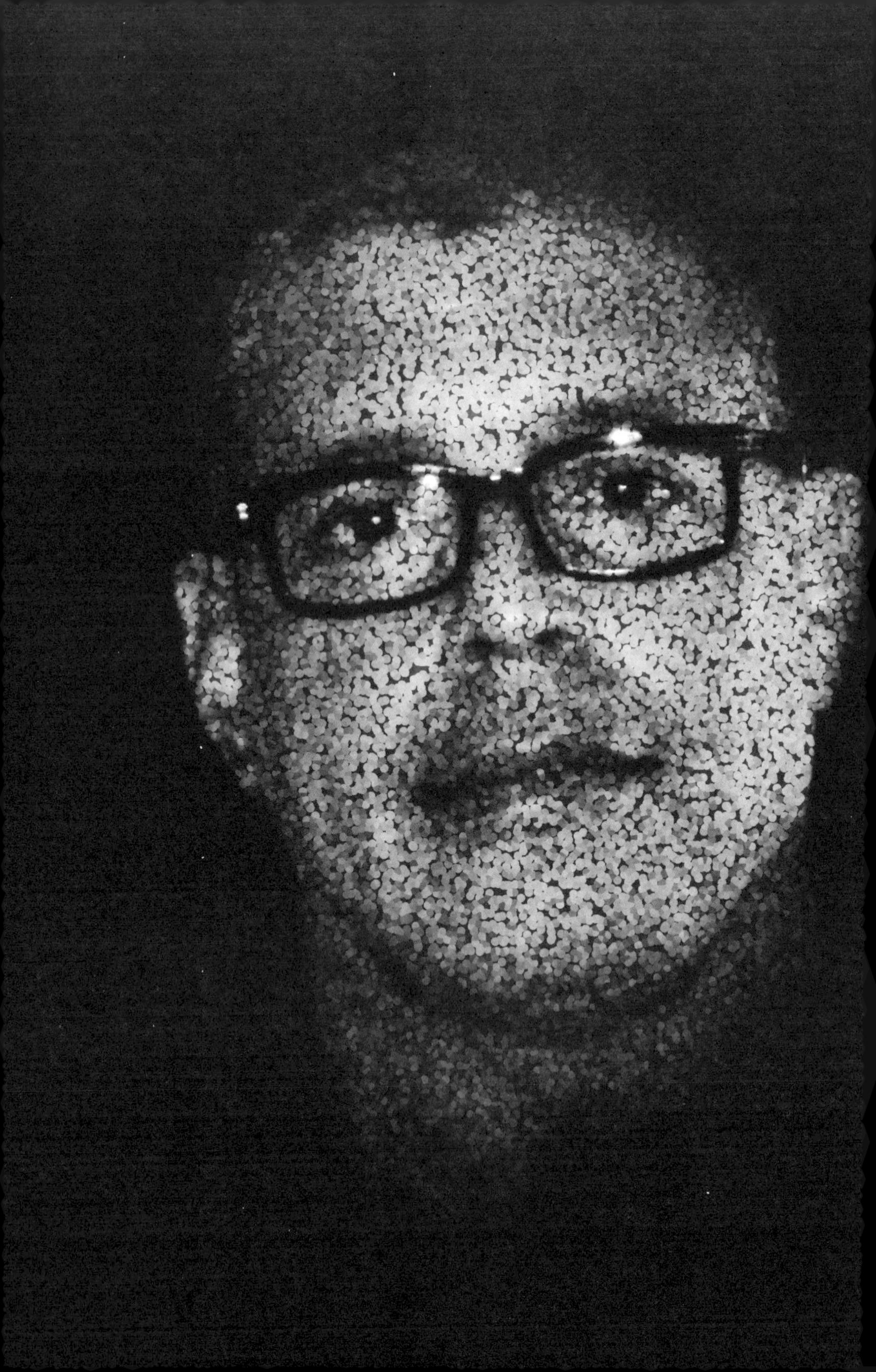

"EU ME AFASTEI DA FAMÍLIA. ESQUECI MINHA MÃE, ESQUECI MINHA IRMÃ, JÁ NEM TINHA MAIS CONTATO COM MEU PAI, DORMIA ONDE DAVA."

BRILHO ETERNO DE UMA MENTE COM LEMBRANÇAS

No início o universo era denso e quente, apenas um ponto luminoso. Após bilhões de anos houve a grande explosão, o universo expandiu e a terra esfriou, possibilitando o surgimento do mundo como conhecemos. A teoria do *Big Bang* (não confundir com a série de tv do mesmo nome) é uma viagem e tanto pela ciência, que busca sempre expandir o conhecimento. Foi o desejo de expandir as fronteiras da mente que levou o ser humano a embarcar em viagens alucinógenas. Alexandre Frota experimentou várias delas, através de drogas naturais extraídas das plantas ou das drogas processadas em laboratório. E vieram as bad trips, as viagens com efeitos negativos que incluem ansiedade extrema, medo, alucinações assustadoras, pânico, medo de perder o controle, medo de enlouquecer e paranoia. **ALEXANDRE FROTA APRESENTOU TODOS ESSES SINTOMAS, E ESTEVE MUITO PRÓXIMO DE "EXPLODIR", QUANDO FOI INTERNADO NO HOSPITAL ALBERT EINSTEIN ENTRE A VIDA E A MORTE. DIANTE DE SEU LEITO, VENDO O IRMÃO ENTUBADO, INCHADO, DEFORMADO, ANGELA EXPRESSOU TODO O HORROR DAQUELA CENA EM UMA ÚNICA PERGUNTA:**

- O QUE VOCÊ FEZ COM SUA VIDA, ALEXANDRE?

A resposta está no livre arbítrio, o poder que cada indivíduo tem de escolher seu próprio caminho.

São essas escolhas que nos definem. Alexandre Frota havia escolhido o caminho das drogas e da escuridão. Nos anos 80, experimentou LSD e travou um interessante diálogo com um sapo.

"Eu tomei o ácido em São Pedro da Aldeia (na Região dos Lagos, litoral norte do Rio), na casa do Roberto Bataglin, meu grande amigo dos tempos de Tablado. O ácido faz você rir 24 horas e eu fiquei rindo o dia todo. Fomos para uma praia ali perto à noite, passou um morcego que eu jurava que tinha três, quatro metros, com as asas abertas. Fiquei apavorado (mesmo pesadelo de Bruce Wayne antes de se tornar Batman). Na volta, sentei sozinho de frente para um lago que ficava nos fundo da casa do Bataglin. Apareceu um sapo na minha frente, que fez "ruec" (imita o som do coaxar). Pensei comigo, esse sapo deve estar querendo se comunicar, vou falar com ele, aí fiz "ruec" também. O sapo mandou um "ruec" de volta e eu respondi com "ruec", "ruec", "ruec", o sapo desandou a conversar e ficamos nessa durante um tempão. Olha que onda a vibe dessa parada (risos)."

A maconha foi o ponto de partida, mas causava um efeito muito desconfortável para alguém como Alexandre Frota, o tornava excessivamente crítico.

"A maconha me fazia ver a realidade nua e crua. Fumei muito na época da Yes Brasil. Quando eu fumava ela batia na cabeça e me fazia ver que eu era um merda, apontava meus erros com a minha família. Comecei a fumar aos dezesseis anos, essa percepção chegou dois anos depois. A maconha me fez muito mal, me deixou apavorado. Nunca me relaxou, era uma viagem triste."

FROTA ABANDONOU A MACONHA CEDO, QUANDO ENCERROU A ÚLTIMA TEMPORADA DE "CAPITÃES DA AREIA". ENCONTROU O QUE PROCURAVA NA COMBINAÇÃO BEBIDA E COCAÍNA, LOUCURA EM DOSE DUPLA, INICIADA DURANTE AS FILMAGENS DE "GAROTA DOURADA", SUA PATÉTICA ESTREIA NO CINEMA. A PARTIR DAÍ, NÃO PAROU MAIS: CHÁ DE COGUMELOS, BALAS DE ECSTAY, BOMBAS INJETÁVEIS PARA FICAR FORTE, PÍLULAS PARA DORMIR E SEXO, O COMPONENTE FUNDAMENTAL DE TODA ESSA HISTÓRIA.

"Usei cocaína por treze anos. Para mim, ao contrário da maioria dos homens, era droga do sexo.

IDENTIDADE FROTA
A ESTRELA E A ESCURIDÃO
5.0

Fazia muito sexo com cocaína. Mas nesses treze anos, parei diversas vezes por um, dois anos, seis meses, três meses. Fiz isso quando estava com a Cláudia Raia e com a Daniela Freitas, por exemplo, sabia que elas não curtiam. Teve outras que me fizeram dar um tempo também. Mas sempre voltava. Deu no que deu."

Alexandre Frota nunca se perdoou por ter deixado sua sobrinha Mariana para trás quando mergulhou na escuridão. Filha de sua irmã Angela, criada por ele como sua própria filha, Mariana teve a mesma

MARIANA FROTA

EU TIVE DURANTE TODA A MINHA VIDA O MELHOR PAI QUE ALGUÉM PODE TER.

SUPER PROTETOR, AMIGO, ERA AQUELE QUE ME MIMAVA, AQUELE QUE ME LOTAVA DE PRESENTES, QUE CONTROLAVA MEUS ESTUDOS, MEU FUTURO, ERA MEU GUIA! MESMO QUANDO ELE FOI MORAR EM SÃO PAULO A PREOCUPAÇÃO DELE COMIGO ERA ALGO INEXPLICÁVEL E CONFESSO QUE AINDA É ATÉ HOJE. FOI POR CAUSA DELE QUE EU TOMEI RUMOS CERTOS NA VIDA, SENDO POR BOA INFLUÊNCIA OU NÃO, ELE SEMPRE DEIXOU BEM CLARO OS VALORES QUE ELE QUERIA QUE EU TIVESSE. SEMPRE AJUDOU A CUSTEAR OS MEUS ESTUDOS, ME ESTENDEU A MÃO QUANDO PRECISEI CORRER ATRÁS DO MEU PRIMEIRO EMPREGO, FEZ TUDO E MAIS UM POUCO QUE UM PAI FARIA POR UMA FILHA.

LEMBRO QUE EM UM MOMENTO DA SUA VIDA, QUANDO ELE SE AFASTOU

DE TODOS NÓS, EU ME SENTI NA OBRIGAÇÃO DE AJUDAR, EU TENTAVA ME APROXIMAR, MAS ELE NÃO ATENDIA OS TELEFONEMAS, MANDAVA EMAILS SEM SENTIDO ALGUM E EU SENTIA QUE ELE PRECISAVA DE MIM. NAQUELE MOMENTO EU NÃO ERA A SOBRINHA, EU ERA A FILHA, AQUELA MENINA QUE ELE FEZ TUDO O QUE FEZ NA VIDA PARA AJUDAR, ATÉ AS COISAS QUE AS PESSOAS JULGAM DE MAIS ERRADO! ME RECORDO QUE EM UM DOS EMAILS QUE EU MANDEI PARA ELE, ESCREVI:

"É MUITO TRISTE TER QUE VER VOCÊ ASSIM, DÓI DEMAIS. VOCÊ SEMPRE FOI UM PAI PARA MIM E AGORA EU TER QUE LER ESSE EMAIL É COMO UMA FACADA PELAS COSTAS SABE? DESISTIU DE VIVER? UM HOMEM COM TODA FORÇA QUE VOCÊ TEM, DESISTIU? SE VOCÊ QUER ACABAR COM A SUA VIDA, ÓTIMO! ACABARÁ COM A MINHA TAMBÉM, PORQUE PARA MIM É DIFÍCIL DEMAIS TE VER ASSIM. NÃO ESTOU ENVIANDO ESTE EMAIL COM CÓPIA PARA A MINHA MÃE, PORQUE O QUE EU TENHO PARA FALAR É PARA VOCÊ. SE VOCÊ QUISER, EU VOU HOJE PARA SÃO PAULO, LARGO TUDO AQUI PARA PODER CUIDAR DE VOCÊ, SÓ NÃO FAZ NENHUMA BESTEIRA. SÓ NÃO DEIXA ISSO TUDO SER MAIS FORTE DO QUE VOCÊ É."

EU SEI QUE ISSO MEXEU MUITO COM ELE, DEIXOU ELE ABALADO, ELE NÃO ESPERAVA ISSO DE MIM. MAS O PIOR CEGO É AQUELE QUE NÃO QUER VER E EU ESTAVA VENDO O HOMEM DA MINHA VIDA, O MEU TIO, O MEU PAI, SEM RUMO, SEM SAÍDA. ELE FOI FORTE, LUTOU CONTRA TUDO E CONTRA TODOS AQUELES QUE O JULGARAM, ELE MERECIA E MERECE SER FELIZ.

IDENTIDADE FROTA
A ESTRELA E A ESCURIDÃO
5.0

> ELE É UMA DAS MELHORES PESSOAS QUE EU CONHEÇO NA VIDA. SE HOJE ALGUÉM FALA ALGUMA COISA DELE PARA MIM, EU RESPONDO: FALAR É FÁCIL, QUERO VER SER ALEXANDRE FROTA! INIGUALÁVEL, ÚNICO! E VAI SER PARA SEMPRE O MELHOR PAI QUE EU JÁ CONHECI.

importância que Enzo em sua vida.

Mesmo diante dos apelos de sua família, mesmo indiciado como traficante de drogas pelo DENARC, Alexandre Frota não perdeu os embalos de sábado, domingo, segunda, terça, quarta, quinta e sexta à noite. Confiante na sua absolvição, apesar de se declarar descrente na justiça dos homens, continuava saindo todas as noites e tomando as devidas precauções para não ser pego em nenhum flagrante. Em 2006, morando em São Paulo, Frota se dividia entre o apartamento em Pinheiros com Nathália Liuzzi e a casa em Moema, do amigo Fernando Costa, um produtor de shows e eventos.

"Eu era um cara que não podia ficar sozinho, casei cinco vezes, mesmo sendo contra o casamento. Fui morar em uma casa no Morumbi com mais dois amigos, depois três, no final, já eram oito morando naquela casa. Em 2006, trampei muito (trabalhar na gíria) de *gogo boy* nas baladas gays, ficava sem camisa direto e acabei pegando uma pneumonia sem saber. A partir daí, minha saúde começou a debilitar mas eu não dava a menor atenção, meu pulmão já estava condenado e eu não sabia. Como ficava muito sem camisa, tinha que estar forte, tomei muita bomba injetável, anabolizantes. Nessa época diminuí a cocaína, preferia o ecstasy, que me deixava muito ligado. Às vezes, saía do "apê" da Nathália no meio da madrugada e ia procurar agito. Todo sábado era na The Week, uma balada forte, de meia noite até às sete da manhã, depois esticava no Ultra Lounge, que abria às oito e eu saía às três da tarde. Sempre embalado com droga. Experimentei o key, um pó branco que é derivado dos anestésicos de ratos, era uma novidade na noite de São Paulo, mas usei poucas vezes. Dependendo da dose, ela te tira do local, é como um nocaute rápido que você apaga. Meu organismo foi enfraquecendo, uma semana antes da minha internação, perdi um teste no Sbt por causa de uma epidemia de espinhas na minha cabeça, todas estourando, uma coisa nojenta, a

Nathalia estava comigo, foi uma intoxicação sanguínea, meu corpo me avisando, vai dar merda..."

DEU MERDA. NO DIA 02 DE JULHO DE 2006, UM DIA ANTES DE SUA INTERNAÇÃO, ALEXANDRE FROTA CHEGOU À CASA, EM MOEMA, ÀS SETE DA MANHÃ. AGITADO, NÃO CONSEGUIU DORMIR. PEGOU SUA AGENDA TELEFÔNICA E LIGOU PARA VÁRIAS CONHECIDAS. UMA DELAS, PRISCILA, ESTAVA SE PREPARANDO PARA PEGAR ESTRADA E CURTIR UMA RAVE QUE ACONTECIA EM UMA ÁREA RURAL FORA DA GRANDE SÃO PAULO. FROTA DECIDIU IR JUNTO, PEGOU AS DUAS EM SEU CARRO. LOGO NA CHEGADA, PROCUROU ALGUM FORNECEDOR DE ECSTASY. ÀS NOVE E MEIA DA MANHÃ, TOMOU SUA PRIMEIRA BALA COM UÍSQUE MISTURADO COM ENERGÉTICO. MESMO COM A TEMPERATURA BAIXA, AO AR LIVRE, TIROU A CAMISA E PASSOU A PULAR FRENETICAMENTE COM TODA AQUELA TRIBO ACOMPANHANDO A BATIDA ELETRÔNICA. PASSOU UM TEMPO E PEDIU A SEGUNDA. AINDA ERAM DEZ E MEIA DA MANHÃ.

"Mandei a segunda bala goela abaixo e o traficante veio falar comigo, nervoso:

- Cara, tenho que te falar uma coisa, essa bala tem ponto de heroína.

Caralho! Ecstasy com heroína! Por isso que a minha cabeça estava fritando, como se fosse explodir. Fiquei na rave até às quatro da tarde, que é a hora que você começa a sentir frio e resolvi ir embora. Dei carona para um amigo meu até o Ibirapuera e fui para Moema."

Frota chegou em casa já tremendo, com calafrios por todo o corpo. Ligou o ar condicionado quente e deitou. Impossível dormir. Começou a suar e inverteu a temperatura para o ar gelado. O mal estar foi crescendo, pressão na cabeça, pontadas no peito, entrou em desespero, temendo um AVC. Às sete da noite, teve convulsões. O corpo ficou dormente. Quando se deu conta, já eram sete da manhã. Sem conseguir se levantar, se atirou no chão e foi rastejando, lentamente, agonizante, até a porta do quarto. Com as últimas forças que lhe restavam, abriu a porta e chamou seu amigo, Fernando, que ainda estava em casa. Quando viu o estado de Frota, percebeu imediatamente a gravidade da situação."

"O FERNANDO ME ENCONTROU NAS ÚLTIMAS, GROGUE, COMPLETAMENTE SEM FORÇAS, ESTAVA MORRENDO. ELE ME BOTOU NA CAMA, ME VESTIU E ME LEVOU DE CARRO PARA O HOSPITAL ALVORADA ALI PERTO EM MOEMA. FUI ATENDIDO NA EMERGÊNCIA POR UMA JUNTA MÉDICA. MEU ESTADO ERA MUITO GRAVE. UM DELES ME PERGUNTOU SE EU TINHA PLANO DE SAÚDE."

Hora de fazer um pequeno flashback, voltar um pouquinho no tempo, quando Frota estava acertando seu contrato com a produtora Brasileirinhas dois anos antes. Durante todo o período em que fez filmes pornôs, sete anos, exigiu a cobertura de um dos planos de saúde mais caros do Brasil, o Omint. E guardou esse ás na manga. Fim do flashback.

"Eu tinha certeza que ia precisar e, no dia que precisasse, a conta ia ser grande"

A conta tinha chegado justamente no seu encontro marcado com a morte. Pediu para ser transferido para o hospital Albert Einstein. Uma ambulância com todos os recursos disponíveis o conduziu. Frota foi diagnosticado com sépsis, uma infecção generalizada por todo o organismo, broncopneumonia, pneumonia dupla e derrame pleural. Tomou tanto soro que inchou 30 kg. Foi nesse estado que sua irmã o encontrou na CTI. A mãe não conteve a emoção e chorou do lado de fora. Seu filho estava muito debilitado, irreconhecível. Após alguns minutos em silêncio, balbuciou para Angela:

- Minha irmã, "estou de boa". Se tiver que morrer, tudo bem. A morte não dói, eu já senti.

A serenidade de Alexandre Frota evitou que seu estado de saúde se agravasse ainda mais. A imprensa não teve acesso às informações do boletim médico, o que aumentou as especulações. AIDS? AVC? Parada cardíaca? Morreu? No quarto dia na UTI, surpreendeu os enfermeiros ao pedir gelatina, a volta do apetite era um ótimo sinal. No décimo dia, os médicos o comunicaram que o coração não estava voltando ao ritmo ideal, continuava acelerado. Tentariam novos procedimentos, em último caso, uma intervenção cirúrgica. Frota se recusou a permitir a cirurgia. Ficou agitado e foi sedado. Antes de apagar, fez um pedido ao enfermeiro que o assistia...

"EU LEMBRO QUE TINHA UM ENFERMEIRO VIADINHO QUE CUIDAVA DE MIM, ERA SUPER ATENCIOSO. SEGUREI NA MÃO DELE E FALEI:

- BROTHER, VOU DORMIR, MAS EU QUERO ACORDAR E ESTAR DE MÃO DADA CONTIGO. NÃO DEIXA ESSES CARAS ME CORTAREM NÃO, POR FAVOR.

Em seguida, apagou. Deu tempo apenas de ouvir o enfermeiro dizer para ele ficar tranquilo. Foram dois dias, acordando, abrindo um pouco os olhos e dormindo de novo. Os médicos mantiveram o planejado. Se o remédio via oral não funcionasse, tentariam choques e por fim, uma delicada cirurgia do coração. Não foi preciso. O remédio fez efeito, os batimentos retornaram à normalidade. Quando Frota finalmente acordou, o mesmo enfermeiro estava ao seu lado, segurando sua mão, conforme prometera. Havia uma ponta de orgulho naquele sorriso singelo. Frota percebeu e agradeceu com o olhar. Foi transferido para a Unidade Semi-Intensiva.

"Lá, minha paranoia voltou, achei que ia morrer, entrei em desespero. Vi gente morrendo na minha frente, o que só aumentou minha paranoia. Os médicos mostravam o eletrocardiograma, mas não adiantava. Me deram morfina, fiquei amarradão na onda da morfina, queria mais. Veio um psicoterapeuta me ajudar, contei toda minha vida e ele me receitou quatro gotas de Rivotril. Fui melhorando gradativamente. Descobri que tinha uma academia no Einstein. Desci de cadeira de rodas e comecei a malhar, de leve, até o dia em que consegui andar sozinho no corredor do hospital. Perdi 22 kg, mas saí inteiro. Voltei para Moema, aumentei por conta própria a dose do Rivotril e voltei a malhar, tudo aos poucos, lógico. Depois vieram as baladas. Tive algumas recaídas, voltei a cheirar cocaína. Dava um teco e tomava Rivotril, era teco e Rivotril. A paranoia voltou com tudo também, pequenos lampejos me avisando que eu iria morrer, obsessões dizendo que eu queria me matar. Para evitar que essa sensação piorasse, eu tomava o Rivotril e o Dormonid para dormir muito. Desacelerei com as baladas, era o único jeito, até perder a vontade."

No ano de 2007, Alexandre Frota filmou seus três últimos pornôs, para a produtora Sexxy, deu seus últimos tecos, teve sua última crise, um surto psicótico até que finalmente as luzes se acenderam. Com o caminho iluminado, se despediu da cocaína de vez. Treze anos depois, o tsunami tinha passado.

"O vício me pegava pela onda, nunca pelo vício em si. Meu vício era matemático, acho que nem existe essa nomenclatura. Eu usava e calculava os riscos. Por isso fiquei tão chocado com a morte do Chorão. Lá atrás eu tinha feito esse cálculo. Na verdade, fui muito safado com as drogas, sabia do erro e ia fundo. Estou limpo desde 2007 e procuro mostrar isso de uma maneira real, sem evangelizar ou querer ser exemplo para ninguém. Com a cocaína, perdi tudo, tive que reconstruir minha vida. Mas nunca deixei que me vissem drogado. A imprensa nunca publicou uma única foto minha louco, alucinado, sabe por quê? Tinha vergonha na minha cara."

Alexandre Frota sobreviveu, está limpo e vive um dia de cada vez.

A BÍBLIA QUEIMADA E A PROFECIA

Em 2007, ainda se recuperando dos graves problemas de saúde em decorrência das drogas e de uma vida descontrolada, Alexandre Frota tentava reconstruir sua vida. Como não tinha um endereço fixo, se revezava dormindo nas casas de Fernando Costa em Moema, Eduardo Campanella no Ibirapuera e Paulo Mariano na Granja Vianna, além de flats ocasionais e o apartamento em Pinheiros de Nathalia Liuzzi, sua namorada. Depois de alguns meses de muita sopa, dieta e algumas recaídas, veio enfim a primeira boa notícia: um convite para participar como jurado de um show de calouros do programa Melhor do Brasil, apresentado por Márcio Garcia e dirigido por Leonor Corrêa, a irmã do Faustão, na Tv Record.

"Foi a Leonor quem me convidou. Fechei um contratinho de cachê por programa e passei a dividir uma bancada com o Amin Khader e a Adriana Bombom, com quem eu tive um rápido caso no início dos anos 90, depois ficamos amigos. Fui muito bem recebido pelo Márcio Garcia, o quadro funcionou, rolou uma química legal entre eu, o Amin e a Bombom e gravamos até o final do ano. Nesse período, aproveitei e fiz também mais três filmes pornográficos com a produtora Sexxy, mas dessa vez, sem nenhum envolvimento. Chegava na locação, transava e ia embora, tudo muito rápido. Mas não segurei a onda, tive uma recaída forte na cocaína e a paranoia voltou com tudo."

IDENTIDADE FROTA
A ESTRELA E A ESCURIDÃO
5.0

Foi em uma tarde na casa de seu grande amigo e advogado Paulo Mariano que Alexandre Frota surtou. Estava sozinho. Bebeu, cheirou cocaína e perdeu o controle. Em um acesso de fúria, quebrou móveis, espatifou seu rádio no chão, pichou o muro com a frase "eu não acredito em Deus" e pôs fogo em uma Bíblia. Um surto psicótico gravíssimo, que poderia terminar em tragédia, suicídio, não fosse a intervenção (divina para quem tem fé) de seu amigo e personal trainer Jean. Frota estava sem camisa, só de short, com uma faca de churrasco nas mãos e muito agitado. Andava de um lado para o outro e dizia palavras desconexas. Jean conseguiu acalmá-lo, seria impossível prever um desfecho que não fosse trágico, caso Frota permanecesse sozinho por mais um tempo naquelas condições. Mais tarde, outro amigo chegou, Shazam, segurança e técnico de som, que conheceu Frota nas baladas. Emocionado, Shazam relembra o aconteceu naquela tarde.

"O Jean salvou o Frota! Quando vi o Alê naquele estado, meus olhos ficaram cheios d'água. Ele veio ao meu encontro, disse para eu parar de chorar e me abraçou (nesse momento, se emociona). Fiz ele me prometer que não faria isso de novo. Eu já perdi um amigo desse jeito. Dói muito."

O amigo a quem Shazam se refere é Ryan Gracie, morto nessa mesma época, dezembro de 2007, após uma overdose de remédios psiquiátricos. Dono de um temperamento explosivo, Ryan um grande lutador de jiu-jitsu e MMA da família Gracie, com sua dinastia de campeões, foi preso pelo roubo de um carro seguido de uma tentativa de roubo de uma moto. Estava desorientado, fora de si. Horas depois, foi encontrado morto na carceragem da delegacia. O laudo apontou excesso de remédios como causa da morte. Cinco anos depois, o psiquiatra responsável foi condenado.

"Quando o Ryan morreu, o Shazam ficou muito abalado. Mas naquela tarde na casa do Paulo Mariano, quem me salvou foi o Jean. O Jean me deu um banho e me levou para tomar cerveja e comer polenta, estava há três dias sem dormir nem comer direito. O Shazam apareceu depois, recolheu a Bíblia queimada e levou para sua mãe rezar."

Dona Geni, mãe do samurai das madrugadas Shazam, reuniu um grupo de pessoas, todas evangélicas e fez uma corrente de orações para Alexandre Frota. Suas preces foram atendidas. Frota retomou seu trabalho na Record e começou a receber sinais de que "alguém lá em cima" gostava dele. O primeiro veio em uma campanha de doação de sangue do Hemocentro de São Paulo. Alexandre Frota e Daniella Cicarelli compareceram para prestigiar a iniciativa e dar o exemplo. No meio dos flashes dos fotógrafos, Frota recebeu um bilhete de uma senhora toda de branco. Estava escrito "Deus está com você". Ele leu o bilhete, procurou a senhora para agradecer e não a achou mais. Intrigado, percorreu os corredores, perguntou aos funcionários, mas ninguém a tinha visto. Dias depois, Frota caminhava em direção ao estacionamento da Record após um exaustivo dia de gravação. Naquele dia em especial, ele estava pensativo.

"PELA PRIMEIRA VEZ, PENSEI SERIAMENTE: QUERO PARAR, NÃO QUERO MAIS ESSA VIDA, DEUS ME AJUDE A ENCONTRAR O CAMINHO. NUNCA DEI ATENÇÃO PARA DETERMINADAS COISAS COMO MEDIUNIDADE, VIDAS PASSADAS OU FUTURAS, MAS NESSE DIA, SAINDO DA RECORD, UMA MULHER NA RUA ME CHAMOU, EU PAREI ACHANDO QUE ERA UMA FOTO OU AUTÓGRAFO. NÃO ERA. DO NADA, ELA FALOU PARA MIM;

- Eles estão indo embora...

Olhando nos olhos dela, perguntei:

- Eles quem? Ela me encarou de volta e respondeu:

- Eles... aqueles que te perturbam, que te seguem nas noites escuras e nervosas que você vive. Um garoto chegou para mudar a sua vida, ele vai te ajudar, se cuida, Deus está contigo, ele precisa de você ainda aqui...

Não entendi nada. Garoto? Quem chegou? Fiquei ali, sem ação, sem entender, mas juro que o olhar daquela mulher era diferente. Ela se foi, eu acompanhei seus passos até sumir no horizonte. Era 2007, o ano do nascimento do Enzo, o filho da Fabi, meu anjo, era ele o garoto que aquela mulher mencionou e que eu iria conhecer somente em 2010."

IDENTIDADE FROTA
A ESTRELA E A ESCURIDÃO
5.0

Enzo nasceu e se tornou o capítulo mais importante de sua vida. A Bíblia incendiada foi recuperada pela mãe de Shazam e atualmente repousa sobre sua escrivaninha, em um pequeno altar para orações. Todas as noites Dona Geni reza por Alexandre Frota.

NA RECORD, A CAMINHO DA LIDERANÇA E DE MAIS UM TOMBO

Nas últimas décadas, foram raras as vezes que a emissora líder de audiência, a Rede Globo, se viu ameaçada em sua liderança. Pantanal, Casa dos Artistas e o Domingo Legal, de Gugu, foram honrosas exceções. Guerra de audiência, para valer, só aos domingos, quando no mínimo três emissoras disputam cada ponto, cada uma com as armas que tem: artistas de peso, atrações de qualidade duvidosa, elenco estelar, games com formatos importados, crianças talentosas, dançarinas e assistentes de palco voluptuosas, humor, emoção, criatividade, sensacionalismo, vulgaridade, pegadinhas, aberrações, baixaria e bundas, muitas bundas. Alexandre Frota sempre foi um trunfo nessa briga por audiência, nas palavras de Boni, "um artista com uma grande personalidade", em outras palavras, um cara polêmico. E o público adora artistas polêmicos, seja para aplaudir ou para vaiar. Frota participou de inúmeros programas, quase sempre alavancando a audiência: Silvio Santos, Faustão, Chacrinha, Gugu, Ratinho, Hebe Camargo, Raul Gil, Gilberto Barros, Adriane Galisteu e Luciana Gimenez, entre muitos outros, uma bela folha corrida de bons serviços prestados. Que produção não deseja um convidado como Alexandre Frota em seu programa? O mesmo vale para os humorísticos como Zorra Total, Casseta e Planeta, Pânico, CQC e, claro, A Praça é Nossa. Carlos Alberto de Nóbrega enxergou longe e o efetivou. Antes dele, Tom Cavalcante colheu os frutos da popularidade de Frota na Record.

"Em outubro de 2007, o Tom Cavalcante me convidou para gravar um especial de fim de ano da Record, uma paródia da Bela e a Fera, eu seria a fera, mas o roteiro era tão ruim, tão amador que preferi não fazer. O Tom entendeu e mandou um recado através do Dudu, meu assessor, falou que gostava muito de mim e que a gente precisava fazer alguma coisa junto. Semanas depois veio um texto, escrito pelo próprio Tom, uma sátira do Tropa de Elite, o Bofe de Elite. Eu seria o Capitão Monumento, uma tiração de sarro com o Capitão Nascimento do Wagner Moura. Senti que poderia dar caldo."

Alexandre Frota alugou o dvd de Tropa de Elite, estudou as nuances do personagem e trocou várias ideias com Tom Cavalcante, que na época apresentava o humorístico Show do Tom aos domingos na Record. Escreveram um roteiro à quatro mãos e o quadro Bofe de Elite saiu do papel. Na estreia, ganhou do Domingão do Faustão durante os vinte minutos em que esteve no ar.

"METEMOS 16 A 10 (PONTOS DE AUDIÊNCIA NA MEDIÇÃO DO IBOPE NA REGIÃO DA GRANDE SÃO PAULO) NO FAUSTÃO, SABE O QUE ISSO SIGNIFICA? O TELEFONE VERMELHO TOCOU NA HORA, ENCOMENDARAM MAIS QUATRO EPISÓDIOS. NOSSO CACHÊ DE PARTICIPAÇÃO AUMENTOU DE 500 PARA 1.500 REAIS, ERA UM ELENCO ENORME DE HUMORISTAS. BATEMOS O FAUSTÃO MAIS QUATRO VEZES."

Mais uma vez, a exemplo da Casa dos Artistas, Alexandre Frota era o protagonista da derrota de um programa dominical da Tv Globo. Com isso, passou a acumular O Melhor do Brasil, aos sábados, onde também gravou novos quadros e o Show do Tom, com o sucesso Bofe de Elite, aos domingos.

Nesse período conheceu a atriz e jornalista Gisele Alves na casa de seu amigo Campanella e ficaram juntos por alguns meses. Frota a ajudou a se tornar assistente de palco do Melhor do Brasil, de Márcio Garcia. Depois, foi repórter do Tv Fama e atriz da novela Flor do Caribe da Globo.

"Nunca fui apaixonado pela Gisele, por isso não durou muito. Como ela estava saindo de um flat e não tinha para onde ir, a coloquei para morar no mesmo apartamento que eu morei com a Daniela

Freitas em Moema. Passamos o reveillon juntos no Rio e depois terminamos. Foi nessa virada de ano que eu decidi partir para o tudo ou nada com a Record."

No início de 2008, procurou Paulo Franco, diretor de programação da Record e avisou que só faria uma nova temporada do Bofe de Elite caso fosse contratado pela emissora. Um blefe de mestre. Ganhou um contrato de quatro anos na Rede Record de Televisão. Com a saída de Márcio Garcia e a chegada de Rodrigo Faro, Frota deixou O Melhor do Brasil e assumiu a coordenação de produção do Bofe de Elite.

"ESTAVA ESCREVENDO, COORDENANDO A PRODUÇÃO E ATUANDO. EU SEMPRE TIVE UM RACIOCÍNIO MILITAR, SEMPRE GOSTEI DE OPERAÇÕES DE GUERRA, ENTÃO EU DAVA VÁRIAS IDEIAS PARA O BOFE E O BRUNO GOMES DIRIGIA. O BRUNO FOI UM DOS CARAS MAIS INGRATOS COMIGO E ELE SABE DISSO. "

O quadro Bofe de Elite contava com os humoristas Tiririca, Shaolin e Pedro Manso, além de Frota, Tom Cavalcante e Amin Khader. Em uma das gravações no Rio de Janeiro, conheceu a modelo Dani Sperle, badalada pela mídia como uma das namoradas do jogador Adriano, atacante do Flamengo e da Seleção Brasileira. Frota se encantou com o corpo escultural de Dani e chegou junto. Descobriu uma mulher que era "a sua cara", em vários quesitos, principalmente o sexual. Os dois se apaixonaram, o cupido foi a empresária e promoter Sylvia Goulart. No seu passado recente, antes de conhecer Fabi, nenhuma mulher mexeu mais com o coração de Frota do que Dani Sperle. Ficaram juntos durante um ano, entre 2008 e 2009, a ponte-aérea era a solução.

"A Dani foi muito especial, a gente se entendia muito bem, ela tinha uma coisa que poucas mulheres tem, está sempre de bom humor, tira das lições mais difíceis, seu aprendizado de vida, e não tem TPM (rindo) . Eu e Dani viajamos muito, rimos demais, ela é totalmente antidrogas, ama a vida, praia, sol, saúde. Gostávamos de fazer sexo a hora que desse vontade, fizemos no carro, na praia, no avião com autorização das comissárias, nos camarins das emissoras, em festas, a gente se divertiu muito. Foi tão forte, tão intenso que a Dani tatuou meu nome no início do seu cofrinho, Alê, junto com um coração. Um dos grandes problemas que tivemos, e gerou muita confusão foi que ela, além de vascaína declarada, era madrinha da Força Jovem do Vasco. Todo mundo sabe que odeio o Vasco, desde os tempos que era líder da Torcida Jovem do Flamengo, apesar da minha mãe ser vascaína e meu falecido pai também. Enfim, mesmo sem me drogar mais nessa época, nosso vício era o sexo, eu gostava de beber vodca com gelo e energético. Teve uma vez, vendo um jogo de futebol no bar do meu amigo Panda, que eu bebi muito, fiquei enlouquecido e extrapolei. Acabei tirando a camisa do Vasco da Dani e de outra amiga dela, também vascaína, rasguei e queimei. O detalhe é que fiz isso na frente da imprensa e do Tv Fama, as imagens correram o mundo e o bicho pegou. Briguei com a Dani e ela comigo, a torcida do Vasco queria me matar, ela perdeu o posto de Rainha da Torcida e eu tive que pedir publicamente desculpas ao vivo para o Presidente do Vasco Roberto Dinamite e para toda a torcida vascaína. Logo o Roberto, que eu conheci moleque através do meu pai..."

O namoro tinha tudo para virar casamento. Frota vivia um ótimo momento na Record e montou um apartamento para os dois, mas na hora da verdade...

"Já no final de 2009, resolvemos casar, mas tanto eu quanto Dani, no fundo, não tínhamos muita certeza. Preparamos tudo, mas deu um curto circuito na minha cabeça e resolvi terminar o relacionamento na véspera do casamento. Havia algo no meu coração que dizia não. O complicado é que terminei gostando muito, e mais uma vez, sofri demais. Mais uma Dani me fez chorar muito. Pedi para voltar, fui atrás dela, preparei um jantar romântico no Fasano do Rio, implorei, mas ela não quis mais. Eu havia perdido uma mulher que amei muito, não me restava mais nada. Lembro que logo depois, caí na besteira de assistir ao show do Chiclete com Banana, que em uma de suas músicas fala: diga que valeu, o nosso amor valeu demais... chorei compulsivamente."

Em meados de 2010, Alexandre Frota e Dani Sperle se encontraram na casa noturna The Week e o fogo reacendeu, afinal, recordar é viver. De manhã cedo, Dani se levantou, se arrumou rapidamente e foi embora. Não queria começar tudo de novo.

DANI SPERLE

NÃO VOU FALAR SOBRE O ALEXANDRE FROTA ARTISTA E SIM SOBRE O ALEXANDRE QUE CONHEÇO, UM HOMEM FORTE, DECIDIDO, MAS COM CORAÇÃO DE CRIANÇA, MUITAS VEZES INSEGURO NAS SUAS AÇÕES. GOSTO MUITO DELE, SEMPRE MEXEU COMIGO, MAS FOI FRACO QUANDO DECIDIU NÃO CASAR. SEMPRE DECIDÍAMOS TUDO JUNTOS, FIQUEI MUITO TRISTE, MAGOADA, MAS SOBREVIVI. ALEXANDRE PASSA EM NOSSAS VIDAS COMO UM FURACÃO, É TUDO MUITO INTENSO, MUITO DIFERENTE, GUARDO BOAS RECORDAÇÕES, MAS A VIDA É ASSIM. FOI BOM, EU DIGO QUE VALEU.

No meio desse turbilhão com Dani Sperle, Alexandre Frota não perdeu o foco na Record. Queria aproveitar todas as chances e crescer. Reencontrou Vildomar Batista, diretor geral do Hoje em Dia, que tinha sido seu diretor no Galera dez anos antes. Juntos, criaram um quadro de aventuras com a dupla Alexandre Frota e Celso Cavallini (na estreia foram para a Ilha de Marajó) e depois, o Brasil Real, com Frota acompanhando 24 horas da vida de um trabalhador brasileiro. Ambos exibidos semanalmente no matutino Hoje em Dia. Novamente participando de dois programas de sucesso, o prestígio de Frota começou a crescer dentro da Record. Em sua nova fase, ele não se limitava mais a atuar na frente das câmeras. Passou a produzir, criar, escrever e eventualmente dirigir. Vieram novas sátiras para o Show do Tom e novos quadros para o Hoje em Dia, inclusive uma série de documentários que roteirizou e dirigiu: os aniversários dos filmes Menino do Rio e Embalos de Sábado à Noite, um especial sobre Michael Jackson após a morte do astro e os 55 anos da Rede Record de Televisão, tudo com o aval de Paulo Franco, diretor de programação da Record na época.

IDENTIDADE FROTA
A ESTRELA E A ESCURIDÃO
5.0

PAULO FRANCO

VICE-PRESIDENTE. FOX CHANNELS DO BRASIL

ACHO QUE PARTICIPEI DE UM MOMENTO IMPORTANTE NA CARREIRA DO ALEXANDRE, QUANDO ELE COMEÇOU A PRODUZIR PROGRAMAS. QUANDO NEGOCIAMOS SUA RENOVAÇÃO DE CONTRATO NA RECORD EU DISSE PARA ELE QUE IRÍAMOS FAZER UMA NEGOCIAÇÃO DIFERENTE. DEMOS A ELE UM FIXO PARA QUE ELE TRABALHASSE COMO PRODUTOR, MAS COMO NÃO QUERÍAMOS PERDER O FROTA DIANTE DAS CÂMERAS, PORQUE SEMPRE DEU MUITA AUDIÊNCIA, PAGÁVAMOS UM ADICIONAL POR CADA APARIÇÃO QUE ELE FAZIA. COM ISSO, CONSEGUIMOS REALIZAR O DESEJO DELE DE SE TORNAR UM PRODUTOR E O NOSSO DE QUE ELE CONTINUASSE PARTICIPANDO DOS PROGRAMAS DE HUMOR, DE VARIEDADES, NOVELAS E SÉRIES. OUTRA COISA QUE ME SURPREENDEU NO ALEXANDRE, FOI QUE ELE RAPIDAMENTE MOSTROU SUAS QUALIDADES ATRÁS DAS CÂMERAS E OCUPOU UM ESPAÇO DE DESTAQUE DURANTE TODO TEMPO QUE TRABALHAMOS JUNTOS NA RECORD E NO SBT.

A ascensão de Alexandre Frota despertou ciúmes nos bastidores, inevitável, mas nada que o incomodasse, ainda. Parafraseando o slogan da casa, "Record - a caminho da liderança", a sensação de Frota é que ele estava a caminho da recuperação (largou definitivamente as drogas), a caminho da salvação (encontrou sua fé), e porque não, a caminho da liderança junto com a emissora da Igreja Universal do Reino de Deus (o sucesso do Bofe de Elite apontava essa direção). Mais tarde, com a decisão da Record de produzir o *reality show* A Fazenda, apostou tudo no slogan "Alexandre Frota - a caminho da consagração."

Ledo engano. Ele estava a caminho de mais um tombo, e dos grandes.

IDENTIDADE FROTA
A ESTRELA E A ESCURIDÃO
5.0

UM ESPANTALHO ELIMINADO DA FAZENDA

Alexandre Frota foi ganhando espaço na Record. A imagem do *bad boy* estava ficando para trás. Ancorado no sucesso do Bofe de Elite, resolveu dar mais uma cartada: procurou a direção da emissora e propôs um *reality show* nos moldes do que havia feito em Portugal, quando participou da Quinta das Celebridades. Hora de dar uma pausa para mais um flashback.

Quando regressou para o Brasil em 2005 após a consagração no *reality* lusitano, onde ficou em segundo lugar, Frota se deparou com toda a cúpula da Rede Record no voo de volta. Estavam inaugurando a sede da Record Internacional em Lisboa. O Bispo Honorilton Gonçalves, o todo poderoso vice-presidente da Record, sentou-se ao seu lado. Na bagagem, várias revistas sobre televisão, muitas delas com Alexandre Frota na capa, como uma dos destaques do recém finalizado Quinta das Celebridades. Na conversa, Frota sugeriu que o *reality* fosse produzido pela Record no Brasil e percebeu que Honorilton foi simpático à ideia. Fim do flashback.

De volta à 2009, Frota apresentou ao presidente da Record, Alexandre Raposo um projeto detalhado que trouxe de Portugal assim que voltou em definitivo. Prosseguiu trabalhando forte em duas frentes: nas gravações do "Bofe de Elite" e na produção e direção de alguns projetos especiais como os programetes para o Dia Internacional da Mulher, um institucional da empresa e um show beneficente para a ABADS, a Associação Brasileira de Desenvolvimento Social, antiga Sociedade Pestalozzi de São Paulo, que atende mais de 700 crianças e jovens com deficiência intelectual e autismo. Alexandre Frota sempre gostou de participar de eventos beneficentes, mantém parcerias com entidades como o GRAAC, o Grupo de Apoio ao Adolescente e à Criança com Câncer e a AACD, a Associação de Assistência à Criança Deficiente, e nunca fez propaganda disso.

SÉRGIO MALLANDRO

GOSTO MUITO DO FROTA, MUITA GENTE NÃO SABE QUE ELE TEM UM GRANDE CORAÇÃO. GOSTA DE AJUDAR OS MAIS POBRES, ESPECIALMENTE AS CRIANÇAS, DANDO ROUPAS, FAZENDO DOAÇÕES, ATÉ JÁ DISTRIBUIU SOPA NA RUA. AS PESSOAS DESCONHECEM ESSE LADO DELE, DE UM CARA GENEROSO. EU JÁ PRESENCIEI E, POR ISSO, ELE TERÁ SEMPRE O MEU RESPEITO.

Alexandre Frota não gosta de comentar esse assunto.

"Essa é uma parada que faço de coração, não é para sair na mídia. Levo brinquedo, comida, ajudo como posso. Já botei muita coisa minha para ser leiloada com a renda revertida para essas entidades. Infelizmente no Brasil só se fala do lado negro do artista."

Elementar, o lado negro da Força sempre deu mais ibope. Com o término de Bofe de Elite, seguiu trabalhando em várias frentes de produção e na criação de novos projetos para a Record até que um dia, Paulo Franco o encontra no corredor e dá a grande notícia: a Record havia comprado os direitos do *reality* sugerido por Alexandre Frota, a Quinta das Celebridades, que iria se chamar A Fazenda.

IDENTIDADE FROTA
A ESTRELA E A ESCURIDÃO
5.0

"Vibrei muito. Quando o Paulo Franco me avisou que a produção ia ficar na minha mão, quase chorei de alegria. Parti para a sala de produção do Show do Tom e convoquei a galera que fazia o Bofe de Elite comigo. Puxei dois produtores para começar a pré-produção e já fui montando uma lista, um book com 300 nomes de possíveis participantes, entre artistas e celebridades. Botei Narcisa Tamborindeguy, Dado Dolabella, Tati Quebra-Barraco, fui anotando os nomes e passando para a direção. Aquele era o meu momento, tinha feito três *reality shows*, que somados, davam quase um ano de confinamento. Estava pronto para liderar esse projeto. Nisso, fui chamado para a sala do Paulo Franco. Encontrei o Gonçalves (Bispo Honorilton Gonçalves) de saída, nos cumprimentamos e ele me pediu para ajudar o Paulo a escolher um nome para a direção geral."

Alexandre Frota indicou dois nomes: Carlos Magalhães, diretor e braço direito de Boninho na Globo e Rodrigo Carelli, que o havia dirigido na "Casa dos Artistas" do Sbt. Recebeu sinal verde para negociar com Magalhães.

"Quando me perguntaram, eu devia ter dito que eu mesmo seria o diretor geral da Fazenda, foi um dos grandes erros da minha vida. Marquei uma reunião com o Magalhães na Churrascaria Porcão, no Aterro do Flamengo, no Rio. Falei em nome da Record e o convidei para ser o diretor geral da Fazenda. Magalhães fez uma pedida de acordo com seu status na Globo, salário de três dígitos, contrato de cinco anos, luvas e a contratação de mais vinte profissionais da Globo selecionados por ele. Se eu fosse o diretor artístico da Record, teria aceitado, o Magalhães é um grande profissional, mas o Gonçalves descartou, falou que seria impossível contratá-lo nessas condições. Pediu para tentar o Rodrigo Carelli, minha segunda sugestão. Nos reunimos no restaurante Quattrino na Oscar Freire. Conversei com o Carelli, expliquei o *reality* e deixei claro que nós iríamos tocar o barco juntos. Na saída, me confidenciou que não tinha a menor ideia de quanto pedir. Fui no Paulo Franco, falei minhas impressões e dei força para sua contratação. A Record fechou com o Carelli por 1/5 da pedida do Magalhães, ainda assim, um excelente salário, três vezes mais do que ele estava ganhando para dirigir programas no Multishow. Depois, apresentei o Carelli ao Bruno Gomes, que já tinha me dito que gostaria muito de dirigir um *reality show*. Os dois se entenderam e cada um trouxe sua patotinha de confiança. A do Carelli tinha trabalhado com ele na MTV, a turma da Afonso

Bovero, e a do Bruno era lá da Record mesmo. A partir daí, meu tapete começou a ser puxado. Eu nunca deveria ter feito aquela escolha."

Frota mergulhou de cabeça na produção inicial da Fazenda. Pesquisou dezenas de fazendas no interior de São Paulo até achar a locação definitiva em Itu. Ainda na fase inicial da montagem da equipe, recebeu uma indicação de sua irmã Angela de um profissional com larga experiência na Globo como coordenador de produção, Paulo Marques. Frota conversou com ele e o apresentou para os diretores da Fazenda. Dias depois, pressentiu que havia alguma coisa errada. Paulo Marques foi dispensado sem nenhum motivo. Na saída, preveniu Frota:

- Abre teu olho. Eu fui demitido porque ia dar trabalho para esses caras.

A partir daí, os sinais de boicote se tornaram evidentes. Deixou de ser chamado para várias reuniões, as decisões foram sendo tomadas à sua revelia. Nada do que Frota requisitava era atendido pela produção. A todo momento esbarrava em novas determinações da direção. Teve sua primeira discussão com Carelli que só serviu para desgastar ainda mais sua imagem junto à cúpula da Record. Quando se deu conta, a produção estava toda montada e ele, Frota, não dispunha de nenhuma mesa para trabalhar, nenhum ramal de telefone próprio. Perto de chutar o balde, recebeu um pedido para dirigir um grande making of da montagem de toda a estrutura do *reality show* na fazenda em Itu, mostrando os alojamentos dos peões, o mapeamento e a instalação das câmeras, a chegada dos animais etc. Naquele momento, optou por focar no trabalho e abstrair todas as preocupações. Acreditou que tudo se ajeitaria com o tempo e não percebeu que estava cada vez mais isolado e afastado da produção. Foram oito meses gravando o making of. Um belo dia, recebeu a visita do Bispo Gonçalves, no helicóptero da emissora. Caminhou com o vice presidente da Record por todo o terreno, no meio de dezenas de operários trabalhando pesado. Perguntado se aquilo daria certo, garantiu que sim.

"PORRA, A RECORD ESTAVA INVESTINDO 28 MILHÕES NA FAZENDA, COMO É QUE EU PODERIA BOTAR EM DÚVIDA O SUCESSO DESSE PROJETO? O FATO DO HOMEM FORTE DA EMISSORA

IDENTIDADE FROTA
A ESTRELA E A ESCURIDÃO
5.0

VIR PERGUNTAR PARA MIM E NÃO PARA O CARELLI, ME DAVA ESPERANÇA QUE EU AINDA CONSEGUIRIA REVERTER A SITUAÇÃO, RECUPERAR O CONTROLE DESSE PROJETO. NÃO ESTAVA PREOCUPADO COM O NOME DO MEU CARGO, SÓ QUERIA QUE AS COISAS DESSEM CERTO."

Semanas depois, toda a produção do programa chegou em Itu. Produtores, diretores, editores, equipe técnica. Montaram o acampamento conforme o planejado e mais uma vez Frota se viu preterido, escanteado. Em uma reunião com toda a equipe, Carelli não citou Frota, optou por dizer que tinha sido convidado pela Record para assumir a direção geral daquele grande projeto. Na chegada dos representantes da empresa detentora dos direitos do *reality show*, a produtora sueca Strix, em parceria com a Sony Pictures Television, a ficha caiu de vez:

"Eu tinha feito um documentário mostrando toda a construção da Fazenda que o público iria ver na televisão. A locação original tinha sido inteiramente transformada, adaptada para o *reality show*. Fiz um grande making of apresentando todas as novidades, as instalações e toda a estrutura por trás das câmeras. Ainda não estava finalizado, mas pensei que seria interessante exibir no primeiro episódio, quem sabe alguns trechos no Domingo Espetacular (revista dominical da Record, com Paulo Henrique Amorim). Quando fui falar com o gringo da Sony sobre isso, ele rejeitou na hora:

– Como assim, exibir um making of? Não se faz making of de *reality show*. Não podemos quebrar a fantasia do público. Quem autorizou?

Pronto. Naquele momento, entendi que esse making of foi uma maneira de me tirar de São Paulo. Saí de cena e deixei os caras livres para fazer o que queriam. Fui muito ingênuo."

Maquiavel não faria melhor. Frota regressou possesso para São Paulo naquele mesmo dia e se reuniu com Paulo Franco na Record. Explicou o que estava acontecendo e ouviu de volta:

– Nem vou levar sua reclamação para o Gonçalves. Tenho guardado um e-mail seu recomendando o Rodrigo Carelli, afirmando que ele era o profissional certo para dirigir a Fazenda. Agora você quer que eu diga que ele não é mais o cara, depois da Record ter investido quase 30 milhões nesse projeto? O Gonçalves vai mandar te demitir.

Alexandre Frota engoliu em seco as palavras de Paulo Franco, o diretor de programação da Record. Estava em uma sinuca de bico. Voltou para Itu e ainda ajudou a fazer toda a marcação das câmeras. Depois, simulou o *reality* com mais onze modelos para ajustar todos os enquadramentos, sentiu-se humilhado por fazer o papel de um figurante. Resolveu procurar Carelli para uma conversa séria. Desabafou, revelou toda sua insatisfação, expôs seus argumentos, tudo em vão.

"Quando ele me disse calmamente que eu apenas tinha indicado ele, que não valia a pena discutir e que ele gostava de mim, tive vontade de encher sua cara de porrada, enfiar a caneta no seu pescoço, arrancar seu braço, mas me controlei. Sempre fui um cara brigão, mas só briga de rua. Na televisão, nunca briguei fisicamente com ninguém, só tem bunda mole. Pedi para sair da Fazenda, o Paulo Franco não deixou. Faltava uma semana para a estreia e minha saída poderia sinalizar algum tipo de crise nos bastidores."

A Fazenda estreou maio de 2009. Entre os participantes, Pedro Leonardo, o filho do cantor sertanejo Leonardo que escapou da morte, Carlinhos, o Mendigo do Pânico, Luciele di Camargo, irmã de Zezé, a escultural Mirella Santos, o inominável Théo Becker, a atriz Babi Xavier, a cantora Danni Carlos e o ator Dado Dolabella, o grande vencedor da primeira edição. Mais da metade do elenco foi indicado por Frota, inclusive Dado. Uma de suas principais discordâncias diz respeito a apresentação do *reality*. Já declarou publicamente que não gosta do trabalho de Britto Jr. como apresentador. Os dois trocaram farpas pelas redes sociais.

"A Fazenda tem dois problemas sérios: A direção do Carelli que transformou aquele *reality* em um spa rural e a apresentação sem graça do Britto Jr. Ele deveria ser convidado a fazer parte do elenco do *reality* em uma das temporadas para entender como é. Não entendeu até hoje. Na época, sugeri três nomes da Globo para apresentar a Fazenda: Zeca Camargo, Tadeu Schmidt e André Marques.

IDENTIDADE FROTA
A ESTRELA E A ESCURIDÃO
5.0

A direção da Record deveria erguer um busto em homenagem ao Walter Zagari (vice-presidente comercial), pelos patrocinadores que ele consegue, mesmo entregando um produto tão sem graça." Exageros à parte, Britto Jr. costuma ser alvo de muitas críticas da imprensa e acaba sempre perdendo na comparação com Pedro Bial, apresentador do Big Brother Brasil. Já Alexandre Frota, foi posto na roça, o paredão da Fazenda, antes mesmo do *reality* começar como se fosse um espantalho obsoleto, sem função, que só ocupa espaço e ainda assusta as pessoas. Com A Fazenda no ar, Frota foi realocado em um pequeno núcleo de novos projetos junto com Vildomar Batista. Gravou o piloto de um programa com Kelly Key, tocou mais alguns projetos internos até ser comunicado por Mafran Dutra, presidente do comitê artístico da Record, que seu contrato não seria renovado. Ele já estava liberado de seus compromissos, não precisava nem mais comparecer à emissora até o final do contrato.

"Esse episódio de A Fazenda me incomoda até hoje, a traição, o mau caratismo de algumas pessoas daquela equipe que ajudei e depois me apunhalaram pelas costas. Ainda vou cruzar com esses caras de novo, o mundo dá voltas, aí vai ser olho no olho. Já estive com o Rodrigo Carelli, ele sabe que a cicatriz ficou. Muita gente que ainda trabalha na Record me procurou na época para manifestar apoio, dizer que foi um absurdo o que aconteceu, pena que pela frente ninguém fala nada. Já estou acostumado. A Record é uma grande emissora, mas tem um problema sério de gestão, um bispo que sempre se achou o Boni evangélico. Fui convidado para participar de A Fazenda 6, que estreou em 2013. Não aceitei porque meu lugar não é ali."

Nem tudo estava perdido. Em seu último trabalho na Record, no ano de 2010, Alexandre Frota dirigiu pelo segundo ano consecutivo a campanha beneficente da ABADS, a antiga Sociedade Pestalozzi. No último dia de gravação, no apagar das luzes do estúdio, foi apresentado a uma nova dançarina, Fabiana Rodrigues, a Fabi, sua futura esposa e mãe de Enzo, seu anjo salvador.

Nada é por acaso.

ENCONTROS COM FABI, ENZO E DEUS

Alexandre Frota teve muitos amores e muitas paixões em sua vida. Encontros e desencontros amorosos que passaram pelas páginas deste livro, desde Célia, a primeira namorada, passando por Soraia Bastos, Andréa Oliveira, Juliana Monjardim, Simone Ribeiro, Nathalia Liuzzi, Samantha Gondim, a mãe de Enzo, Dani Sperle, a noiva abandonada, até chegar a Fabi, Fabiana Frota, sua atual esposa. Cláudia Raia e Daniela Freitas mereceram capítulos especiais, foram as primeiras. Daniela, primeira desilusão amorosa, Cláudia Raia, primeiro amor, primeiro casamento, uma estrela de primeira grandeza. Além delas, Frota guarda um carinho especial por duas grandes amigas, duas mulheres que considera muito: a restauratrice e chef de cozinha, Mary Nigri e a jornalista Marília Gabriela.

"Quando cheguei aqui em São Paulo para fazer o Blue Jeans, uma das primeiras pessoas que conheci foi minha querida amiga Mary Nigri , empresária e dona do restaurante Quattrino, na Oscar freire. Na época o local era a loja da Yes Brasil. Nos tornamos muito amigos, é uma das pessoas que mais gosto, muito divertida. A Mary conhece todo mundo. Foi no restaurante dela que fiz várias reuniões importantes (Casa dos Artistas, A Fazenda) e também onde levei a dançarina japonesa do show da Madonna aqui em São Paulo, a japa que era coreana. Acabei pegando, apesar das investidas do irmão da Madonna, que passou a noite toda tentando me levar para a cama. A Mary fotografou tudo. Tivemos ótimos momentos juntos, eu e a Mary, eu amo o pai dela também. No restaurante tem um prato chamado Frota, frutos do mar com trigo sarraceno, adoro."

MUITO SE ESPECULA SOBRE A VIDA AMOROSA DE ALEXANDRE FROTA, ELE PRÓPRIO CONTRIBUI PARA ISSO, UM AUTODIDATA EM TÉCNICAS DE MARKETING PESSOAL. UM NOME QUE CAUSOU MUITO ALVOROÇO NA IMPRENSA FOI MARÍLIA GABRIELA, QUE NEM ESPEROU O LANÇAMENTO DESTE LIVRO PARA COMENTAR O ASSUNTO EM UMA ENTREVISTA PARA A REVISTA ÉPOCA:

"GOSTO DO FROTA E SOMOS AMIGOS. SOU DE UMA GERAÇÃO EM QUE TODO MUNDO FICAVA COM TODO MUNDO, NOS LIBERTAMOS SEXUALMENTE E NAQUELA ÉPOCA NÃO HAVIA ESSA FISCALIZAÇÃO DA GENITÁLIA ALHEIA QUE SE TEM HOJE. PARECE QUE HOUVE UM RETROCESSO, TUDO TEM QUE TER UM NOME E UM SOBRENOME."

Marília Gabriela sempre acreditou na capacidade de Alexandre Frota e nunca virou as costas para ele. Mais importante do qualquer noite, qualquer momento casual de intimidade, está o respeito, a amizade e a admiração que ele nutre por ela.

"A MARÍLIA É UMA GRANDE AMIGA, DIVERTIDA, INTELIGENTE, JÁ ME DEU ÓTIMOS CONSELHOS. CONHEÇO HÁ ANOS E GOSTO MUITO DELA. SEMPRE FOI E SEMPRE SERÁ PARA MIM IMPORTANTE COMO AMIGA. TIVEMOS UMA NOITE ESPECIAL NO SEU APARTAMENTO, TOMANDO VINHO E CONVERSANDO MUITO SOBRE TUDO. LEMBRO QUE SAÍ DE LÁ ÀS SEIS DA MANHÃ FELIZ PELO PRIVILÉGIO DE TER A MARÍLIA COMO AMIGA."

TODAS ELAS TEM OU TIVERAM UMA GRANDE IMPORTÂNCIA NA VIDA DE ALEXANDRE FROTA, MAS NENHUMA COMO FABI, MULHER, MÃE E GUERREIRA, AQUELA QUE LHE DEU UMA FAMÍLIA, AQUELA QUE LHE DEU ENZO...

"Foi no dia 13 de outubro de 2010. Estava terminando o ensaio de uma campanha da ABADS, a antiga Pestalozzi, uma instituição importante para a Record. Veio o Dudu, meu fiel escudeiro, e me disse que queria me apresentar uma dançarina que fazia muito o meu estilo, pernão, bundão, muito gostosa. Ela chegou com cara de poucos amigos, fiquei impressionado com aquele shape (desenho do corpo na gíria) e resolvi chamá-la para quatro shows de funk que eu ia fazer em Belém e Manaus. O funk sempre me salvou quando eu precisava de dinheiro. Eu necessitava de quatro dançarinas e só tinha três escaladas. Fabi topou, conversamos um pouco e ela foi embora. Resolvi convidá-la para meu aniversário no dia seguinte."

FABIANA FROTA

"O ALÊ FOI SUPER PROFISSIONAL, CONVERSAMOS SOBRE A MINHA CARREIRA, MEUS PROJETOS COMO DANÇARINA, E ELE ME CHAMOU PARA DANÇAR NO SEU ANIVERSÁRIO, QUE ERA NO DIA SEGUINTE, AS OUTRAS DANÇARINAS DE FUNK TAMBÉM ESTARIAM LÁ. NA DESPEDIDA, ME FEZ UM PEDIDO: QUE EU FIZESSE MEU SHOW DE DANÇA CIGANA COMO PRESENTE DE ANIVERSÁRIO. FIZ UM SHOW LINDO PARA ELE, NOSSOS OLHARES SE CRUZARAM VÁRIAS VEZES ENQUANTO DANÇAVA, FOI MÁGICO. NOSSA HISTÓRIA DE AMOR COMEÇOU A SER ESCRITA NAQUELA NOITE."

Alexandre Frota jamais esqueceu aquele presente de aniversário. Durante a dança, teve um pressentimento.

"Teve um momento da dança que nos olhamos, senti um olhar diferente, cheguei a pensar que ela poderia ser a mulher da minha vida, mas ela estava no meio de uma crise no casamento, fiquei na minha. No dia do embarque, acordei apressado. Tinha passado a noite com uma modelo bastante conhecida, destaque do carnaval de São Paulo. Deixei ela dormindo e desci para encontrar Dudu e

Fabi na portaria e seguir para o aeroporto. Dudu estava nervoso, andava de um lado para o outro tentando falar com as outras dançarinas pelo celular. Ele sabe que eu não espero, sou muito rigoroso com isso. No caminho, tomei uma decisão:

- Dudu, esquece essas dançarinas, elas não vão mais com a gente. Olha só a Fabi, dá uma olhada nessa mulher, ela já vale por quatro."

Fabi sorriu, surpresa com minha atitude. Fomos conversando durante todo o voo para Manaus. Ela me contou sobre sua vida, mas omitiu que tinha um filho, o pequeno Enzo, meu anjo salvador. Fizemos os shows só com a Fabi, eu olhava aquela boca carnuda, aquele corpo espetacular e ficava louco de tesão, mas não avancei o sinal. Mesmo sabendo que seu casamento estava por um fio, não quis tumultuar sua vida."

De volta à São Paulo, Fabi continuou dançando nos shows de funk de Alexandre Frota, que estava de saída da Record. Eles não tiveram nada, até que um dia, na véspera de uma apresentação, ela anunciou que estava livre, seu casamento tinha acabado. Frota não perdeu tempo."

FABIANA FROTA

"O ALEXANDRE ME SEDUZIU NO HOTEL. ME CHAMOU PARA TOMAR O CAFÉ DA MANHÃ NO SEU QUARTO. TOPEI. EU ADORAVA OUVIR AS HISTÓRIAS INCRÍVEIS DA SUA VIDA. CONVERSAMOS MUITO, ASSISTIMOS TV E DORMIMOS JUNTOS. FOI MARAVILHOSO, UMA MISTURA DE SENTIMENTOS QUE NUNCA TINHA EXPERIMENTADO ANTES, FICAMOS EM CHAMAS, UMA LOUCURA."

As versões se completam como naquelas gincanas de casais que vemos sempre na tv onde cada um tem que escrever alguma coisa em uma cartela e o outro adivinhar o que está escrito.

"Nos atracamos feito dois loucos na cama, um sexo animal, visceral, achei que ia morrer. Quando acabou, exausto, brinquei com ela:

- Você não vai querer mais me largar."

Foi nesse momento que Fabi decidiu revelar a existência de seu filho Enzo. Não contou antes porque estava receosa da reação de Frota. Ele não fez nenhum comentário, só pensava na performance sexual de sua parceira, e queria mais.

Semanas depois, entrou em uma loja de brinquedos e resolveu comprar um presente para o filho de Fabi que ainda não conhecia, um par de patins e a fantasia do Ben 10, o personagem do desenho animado infantil que é febre entre a criançada. Soube por ela que o menino adorou. Estava chegando a hora.

"Uma tarde, o Dudu chegou de carro com a Fabi, ela me acenou, abaixou o vidro traseiro e falou:

- Vem cá! Tem uma pessoinha aqui atrás que quer te conhecer (nesse momento, Frota começa a chorar de emoção e para de falar por alguns segundos). Tinha um garotinho com a roupa do Ben 10, me olhando (Frota volta a chorar, chora copiosamente, um choro carregado de emoção, o primeiro de toda a série de entrevistas). Como eu estava dizendo (voltando do banheiro de cara lavada e bebendo um copo d'água), tinha um garotinho no banco traseiro, me olhando, fiquei todo arrepiado, minha respiração se alterou, meu corpo começou a tremer todo. Foi amor à primeira vista. De repente, o tempo parou, esfumaçou, não tinha mais carro, não tinha mais Fabi, Dudu, era só eu e ele. Senti uma leve brisa no rosto, um perfume de flores, eu senti paz, serenidade, olhando nos olhos daquele menino. Quando me aproximei, ouvi sua voz:

- Eu estou aqui para ficar com você, fica calmo.

Nunca falei isso para ninguém, nem para Fabi. Eu não sabia mas estava diante do meu anjo, meu arcanjo, meu protetor. O guerreiro que tem dentro de mim estava ali, materializado, enviado por Deus. Senti um aperto forte no coração e em fração de segundos, voltei à realidade. A Fabi já estava fora do carro, com a mão no meu ombro, me apresentando o filho de apenas três anos:

- Alê, esse é o Enzo, Enzo Gabriel, o seu Ben 10.

Enzo olhou para mim, esboçou um sorriso, como se comunicasse por pensamento:

- Fica tranquilo, a partir de agora, você segue comigo, entendeu?

Entendi, finalmente entendi. Passei a acreditar que Deus existe, ele é quem manda, ele é quem decide. Eu o coloquei à prova quando queimei a Bíblia e ele me respondeu, enviando o Enzo. Naquele instante, recuperei a fé, a visão. Minha vida mudou, as noitadas acabaram. Eu, Fabi e Enzo fomos morar juntos, estamos construindo uma vida em família. Eu devo isso à Fabi, minha esposa, minha companheira, ela me deu essa família, a família que eu procurei a vida toda."

Fabi, uma taurina muito ciumenta como ela mesmo se define, tem tatuado nas costas os dizeres "Alexandre Frota, guerreiro da minha vida." Nesses três anos juntos, aprendeu a entender seu comportamento. Fez mestrado e doutorado.

FABIANA FROTA

APRENDI MUITAS COISAS COM MEU MARIDO, COISAS QUE VOU LEVAR PARA VIDA TODA E SÓ TENHO A AGRADECER. MAS TENHO CERTEZA QUE O ALEXANDRE APRENDEU MUITO COMIGO TAMBÉM. DEI SENTIMENTOS E SENSAÇÕES A ELE, ENSINEI O QUE É TER UMA FAMÍLIA, SENTIR UM AMOR VERDADEIRO, APRENDEU A CRIAR RAÍZES E DAR VALOR ÀS PEQUENAS COISAS. TENHO UM GÊNIO MUITO FORTE, DE VEZ QUANDO BATEMOS DE FRENTE, NORMAL, MAS APRENDI A CONVIVER COM A FERA, HOJE CONSIGO DOMÁ-LO, COM CERTEZA. TENHO UM MARIDO CARINHOSO QUE ADORA PREPARAR UM CAFÉ DA MANHÃ LINDO PARA MIM. ELE ME CONHECE MUITO BEM, SABE TUDO O QUE EU GOSTO E PROCURA SEMPRE FAZER MINHAS VONTADES. ESTAMOS CONSTRUINDO UMA VIDA EM FAMÍLIA.

SOU UMA GAROTA MIMADA E APAIXONADA. SOBRE A RELAÇÃO DELE COM O ENZO, É UM AMOR DIFERENTE DE TUDO QUE JÁ VI. TENHO CERTEZA QUE O ENZO GABRIEL É UM ANJO ENVIADO POR DEUS, ELE CHEGOU NA HORA CERTA. SOU A MÃE E A ESPOSA MAIS FELIZ DO MUNDO AO VER OS DOIS JUNTOS. AGRADEÇO TODOS OS DIAS A DEUS POR TER COLOCADO ESSE PAIZÃO NA VIDA DO MEU FILHO, QUE É UMA CRIANÇA MUITO INTELIGENTE E CARINHOSA. ENZO TEM ENSINADO MUITO AO ALÊ, SEUS OLHOS BRILHAM QUANDO O ENZO DIZ "TE AMO". ELES TEM UMA LIGAÇÃO MUITO FORTE E ASSIM SERÁ ATÉ O FIM. AMO LOUCAMENTE ESSES DOIS HOMENS QUE ME DÃO MUITO AMOR.

Alexandre Frota passou a frequentar a Igreja de Nossa Senhora de Fátima. As profecias daquela misteriosa mulher que ele encontrou na saída da Record se confirmaram.

A escuridão foi embora.

VAI, CORINTHIANS!!!

Alexandre Frota se acostumou ao longo de sua vida a buscar refúgio das frustrações na combinação sexo, drogas e baladas. Em 2010, viu um de seus projetos profissionais mais ambiciosos, o *reality show* A Fazenda, ser tirado de suas mãos na Record. Dessa vez, contrariando todas as probabilidades, em vez de cair na noite novamente, caiu em um campo de futebol, não o esporte praticado por Messi, Neymar e Cristiano Ronaldo, mas aquele jogado com as mãos e uma bola oval, o futebol americano.

"Eu estava muito desgostoso na Record, minha cabeça estava fritando por causa da Fazenda e da puxada de tapete que tomei. Aí recebi um e-mail de um cara sobre futebol americano. Deletei na hora. No dia seguinte recebi outro e-mail. Deletei de novo. No quinto e-mail, resolvi abrir e ler o que ele queria. Porra, o cara estava me convidando para jogar no time de futebol americano do Corinthians, achei muita maluquice, mas como não tinha nada a perder, liguei para ele e marcamos um encontro."

O AUTOR DO E-MAIL É RICARDO TRIGO, FUNDADOR E CAPITÃO DO CORINTHIANS STEAMROLLERS, NA TRADUÇÃO, ROLO COMPRESSOR. EM UMA SACADA BRILHANTE, DEDUZIU QUE ERA PRECISO ATRAIR ALGUMA CELEBRIDADE PARA DIVULGAR ESSE ESPORTE TÃO POPULAR NOS ESTADOS UNIDOS, MAS PRATICAMENTE DESCONHECIDO NO BRASIL.

ENCONTROU EM ALEXANDRE FROTA O NOME PERFEITO.

"Fui com o Shazam assistir um jogo em Taboão da Serra (cidade próxima à São Paulo) e depois fomos almoçar com o Trigo. Nesse dia, o Shazam estava com tanta fome que botou carne, frango e peixe no mesmo prato, esse é o Shazam, o samurai da noite paulista. A conversa com o Trigo foi boa, eu precisava descobrir alguma coisa que me desse prazer e ocupasse meu tempo livre. Descobri o esporte."

Esporte é saúde, vida, adrenalina e também pode significar redenção, pelo menos para Alexandre Frota, que desde sempre foi ligado em esportes. Fez natação quando garoto, pólo aquático, mergulho, jiu-jitsu e até corrida de carros, chegando a disputar três provas do antigo campeonato brasileiro de Fórmula Uno nos anos 90, duas no autódromo de Interlagos, uma competição promovida pela Fiat que atraiu pilotos brasileiros de várias categorias do automobilismo nacional. Para manter o porte atlético e o físico sarado, teve que encarar uma rotina pesada de exercícios.

"Malhei a vida inteira, independente das drogas. Fazia diariamente 45 minutos de musculação pesada e duas vezes na semana exercícios aeróbicos. Usei muito durateston (anabolizante), hormônio de crescimento gh, marax (efedrina), Jack 3d (suplemento alimentar que aumenta a massa muscular), super fat burner (suplemento queimador de gordura), tudo combinado com uma rigorosa dieta em que eu tinha sempre que beber muita água e comer de três em três horas, massa, frango, batata, frutas, mas como não conseguia dormir, apelava para ansiolíticos (drogas sintéticas que aliviam a tensão) e o dormonid pré-operatório (medicação usada para induzir ao sono), aí é que dava curto circuito mesmo. Fui escravo do meu corpo durante trinta anos, cansei de tudo isso."

ALEXANDRE FROTA SEMPRE TEVE ACOMPANHAMENTO MÉDICO, O QUE EVITOU QUE ELE TIVESSE O MESMO DESTINO DO CANTOR BAIANO NETINHO, INTERNADO EM 2013 EM ESTADO GRAVE NA UTI DO HOSPITAL SÍRIO LIBANÊS EM SÃO PAULO, EM DECORRÊNCIA DO USO EXCESSIVO DE ANABOLIZANTES E ESTERÓIDES PARA ENRIJECER OS MÚSCULOS E HORMÔNIOS PARA RETARDAR O ENVELHECIMENTO. AOS 47 ANOS, FROTA ACEITOU O

CONVITE PARA TREINAR COM O CORINTHIANS STEAMROLLERS, E CASO SE ADAPTASSE, FAZER PARTE DA EQUIPE. ESTABELECEU UMA ÚNICA CONDIÇÃO: QUE FOSSE TESTADO DE VERDADE EM UM TREINO PARA VALER.

"Fui fazer o teste e quase desisti. Entrei na porrada, neguinho me escalpelou, apanhei muito. Me agarraram pela cintura, me jogaram no chão. Se você olhar o biotipo dos jogadores vai ver que só tem cavalo, são uns caras enormes, vinte anos mais novos do que eu, vendendo saúde. O futebol americano exige um condicionamento absurdo, é um esporte de alto impacto e muita estratégia, que é o que mais me fascina nesse jogo, o uso da inteligência para atacar e defender."

O futebol americano, de todos os esportes coletivos, é o que mais se assemelha à uma guerra, com seus times, ou exércitos, ora avançando com a bola no território adversário, ora defendendo suas terras do avanço inimigo. O objetivo é alcançar a área final do campo, a end zone, e marcar o touchdown, que é o equivalente ao gol do futebol jogado com os pés. Nos Estados Unidos, a NFL, a Liga Nacional de Futebol Americano, uma das maiores ligas de esportes do mundo, organiza um campeonato com trinta e dois times, franquias milionárias que representam suas cidades (Boston Red Soxs, New York Giants), divididos em duas conferências. Os dois vencedores fazem a grande final, mundialmente conhecida como Superbowl, o evento esportivo mais assistido no planeta, com audiências bem superiores às finais de Copa do Mundo, Olimipíadas, NBA e Liga dos Campeões da Europa. Por esta razão, possui o horário comercial mais caro do mundo também. No Brasil, onde o futebol americano ainda engatinha, o Corinthians Steamrollers é o destaque absoluto. Desde 2010, com a chegada de Alexandre Frota e do quarterback americano Casey Frost, vindo da fortíssima liga universitária dos Estados Unidos, o Rolo Compressor do Timão já conquistou dois títulos brasileiros e três paulistas. No primeiro ano, Frota foi escalado no time da defesa (cada equipe conta com um time de defesa e outro de ataque, com onze jogadores cada), mas não se adaptou.

"Eu não gostava de jogar no time da defesa, o capitão da defesa não ia com a minha cara, acabou afastado do time e depois voltou. Diga-se de passagem, a defesa do Corinthians é espetacular, dá gosto ver os caras jogar. Meu primeiro ano foi muito ruim, perdi na minha estreia para o Fluminense no campo do São Cristóvão, no Rio, onde nasceu o Fenômeno (Ronaldo estreou menino jogando pelo São Cristóvão), por coincidência, fui jogar no Corinthians na mesma época que o Ronaldo estava chegando, nos encontramos e ele me desejou boa sorte. Também conheci o Lula e o Andrés Sanches (ex-presidente do Corinthians), um grande dirigente, gosto muito dele. Até os líderes da Gaviões da Fiel vieram falar comigo, de boa. Mesmo não começando bem, minha chegada trouxe visibilidade para o esporte, principalmente nos programas esportivos da televisão e nos sites de esporte, e consequentemente novos patrocinadores para o Corinthians. Eu mesmo negociei esses patrocínios, então posso dizer que estou para o Corinthians Steamrollers como o Ronaldo Fenômeno está para o Timão no futebol, guardadas as devidas proporções, é claro."

O ano de 2010 não foi bom nem para Alexandre Frota nem para o Corinthians, mas tudo mudaria no ano seguinte com a chegada do técnico italiano Marco Nessi, doze vezes campeão na Itália e campeão da Eurobowl, a Superbowl do continente europeu, como jogador. Nessi trouxe experiência e liderança para equipe, conquistando cinco títulos seguidos de forma invicta. Já em relação ao desconforto de Frota com a defesa, a solução foi partir para o ataque.

"Logo no início de 2011, chamei o Trigo para conversar, falei que não estava rendendo bem na defesa. O Trigo é foda, o cara tem muita visão. Ele pensou por alguns segundos e deu xeque mate:

- Já sei! Você vai jogar de full back, o cara que limpa tudo à sua frente na hora de atacar. Nós não temos essa função no time de ataque e vamos passar a ter por sua causa.

Passei a treinar de full back e me adaptei completamente. Quando o Nessi chegou da Itália eu já estava encaixado no time, méritos do grande Ricardo Trigo."

Com Alexandre Frota de full back, o rolo compressor passou por cima de todos os seus adversários. A função do full back no time que ataca é bloquear a defesa para o quarterback avançar com a bola oval ou lançar para o running back na corrida, ou seja, Frota é um trator que avança, empurra a defesa adversária e abre espaço para o cérebro do time, o quarterback, realizar sua jogada. Algumas vezes o próprio full back recebe a bola e avança contra o paredão inimigo para conquistar algumas jardas (unidade de medição americana equivalente a 0,9144 metros), em um confronto direto com o paredão da defesa adversária. Ao contrário do running back, um velocista que recebe longos lançamentos e dispara em direção à end zone, o full back só avança pequenas distâncias, é um jogador mais pesado que se posiciona logo à frente do quarterback. O alto impacto dos confrontos custou caro à Alexandre Frota, seu ombro e principalmente o joelho pagaram o preço. Para suportar as dores e conseguir chegar até o final de 2013, ele tem se submetido a um intenso tratamento com os médicos Dr Moisés Cohen e Dr Ocimar, ambos sócios do instituto Cohen de Ortopedia, Reabilitação e Medicina do Esporte, especialistas em lesões e traumas. A dupla já atendeu os

CHIPLAY

EX-JOGADOR DO CORINTHIANS STEAMROLLERS

ENCERREI MINHA CARREIRA ANTES, AOS 27 ANOS. SAUDADES DO MEU IRMÃO. VOCÊ FOI UM DOS PERSONAGENS DA CONQUISTA DO TÍTULO NACIONAL DE 2012.

FOI UM PRAZER JOGAR A LADO DELE, NÃO PORQUE É O ALEXANDRE FROTA, MAS PORQUE É UM HOMEM DE CARÁTER E DE MUITA PERSONALIDADE, ISSO SÃO COISAS QUE ADMIRO NELE E NO TRIGO. "TALVEZ ATÉ CONFUSO, MAS REAL E INTENSO " (CHORÃO)

grandes nomes do MMA brasileiro e mundial, os lutadores Anderson Silva, Minotauro, Vítor Belfort e Junior Cigano, além de Ayrton Senna no passado. O sacrifício de Frota sensibilizou todo o time. Aos 36 anos, o quarterback do New England Patriots ,Tom Brady, casado com a top model brasileira Giselle Bundchen, foi três vezes campeão do Superbowl e já planeja sua aposentadoria. Aos 50

IDENTIDADE FROTA
A ESTRELA E A ESCURIDÃO
5.0

anos, o full back do Corinthians Steamrollers, Alexandre Frota, casado com a dançarina Fabiana Rodrigues, foi três vezes campeão paulista e quer se aposentar com o tri brasileiro ao final de 2013, fechando com chave de ouro sua curta e vitoriosa carreira no futebol americano.

"Na minha idade, encarar aqueles caras dentro campo é uma parada duríssima. Por causa do Corinthians, passei a dormir cedo quase todos os dias, malhar e treinar muito. Nossos treinos são sempre aos sábados e domingos. Acabaram as baladas. Também sacrifico minha família porque tenho que chegar muito cedo no clube. Nos dias de jogo é a mesma coisa, só que aí tem aquela adrenalina da partida. Quando o time adversário sabe que vai jogar contra o Alexandre Frota, vem com tudo, minha cabeça vira prêmio. Eu saio destruído, mas tenho o respeito dos meus companheiros, treino igual a todo mundo, sem privilégios, a gente construiu uma relação muito bacana. Tive uma contusão séria no joelho no início de 2013, pensei em parar, mas o Trigo não deixou, ele quer que eu vá até o final do ano, nós vamos nos aposentar juntos, conforme combinamos. Depois, vou me juntar a ele e a Susy Nomura na diretoria."

Em seu retorno ao time, Alexandre Frota enfrentou o Sorocaba Nêmesis em Caieiras, no interior de São Paulo. Diferente da mitologia grega, nêmesis, em português, significa inimigo implacável. Disposto a acabar com a invencibilidade do Corinthians, o Sorocaba contratou dois reforços americanos exclusivamente para esse duelo: o quarteback Hunter Caldwell, ex-jogador do Baltimore Ravens, campeão do Superbowl 2013, e Rick Gehres. O Corinthians, reforçado com os americanos Benjamin Jones e Roderick Chambers, venceu por 28 a 0. O último touchdown da partida foi marcado no final do jogo pelo full back Alexandre Frota, camisa 77. Foi o décimo terceiro touchdown em sua carreira. Nada mal para o "velhinho" do time.

"Voltei e ainda fiz um touchdown. Bom demais. O futebol americano me revigorou, entrou em um momento triste da minha vida, a saída da Record em 2010, e me devolveu a alegria. Ano passado, saiu uma foto minha abraçado ao Ricardo Trigo, nós dois chorando na saída do campo logo após a conquista do bicampeonato brasileiro (Corinthians Steamrollers 31 x 12 Vasco Patriotas), foi muito emocionante, ainda mais em cima do Vasco."

Se não cutucar ou provocar, não é Alexandre Frota. Revigorado pelo futebol americano, ele encontrou fôlego para mais um desafio dos grandes: criar novos projetos para o Sbt. Silvio Santos vem aí.

IDENTIDADE FROTA
A ESTRELA E A ESCURIDÃO
5.0

BATMAN E ROBIN NO SBT

Santa dupla dinâmica! Batman e Robin, sucesso mundial nos quadrinhos, no cinema e no impagável seriado de tv produzido nos anos 60, também batem ponto no Sbt. A paródia dos cruzados embuçados estrelada por um "delicado" Alexandre Frota no papel de Robin e pelo talentoso Tuca Graça, filho do grande Saulo Laranjeira, como um Batman à beira de um ataque de nervos, é uma das atrações do humorístico A Praça é Nossa, desde 2011. Mas a história do quadro é bem mais antiga, remonta ao verão de 1990 quando Frota encenou ao lado de Eri Johnson e Monique Evans a peça Amores de Verão, com vários esquetes cômicos, entre eles, uma sátira de Batman e Robin insinuando um relacionamento amoroso dos heróis. Frota foi Robin e Eri, o homem morcego. Percebendo a resposta imediata do público, vislumbrou uma esquete de tv e dez anos mais tarde levou a ideia para Carlos Alberto de Nóbrega. Fez uma temporada discreta em A Praça é Nossa com o humorista Alexandre Régis como Batman, meses antes de ser chamado para a Casa dos Artistas. No *reality* do Sbt, pediu para a produção fazer uma festa de super heróis e encenou uma pequena esquete da dupla dinâmica ao lado de Mateus Carrieri. A edição deitou e rolou. Sátiras de super heróis sempre renderam boas risadas. Jô Soares, com seu Capitão Gay, e Os Trapalhões (dirigido por Carlos Alberto de Nóbrega durante dez anos na Globo) gravaram várias, para deleite do público. Depois da Casa dos Artistas, ainda contratado do Sbt, ensaiou um retorno do quadro novamente na Praça, com René Vanorden do grupo Café com Bobagem como Batman. O resultado foi morno. Concluiu que era melhor deixar

Batman e Robin descansando na bat-caverna e esperar o momento certo para voltar à ativa. A saída da Record, por exemplo. Desanimado, Frota preferiu dar um tempo dos figurinos da televisão, mudou de ares e vestiu a camisa do Corinthians Steamrollers no futebol americano. Em questão de meses e alguns touchdowns marcados a alegria reapareceu. Em uma noite chuvosa em São Paulo, durante as águas de março, olhou para o céu e imaginou o bat-sinal.

"Liguei para o Marcelo de Nóbrega, filho do Carlos Alberto e diretor de Praça, e pedi para voltar com o Batman e Robin, mas dessa vez com uma pegada high tech. Queria aproveitar o visual moderno e colorido dos filmes Batman Eternamente e Batman e Robin (ambos dirigidos por Joel Schumacher com Val Kilmer e depois George Clooney no papel de Batman) com aqueles figurinos de couro e borracha. O Tuca veio para fazer o Batman e pela primeira vez, o Carlos Alberto permitiu que um quadro alterasse o cenário da Praça. Botamos fumaça, luzes, alguns objetos de cena como estrelas penduradas e preparamos um texto bem criativo. Eu criava o argumento, produzia e o Magalhães Jr escrevia o roteiro. Ele já tinha feito o Bofe de Elite comigo. Gravamos Batman De Volta para o Futuro, Batman contra Darth Vader, Batman e Indiana Jones, comecei a farejar o mesmo cheiro do sucesso da Turma do Gueto e Bofe de Elite, as pessoas estavam comentando nas ruas."

George Clooney declarou que fez um Batman gay no filme de 1997 (Batman e Robin) e pediu desculpas por ter "matado" a franquia no cinema. De fato, o resultado daquela superprodução hollywoodiana com Arnold Schwarzenegger no elenco foi bizarro, no pior sentido, o oposto do quadro de Alexandre Frota e Tuca Graça na "Praça" em 2011. O público adorou aquele formato criativo, dinâmico e cheio de referências. Com mais um golaço, ou touchdown, em sua carreira, Frota resolveu apostar todas as suas fichas no SBT. Alguém já viu este filme?

"Quando eu vi que essa temporada do Batman e Robin na Praça estava bombando, pensei que era a hora de vir para o SBT, produzir projetos especiais. De cara, pensei em dois grandes projetos: resgatar o Programa Livre e a Casa dos Artistas. O Carlos Alberto iniciou uma campanha para o SBT me contratar e marquei uma reunião com a cúpula da emissora. Me sentei com Daniela Beyruti, filha do Silvio e diretora artística, Fernando Pelégio, diretor de planejamento artístico, Murilo Fraga, diretor de programação e Leon Abravanel, sobrinho de Silvio e diretor de produção. Falei para eles da minha história no SBT e disse que tinha plenas condições de assumir algum cargo de criação ou produção de novos projetos, trazer alguma modernidade ao canal que sempre foi muito careta, conservador."

Passados alguns dias, Frota viajou para Manaus para uma nova turnê de shows de funk e recebeu várias mensagens, pedindo que retornasse imediatamente. Voltou e foi recebido por Leon Abravanel, com uma grande notícia.

"O Leon me disse que eles se reuniram, decidiram criar um núcleo de novos projetos e que eu seria o diretor. Vibrei muito. Era isso que queria fazer dali para frente, produzir novos e grandes projetos. Mas antes mesmo de começar, cometi um erro. A imprensa me procurou para falar que o José Roberto Maciel, do Sbt, não estava a favor da minha contratação para essa nova diretoria. Nem sei se ele falou sobre isso, mas já respondi de bate pronto:

– Sinto muito, mas no SBT eu só conheço o Silvio Santos, não sei quem é José Roberto Maciel.

O cara era o vice presidente do SBT e eu mandei essa. Não tinha nem começado ainda. Foda. Dias depois a poeira baixou, assinei um belo contrato e fui conhecer minha nova sala de trabalho. Me deram uma produtora para ficar comigo naquele início, me auxiliar na montagem do núcleo, Telma. Dei boas vindas e fui logo explicando para ela como eu trabalhava, minha maneira de ser, exigente, disciplinado com os horários. Estava cheio de gás, muito motivado. Passei a chegar bem cedo no SBT, para organizar tudo, definir prioridades e fazer os contatos. De cara, disparei e-mails para a Daniela Beyruti e para o Pelégio para convencer o Silvio a trazer o Programa Livre de volta. Comecei a trabalhar forte. Meu núcleo ficou responsável pela produção dos pilotos da casa, mal sabia eu a roubada que isso seria.

No SBT e na Record, eles têm comitês artísticos para debater os projetos, analisar os pilotos, o problema é que eles não decidem nada. Na Record o único que decidia era o Honorilton Gonçalves, no SBT, o Silvio. Então não adianta você fazer um bom piloto, discutir, debater, regravar, porque é o Silvio quem decide. Nas reuniões do comitê só escutava os diretores questionando se o Silvio iria gostar disso, iria gostar daquilo, e na maioria das vezes, o Silvio nem toma conhecimento do que está sendo discutido, todo mundo morre de medo de falar com ele. Por isso a Globo está na frente, lá o comitê artístico funciona, a família Marinho não se intromete. No SBT isso é muito desgastante, reuniões e reuniões para não decidir nada."

Alexandre Frota não ficou em cima do muro nem precisou consultar Silvio Santos ou pedir ajuda aos universitários para tomar uma das decisões mais importantes de sua nova vida, o casamento com Fabiana Rodrigues. No dia 15 de outubro de 2011, ele e Fabi oficializaram sua união civil no bairro de Moema. Foi o terceiro casamento de Alexandre Frota, depois de Cláudia Raia e Andréa Oliveira. Frota, Fabi e Enzo foram morar na Granja Viana, distrito nobre de Cotia, região oeste da Grande São Paulo. A escolha do endereço foi estratégica, a Granja Viana fica bem próxima ao SBT, apenas quinze minutos de carro pelo Rodoanel Mário Covas. Frota sabia que sua única chance de triunfar era trabalhar muito dentro da emissora, não podia perder tempo em engarrafamentos diários no trânsito de São Paulo. Carlos Alberto de Nóbrega, uma das figuras mais queridas da televisão brasileira, prestigiou o casamento de seu amigo a quem trata com um carinho muito especial.

CARLOS ALBERTO DE NÓBREGA

EU SEI QUE MUITOS AMIGOS ESCREVERAM ALGUMA COISA A RESPEITO DE FROTA. FORAM TESTEMUNHAS DE SUA VIDA. CERTAMENTE FALARAM SOBRE SUA CARREIRA VITORIOSA REPLETA DE ALTOS E BAIXOS. OS MAIS ÍNTIMOS, SEM NENHUMA DÚVIDA, DEVEM TER DITO O QUANTO SE ORGULHAM DE SABER QUE VOCÊ NOS MOMENTOS DE GLÓRIA, SEMPRE MOSTROU HUMILDADE E NAS FASES NEGATIVAS DE SUA VIDA, MOSTROU GARRA, DETERMINAÇÃO E ACIMA DE TUDO MOSTROU SER UM GRANDE GUERREIRO. O QUE SOBROU PARA MIM? O QUE SOBROU PARA FALAR DE VOCÊ? NADA. JÁ DISSERAM TUDO. SOBRA ENTÃO PARA MIM A FELICIDADE DE PODER DIZER:FROTA, EU ME ORGULHO EM SER SEU AMIGO.

Diariamente, Alexandre Frota se deparava com uma nova dificuldade para implementar seus novos projetos. Uma das primeiras providências que tomou foi em relação à Praça é Nossa. Batman e Robin precisariam se ausentar por uns tempos dos estúdios do SBT para que Frota pudesse se concentrar em sua nova missão, mais difícil do que enfrentar Coringa, Pinguim, Duas Caras, Bane e Charada juntos.

"Quando percebi o tamanho do trabalho que teria pela frente, achei melhor dar um tempo na Praça é Nossa. Conversei com o Carlos Alberto de Nóbrega, um dos caras mais maravilhosos que já conheci na vida, ele entendeu, pode não ter gostado muito, mas entendeu. Seu filho Marcelo, o diretor do programa, não. E mais um desgaste foi criado porque comentaram pelos corredores que eu estava abandonando a Praça e não era nada disso. O Pelégio ouviu e me cobrou explicações."

A imprensa noticiou com estardalhaço a chegada de Alexandre Frota na direção de novos projetos do SBT o que gerou mais boatos nos corredores. Frota não deu muita bola, estava decidido a realizar, a produzir, mesmo ciente de que seu estilo rolo compressor não combinava com uma emissora conservadora com uma estrutura rígida de protocolos, regimentos internos e, notoriamente, centralizadora.

"O ambiente no SBT é muito bacana, aquele slogan da emissora mais feliz do Brasil não é à toa, mas fui ingênuo de novo. Achei que no SBT seria diferente da Record. A própria Daniela Beyruti me alertou logo no início, me perguntou se eu estava preparado porque ali dentro tinha gente que não gostava de mim. Eu sempre confiei no meu taco, acreditava que emplacando um bom programa, o vento sopraria ao meu favor."

Seu primeiro projeto foi o Parasita, baseado em um formato francês, com o humorista Otávio "Tatá" Mendes, a hilariante Irmã Selma, a freira corintiana mau-humorada do espetáculo Terça Insana.

"Esse projeto foi uma encomenda, achei que era para dirigir o piloto, então foi que fiz, mas sempre esbarrava em dificuldades. Na hora de escolher um editor, se eu escolhesse alguém direto, era um problema, feria suscetibilidades, porque tinha que falar com fulano antes, com beltrano depois e tudo que eu queria era agilizar a produção. Quando mostrei o piloto para o comitê artístico formado por vários diretores da casa, foi um massacre. Criticavam tudo. Porra! Era só um piloto, mas não, tudo era pretexto para críticas. Criticaram o som, a necessidade da grua, o figurino do Tatá, a produção, a direção. Depois, soube que tinha gente ali que criticava porque não gostava de mim, não aceitava a minha presença como diretor do SBT. No fim, aprovaram o piloto, o que não significava nada, porque a palavra final era do Silvio."

Seus problemas estavam apenas começando, mas Alexandre Frota não é um cara de esmorecer diante de qualquer dificuldade, basta olhar sua história de vida. Seguiu em frente, resolveu encarar.

IDENTIDADE FROTA
A ESTRELA E A ESCURIDÃO
5.0

Se na Record, já tinha pedido para sair da Fazenda, no SBT, nada o faria desistir. Decidiu apostar em um projeto viável, algo que pudesse ir ao ar sem a necessidade de debates intermináveis e improdutivos: um especial de fim de ano com Batman e Robin.

"Quando fazia o quadro na Praça, já tinha ideia de propor esse especial um dia, quem sabe, entrar na grade depois. Fui acumulando um acervo enorme de figurinos que já me serviria para o especial. Chamei o Magalhães para me ajudar no roteiro, fui descolando um monte de coisa para aliviar no orçamento, mas até isso deu problema, implicaram com as permutas. Convidei o Carlos Alberto de Nóbrega para participar do especial, foi a forma que encontrei de homenagear o grande profissional e o ser humano maravilhoso que ele é. **NESSE PERÍODO, ENCONTREI O DEL RANGEL, O DIRETOR ESCALADO PARA FAZER CARROSSEL, ELE ME PERGUNTOU SE EU QUERIA FAZER A NOVELA, ADOREI A IDEIA, QUERIA ME LIVRAR DO ESTIGMA DO ATOR PORNÔ, MAS MEU NOME FOI VETADO, NÃO SEI SE PELO SILVIO OU POR SUA ESPOSA (ÍRIS ABRAVANEL, AUTORA DE CARROSSEL). ISSO ME ABALOU, ME DEI CONTA QUE O CARIMBO DO PORNÔ NÃO SAÍA DA MINHA TESTA, POR ISSO NEM O SBT NEM A RECORD QUERIAM MAIS A MINHA IMAGEM.** Respirei fundo, não podia fraquejar, sou o Alexandre frota, tomo chicotada e continuo avançando. Preparei todo o planejamento do especial do Batman e Robin e apresentei na reunião de cúpula. A Daniela gostou da ideia, todos concordaram com ela. O Murilo Fraga sugeriu a data e já botou na grade de programação. Aproveitei parte do parque cenográfico de Carrossel, montei toda a estrutura de produção, iluminação, elenco, foi uma pauleira. No SBT, misturar teledramaturgia e entretenimento dá uma encrenca das grandes, então tive vários problemas em relação a isso também, mas estava tão determinado que iria passar por cima de todas dificuldades. Chegava todo o dia às seis e meia da manhã na minha sala, não podia perder tempo. Como se eu não tivesse problemas suficientes, uma bomba caiu bem no meu colo. A menina que era minha produtora, a Telma, foi na gerência de produção com um atestado médico e avisou que não iria mais trabalhar comigo, que eu era responsável pelos seus problemas emocionais. Era só o que me faltava, ser visto como um monstro que estava aterrorizando uma jovem indefesa. Uma menina que recebi de braços abertos me acusando de assédio moral."

Fosse o Galvão Bueno em um jogo de futebol, já perguntaria: pode isso, Arnaldo? Não pode, mas segue o jogo. Alexandre Frota não deixou a peteca cair e produziu o especial em três dias, um feito que já serviria para mostrar sua competência, mas que passou despercebido. Coordenou uma equipe de 80 pessoas, realizou apenas duas leituras com o elenco, uma reunião geral com toda a equipe envolvida e finalizou os trabalhos dentro de um cronograma apertadíssimo. Em vez de aplausos e reconhecimento, ganhou novas dores de cabeça. Os contratempos continuaram. Conseguiu uma réplica do Batmóvel do seriado de tv com um colecionador e teve que pagar do próprio bolso já que a verba de produção havia estourado. Pediu por conta própria para fazer uma chamada do programa dentro do Raul Gil, outro grande amigo, e foi repreendido por isso, a chamada foi cortada na edição. Em paralelo, continuou desenvolvendo novos projetos, pesquisando novos formatos, afinal, seu núcleo havia sido criado para essa finalidade. Seu esforço se desdobrando em várias frentes pode não ter sido reconhecido internamente, mas chamou a atenção da mídia. Algumas reportagens se referiram a ele como o novo diretor artístico do SBT. Em um meio

"O especial foi programado para o dia 28 de dezembro, uma quarta-feira. Se eu tivesse feito o dever de casa, tinha visto isso antes. O quadro sempre entrava na Praça é Nossa toda quinta, esse era o dia ideal. Era para jogar depois da Praça com o próprio Carlos Alberto chamando, mas não, botaram em uma quarta depois do Chaves. E para piorar, programaram o Batman Eternamente para a terça à noite, um dia antes. Fiquei louco com isso. Programar uma superprodução hollywoodiana antes de um especial com o mesmo tema produzido na cidade cenográfica do SBT? E sem cross media (divulgação em outros programas de tv), nenhuma chamada, lógico que a audiência foi fraca, cinco pontos, ainda subiu um ponto em relação ao Chaves que veio antes. Achei uma sacanagem, conversei com o Murilo, ele falou que programou para me ajudar, mas só ajudou a afundar. Você acha que o telespectador que acabou de ver o Batman com o Val Kilmer, o Jim Carrey, a Nicole Kidman e o Tommy Lee Jones vai ficar amarradão em ver no dia seguinte um especial tupiniquim do Batman com o Alexandre Frota? Fala sério!"

O negócio era partir para outra, outra ideia, outra atração. Um humorístico cairia bem, já tinha alguma coisa encaminhada. Não era hora de desanimar. Em sua vida, Alexandre Frota sempre se considerou um cavaleiro das trevas, perambulando pela noite, em busca de vilãs bem gatas. Casado com Fabi e com um menino prodígio para proteger, sua cruzada não era mais solitária. Passou aquela madrugada acordado, pensativo, refletindo sobre os próximos passos no ano que começava. Enquanto isso, nos estúdios e corredores desertos do SBT, uma gargalhada sinistra ecoava na escuridão se misturando ao som do vento que soprava. Na sala do núcleo de novos projetos, o fantasma do Coringa de Heath Ledger (1979/2008) observava o retrato de Alexandre Frota e sussurrava *"why so serious?"*.

Na tradução, por que tão sério?

UM CACIQUE SEM TRIBO NA ALDEIA DE SILVIO SANTOS

Um dos projetos mais ambiciosos de Alexandre Frota no SBT foi o humorístico A Tribo, idealizado para os sábado à noite. A ideia era bater de frente com o Legendários, do Marcos Mion, produzir um programa em um formato similar ao Pânico na Tv, mas com quadros novos e algumas ousadias que o horário da madrugada permitia. Vários humoristas foram convocados para fazer parte deste novo projeto, alguns do próprio SBT como Enio Vivona e Alexandre Porpetone, a maioria de fora. Completavam o elenco Warley Santana, Fábio Rabin, Ruddy Landucci, Marcelo Batista, Luis França e Japa. O piloto foi gravado em janeiro de 2012. Junto com os sete humoristas, uma tropa de sete beldades incluindo Fabi, a esposa de Frota, animava a plateia. A gravação no estúdio deu liga, apesar das "bateções de cabeça" que sempre acontecem nos pilotos. O principal funcionou, a química entre os humoristas, as piadas e o ritmo do programa. A plateia interagiu com a bagunça e até os erros de gravação ficaram engraçados. Enio Vivona, parceiro de Frota no quadro Batman e Robin na Praça é Nossa com um repertório inesgotável de vilões, fez uma imitação hilária do próprio Frota e sempre que algum humorista se aproximava de Fabi, a trilha incidental de Darth Vader era tocada. A ex-BBB Morango surpreendeu com sua participação, aprontou várias com os humoristas. Ao final, um clima de euforia tomou conta do elenco, todos confiantes de que o programa iria emplacar. O otimismo se justificava pela lógica: se Silvio Santos havia se empenhado tanto para levar o Pânico para o SBT, haveria de se interessar também por um programa com a mesma pegada, sem a necessidade de negociar seus direitos com nenhuma rádio ou grupo de comunicação. Já dizia o narrador João Guilherme da Fox Sports, "a euforia leva a debilidade". Não é assim que a banda toca no SBT...

"Gravamos a Tribo, editamos e apresentei ao comitê. Eles devem ter visto aquele piloto umas dez vezes. Não houve consenso, alguns disseram que era muito moderno, que o Silvio não ia gostar, outros que era melhor a Patrícia Abravanel (filha de Silvio Santos) apresentar e não se chegou a conclusão nenhuma. Naquela mesma semana o SBT botou uma chamada no ar, a pedido do próprio Silvio, sobre um *reality* de casais, Vivendo com o Inimigo. Me convocaram para fazer o programa, não havia nada produzido, nada planejado. O Silvio simplesmente tinha visto o formato em uma tv fechada e quis fazer no SBT. Montei toda a bíblia, como a gente chama, um livro com todas as informações do programa, fórmula de disputa, número de semanas, estrutura de produção, seleção de elenco, etc. A Tribo foi deixada de lado. De repente, sem mais nem menos, acabou o projeto. Fui avisado que o Silvio não queria mais fazer. Senti algo estranho no ar. De uma hora para a outra, fui tirado do carnaval do SBT, que já estava escalado para dirigir. Na sequência, perdi minha equipe, minha sala se esvaziou e não fui mais chamado para nenhuma reunião. Tentei falar com a Daniela mas ela já não me atendia mais. Fudeu..."

Em paralelo, Frota ficou sabendo que o projeto do humorístico A Tribo havia sido entregue à diretora Leonor Correia, a mesma que o resgatou na Record. Leonor assumiu o programa, mudou seu nome para Circo Eletrônico e gravou mais quatro novos pilotos com elencos diferentes até o projeto ser definitivamente engavetado. Um belo dia, Frota foi chamado para uma reunião na vice-presidência com José Roberto Maciel, aquele que ele teria declarado que "não conhecia" porque no SBT só conhecia o Silvio Santos.

"O MACIEL SEMPRE FOI MUITO EDUCADO COMIGO, ATÉ HOJE É, MAS NAQUELE PAPO, SENTI QUE ELE AINDA ESTAVA RESSENTIDO POR AQUELA DECLARAÇÃO E FEZ QUESTÃO DE ME MENOSPREZAR, DESMERECER TUDO QUE EU TINHA FEITO. CITOU O TARCÍSIO FILHO, O TARCISINHO, QUE DIRIGIU NOVELAS NO SBT, COMO EXEMPLO DE UM ATOR QUE CONSEGUE

VIRAR DIRETOR, DANDO A ENTENDER QUE NÃO ERA O MEU CASO. SAÍ CABISBAIXO DA SALA. ESTAVA CONDENADO."

Alexandre Frota ainda teve tempo para desenvolver um novo projeto, um festival sertanejo em um formato muito próximo do *reality* músical Fama da Tv Globo. Foi seu último trabalho. Dias depois, foi chamado na sala de Leon Abravanel. O mesmo Leon que comunicara sua contratação, anunciou sua saída. Mais cedo, encontrou com Carlos Alberto de Nóbrega, já a par de tudo, que sugeriu que ele voltasse a gravar a Praça. Frota topou e foi encontrar Leon.

"O Leon me falou que eles se reuniram e decidiram extinguir meu núcleo de novos projetos, o Pelégio estava ao seu lado. Falei da conversa com o Carlos Alberto, de voltar a gravar a Praça, eles disseram que não tinha problema. Tirei meus pertences da minha sala, fui para o meu carro no estacionamento, entrei e respirei fundo. Pensei comigo, fui sacaneado, fui muito sacaneado. Trabalhei honestamente, não fiz mal para ninguém, não puxei o tapete de ninguém, não fiz fofoca de ninguém, me empenhei ao máximo no meu trabalho e fui minado de várias formas. Tentei segurar o choro mas não deu, chorei dentro do carro. Depois, a imprensa fez a festa com a minha demissão."

O estilo "rolo compressor" de Alexandre Frota sempre vai dividir opiniões, aonde quer que esteja, a controvérsia o acompanhará, mas é inegável que ele produz resultados.

FERNANDO PELÉGIO

DIRETOR DE PLANEJAMENTO ARTÍSTICO DO SBT

FROTA MEU AMIGO, FROTA UM GRANDE PARCEIRO PROFISSIONAL, NA MINHA CARREIRA CONHECI POUCOS ASSIM, DEDICADO, TRABALHADOR, VISIONÁRIO, PROFISSIONAL, SEMPRE O PRIMEIRO A CHEGAR E O ÚLTIMO A SAIR. GOSTA DO QUE FAZ, SABE FAZER, ENTREGA TUDO NO PRAZO, ALIÁS MUITAS VEZES ENTREGA MAIS DO QUE PRECISA, ENTREGA COM UM ACABAMENTO PERFEITO, COM CAPRICHO. TUDO QUE PEDI AO FROTA SEMPRE FOI ENTREGUE NO PRAZO OU ATÉ ANTES, COM PESQUISA E BEM ELABORADO. FROTA, GOSTO MUITO DE VOCÊ E QUERO QUE SAIBA QUE VOCÊ É DO SBT.

O fracasso no Sbt doeu muito em Alexandre Frota, dói até hoje. Ele apostou tudo nessa nova empreitada, dirigir e produzir novos projetos, tanto que foi morar com sua família em um lugar próximo da emissora. Deu tudo de si, trabalhou incansavelmente, mas não foi o suficiente. Dentro do camarim, logo após gravar A Praça é Nossa, fez um desabafo emocionado:

"Eu planejei uma vida aqui dentro do Sbt (se emociona), achei que ia ficar muito tempo trabalhando aqui, por isso, planejei rápido meu casamento com a Fabi e me mudei para Granja Viana. Imaginei que fosse me tornar um cara querido pela família Abravanel, todos sempre me falavam que o Silvio gostava muito de mim, talvez isso incomodasse muita gente, mas se fosse verdade mesmo, ele não deixaria que fizessem isso comigo (chorando). Eu saí muito magoado, ferido, porque isso aqui representava uma esperança, a chance de mudar minha vida e garantir o sustento da minha família. Independente de tudo que aconteceu comigo no Sbt, de toda mágoa, pois sou todo emoção, ganhei um grande amigo, o Fernando Pelégio. Pena que não tive tempo de realizar as coisas que eu e ele queríamos. Antes de encerrar esse capítulo, quero revelar uma coisa: uma pessoa que confio muito me contou sobre uma fofoca, que eu estaria tendo um caso com a Daniela Beyruti, relacionaram até com a gravidez dela. Aí é o fim da picada, um negócio descabido, uma maldade sem tamanho querer balançar a estrutura da família dela e da minha família, com uma mentira escrota só para me prejudicar. Eu só tenho a agradecer a Daniela. Foi ela quem bancou minha vinda, contra a vontade de vários diretores. No fim, conseguiram me derrubar. Mas eu tive muita humildade. Caí e quinze dias depois já estava de volta às gravações da Praça com o Tuca, o Enio e a Fabi. Meu encontro com o Carlos Alberto foi emocionante, ele confia no meu trabalho e me pediu que não o deixasse. É uma honra trabalhar com um cara desses, que ama o que faz e ajuda tanta gente. Eu ando pelos corredores de cabeça erguida, tem muitos funcionários que gostam de mim aqui dentro do SBT, especialmente da equipe técnica. Eles sempre me param no corredor para falar que vamos gravar juntos de novo um dia (se emociona)..."

O bom filho à casa torna. Recebido de braços abertos por Carlos Alberto de Nóbrega, Alexandre Frota voltou a gravar o quadro Batman e Robin na Praça é Nossa. E a vida continua...

IDENTIDADE FROTA
A ESTRELA E A ESCURIDÃO
5.0

O DESTEMIDO SENHOR DA GUERRA AOS 50 ANOS

Há cinquenta anos, em Washington, capital dos Estados Unidos, 250 mil manifestantes de todo o país caminharam pelas ruas e estradas de forma pacífica, em direção ao monumento de Washington para protestar. Reivindicavam liberdade, trabalho, justiça social e o fim da segregação racial. Vários artistas se apresentaram, várias lideranças discursaram, a maior delas, Martin Luther King com seu histórico "I have a dream", que fez o mundo inteiro compartilhar de seu sonho. Cinquenta anos depois, mais de um milhão de pessoas no Brasil, em sua maioria jovens, foram para as ruas protestar pacificamente com exceção de pequenos grupos radicais que não representam a maioria, da mesma forma que o Congresso Nacional e seus partidos políticos. O sonho não acabou, mas entre 1963 e 2013, o mundo se transformou, as lideranças envelheceram e talvez não sejam mais necessárias. Só o tempo dirá. Em relação à Alexandre Frota, ele travou o bom combate, venceu e perdeu batalhas, mas sua guerra continua. Aos 50 anos, não pode se dar ao luxo de descansar, não com sua família contando com ele. Por isso mesmo, surpreendeu de novo ao assinar contrato em 2013 com uma pequena e desconhecida emissora paulista, a Rede Brasil, com a promessa de autonomia e liberdade para fazer um programa do seu jeito, o Programa do Frota.

"Fui gravar uma entrevista para o *talk show* do Décio Piccinini na Rede Brasil e conheci o dono da emissora, o Marcos Tolentino. Ele me fez uma proposta para dirigir e apresentar um programa no formato que eu quisesse. Como eu estou na guerra, topei mais esse desafio, dar visibilidade a uma emissora pequena que tem planos de crescer. Só tenho a agradecer ao Tolentino, ao Ronan Santiago, diretor comercial, que se tornou um grande amigo, ao Kleysson Rêgo e ao Giancarlo Sartorello, os caras da Rede Brasil que me deram a oportunidade de me manter vivo na tv. Pensei em vários formatos, chamei alguns amigos para me dar uma força como o produtor Dirceu Jackson, o DJ Julio Bueno, o editor Marcelo Nepomuceno e montei uma pequena estrutura compatível com a realidade da casa."

Com apenas seis anos de existência, a Rede Brasil apresenta uma programação variada com filmes, séries clássicas de tv e alguns poucos programas produzidos na casa. No quadro de apresentadores, nomes conhecidos da tv brasileira como o apresentador Ney Gonçalves Dias, o antigo jurado do show de calouros de Silvio Santos, Décio Piccinini, o repórter esportivo Luis Andreoli, a apresentadora Nani Venâncio e o comunicador Petrúcio Melo. Alexandre Frota se juntou ao grupo e lançou o Programa do Frota, com muita música e irreverência. Em sua primeira temporada, recebeu mais de 100 atrações musicais, abrindo espaço para novos talentos de gêneros diversos como funk, pagode, rap, rock e sertanejo. Com um pouco de sorte, alguns desses estarão nas paradas de sucesso daqui a três, quatro ou cinco anos, quem sabe fazendo parte da trilha sonora de alguma novela da Globo. E não se lembrarão que estiveram no Programa do Frota em 2013. Acontece o tempo todo, o veterano Raul Gil que o diga. Além de musicais e dançarinas saradas, Frota tem sempre um convidado especial para uma entrevista ao longo do programa. Os ex-jogadores Neto e Vampeta, os humoristas Zé Américo e Enio Vivona, o estilista Ronaldo Ésper e os músicos Luis Carlini e Maurício Gasperini, ex-Rádio Táxi, foram alguns desses convidados no primeiro semestre de 2013. O estilo inconfundível de Frota rendeu bons momentos. Em um dos programas gravados, um jovem cantor agradecia a oportunidade e destacava a "grande audiência" do programa em Goiânia. Foi interrompido na hora pelo apresentador, com sua habitual sutileza:

- Grande audiência em Goiânia? Impossível. Esse programa não passa em Goiânia, nem tem previsão de passar por enquanto. Aliás, esse programa não passa em lugar nenhum, nem estreou ainda, ninguém viu, nem minha família. Nós estamos gravando na frente para não dar problema.

IDENTIDADE FROTA
A ESTRELA E A ESCURIDÃO
5.0

Touchdown! A plateia foi ao delírio. É preciso muita coragem para começar de novo, encarar novos dias de luta, ainda mais quem já viveu dias de glória na Globo e no SBT. Mas Alexandre Frota não tem medo de "dar a cara para bater". Já fez isso diversas vezes, literalmente, e se engana quem pensa que ele abandonou as confusões por estar casado e longe das drogas. Em 2012, foi convidado para participar do Saturday Night Live brasileiro de Rafinha Bastos, aos domingos, na Rede Tv. Topou, com uma única condição, queria escrever seu próprio texto de apresentação, seu stand up no início do programa. Foi avisado que não seria possível e decidiu não ir mais. A diretora artística Mônica Pimentel ainda tentou demovê-lo, mas já era tarde...

"A Mônica me ligou dizendo que eu tinha assustado o Rafinha, que eu não podia ter falado daquele jeito, fui bem claro com ela:

- Mônica, é o Rafinha quem está precisando de mim, eu não preciso dele, ele é que precisa de audiência, por isso me convidou. Só pedi para fazer meu roteiro dentro do programa, agora, nem você pedindo eu vou gravar."

O Saturday Night Live de Rafinha Bastos não durou muito. Após seis meses no ar e números de audiência beirando o traço, o humorístico foi cancelado. Rafinha saiu antes e Mônica Pimentel depois, deixou a direção artística da Rede Tv após 15 anos em 2013. Honorilton Gonçalves, vice-presidente da Record, também saiu. Importantes mudanças vem acontecendo no comando das grandes emissoras nos últimos anos. Chegaram Carlos Henrique Schroder, diretor geral da Rede Globo; Marcelo Silva, vice-presidente da Record; Diego Guebel, diretor artístico da Band; e a própria Daniela Beyruti, um sopro de renovação no Sbt. Mas não convém arriscar prognósticos, o folclórico Barão de Itararé costumava dizer que "de onde menos se espera, daí é que não sai nada". Por essas e outras, Alexandre Frota achou que na Rede Brasil finalmente teria sossego. Só não contava com uma pegadinha, que nem do Mallandro era...

"Eu estava gravando meu programa, na boa, quando percebi um vulto passando na frente das câmeras, no meio da gravação. Parei tudo. Era uma apresentadora da casa, Cláudia Carla, uma ilustre desconhecida. Perguntei o que estava acontecendo, ela me ignorou. Depois, voltou e sentou em cima de um praticado (estrutura de madeira) que ficava no cenário. O garoto que estava cantando parou, sem entender nada, e eu perdi a paciência. Como ninguém da produção a retirou dali, eu mesmo fiz isso. Levantei ela pelas pernas e a tirei do estúdio. Como ela fez menção de voltar, fui para o futebol americano. Agarrei ela pela gola da camisa e arrastei quarenta jardas para trás. Foi quando vi os editores e o Paulo Trevisan, ex-diretor da Hebe e diretor artístico da Rede Brasil, vendo tudo pelos monitores. Ali caiu a ficha que era uma pegadinha. Paguei geral, xinguei todo mundo, que porra é essa? Todas as pegadinhas que eu fiz, Gugu, Faustão, Legendários, todo mundo sempre combinou comigo antes. Alguns policiais amigos meus que estavam no estúdio presenciaram tudo, ela teve sorte de não sair algemada. Depois fez um escândalo, falou em lei Maria da Penha que não tem nada a ver, mas conseguiu seus minutos de fama às minhas custas. Se fosse homem, eu tinha quebrado de porrada, falei isso para ela."

O barraco animou a imprensa que noticiou a nova confusão de Alexandre Frota. O *bad boy* estava de volta.

"O dono da emissora, o Tolentino, me procurou para me tranquilizar, ele entendeu o que aconteceu, mas isso me chateou muito. Imaginei que em uma emissora pequena, teria tranquilidade para trabalhar, mas não, tem sempre alguém querendo tirar proveito do meu nome, da minha popularidade. No fim, acho que a Rede Brasil também saiu ganhando. Tirei ela da sombra."

Em 26 de abril de 2013, o crítico de tv Tony Goes, da Folha de São Paulo, escreveu em sua coluna "Alguém sabia que Alexandre Frota tem um programa na Rede Brasil de Televisão? Nem eu", e ironizou na manchete "Incidente de Frota com apresentadora nos lembrou que ele existe". Faz parte do jogo e Alexandre Frota sabe bem disso. Em seu último programa na primeira temporada, homenageou Chacrinha, o Velho Guerreiro, um mestre da comunicação de massa que sempre dizia "quem não se comunica, se trumbica" enquanto balançava a pança. Já o Barão de Itararé, definiu o nosso principal veículo de comunicação da seguinte forma: "a televisão é a maior maravilha da ciência a serviço da imbecilidade humana."

IDENTIDADE FROTA
A ESTRELA E A ESCURIDÃO
5.0

No duelo de frases geniais, deu empate.

ENZO, MEU ANJO

A numerologia tem um significado muito forte na vida de Alexandre Frota. Seu conceito pressupõe uma relação mística entre os números e a vida das pessoas. Está associada à paranormalidade e à astrologia. Na vida de Frota, ele teve que passar pela prova dos 7.

"De olhos abertos, eu vi a cara da morte. Entrar no hospital com 7 por 3 de pressão não é para qualquer um. Para os céticos, pode ser coincidência, mas 7 é o meu número da sorte. Sempre gostei, acreditei e escolhi este número como meu. Tinha 7 na minha pressão, o capítulo mais importante da minha vida começa em 2007, 77 é o número da minha camisa no Corinthians Steamrollers, 7 foram as semanas que passei na Casa dos Artistas, 7 foram os dias que fiquei na UTI. Na equação, 7+7 = 14, o dia do meu nascimento. Acreditem, minha UTI era a 7. E em 2007, nasce Enzo Gabriel."

Alexandre Frota é uma gigantesca esfinge de pedra, ou você decifra ou ela te devora. O menino Enzo decifrou. Foi o único. Alexandre Frota está salvo.

"O Enzo e a Fabi me deram a família que eu tanto queria. O Enzo me fez amar meu filho Mayã, mostrou o tempo que perdi, como as coisas poderiam ter sido diferentes, me tornou um cara responsável, racional, me fez entender a vida. Outro dia comentou com a Fabi que em uma vida passada foi "pai do Alê". Ainda tenho meus curtos circuitos , mas ele conserta. Eu saí de cena e voltei outro. As experiências que estou vivendo com ele são incríveis, maravilhosas, emocionantes. Vive plenamente sua infância, faz tudo, aproveita. O Enzo hoje é muito parecido comigo, eu o adotei, cuido mesmo, muito, chega a ser difícil, sou como um cão em sua defesa, não olhem diferente para ele, que a confusão comigo esta formada, e séria. Pelo Enzo sou capaz de tudo, dou minha vida pela dele, já avisei à Deus diversas vezes, nosso pacto está valendo. Na verdade, por tudo que vivi e passei, confesso que não achava que estaria aqui para contar essa história. Estou completando 50 anos, mas vivi 200. Poucos na vida vão passar pelo que passei, inúmeras guerras e conflitos, emoções e desafios, mas sei que passei dos limites. Vivi e brindei à vida. Fiz de tudo, como eu quis. **A VIDA FOI FILHA DA PUTA COMIGO, MAS EU TAMBÉM FUI COM ELA.** Paguei para ver, sem medo, fui fundo e fui ao fundo. Estive do outro lado, existe, é bom e calmo, não tem dor, a dor está aqui em baixo, a grande guerra é aqui, seja você rico ou pobre, católico ou evangélico. Eu ajudei muita gente, abri inúmeros caminhos, andei na contramão, rasguei leis, nadei contra a correnteza, mas fui autêntico. Nasci diversas vezes, um guerreiro nunca dobra as pernas, eu sempre fui da frente de batalha, por isso também fui muito atingido, mas o garoto mudou tudo. Se ele é índigo? Sim, eu acredito, mesmo a ciência ainda não provando sobre as crianças especiais, eu acredito, ele foi um milagre na minha vida."

Em seu livro Crianças Índigo, os autores Lee Carrol e Jan Tober, abordaram esse tema tão controverso, inclusive dentro do próprio espiritismo:

"Crianças índigo são crianças preparadas na espiritualidade, estão nascendo por toda parte. Sua missão é ajudar a construir um mundo novo. Questionadoras, percebem as verdadeiras intenções e as fraquezas dos adultos, e os enfrentam de igual para igual, sem temer rejeições."

Essa definição ajuda a explicar a crença e o sentimento de Alexandre Frota em relação à Enzo, um menino alegre e brincalhão que devolveu sua fé.

"Deus existe e se materializa de diversas formas nas nossas vidas. Passar por tudo que passei, não era para estar aqui. Meus sonhos, pesadelos, os bichos pretos, estão aqui, é difícil lutar contra. Eles se estabelecem ao seu lado, andam com você. Até que a calmaria chegou. Sou muito agradecido a este garoto, que já olhou para mim e disse coisas como "você não vai ficar muito tempo no SBT", "eu vou rezar para o seu joelho", "você está triste? Vem aqui, me dá sua cabeça", "posso colocar a mão no seu coração?", além de tudo isso, me ensinou o melhor da vida, ser pai, amigo, fiel. Me ensinou a cuidar dele ainda criança, "você me protege e eu te protejo", "você toma conta de mim, nada vai acontecer com você". **PASSO COM O ENZO EXPERIÊNCIAS INCRÍVEIS, EMOCIONANTES, VERDADEIRAS, APRENDI A OLHAR DIFERENTE PARA TUDO NA VIDA. NÃO SEI COMO AGRADECÊ-LO, SE O AMOR EXISTE NA SUA PLENITUDE, EU DESCOBRI COM ELE, AMOR, DA MINHA VIDA.** Quando vi meu amigo Chorão morto de manhã cedo na tv, fiquei muito chocado, vi diversas vezes nos meus sonhos aquela angustiante cena acontecer comigo. Eu estava com o Enzo no colo, olhei para ele, ele parecia entender perfeitamente o que se passava na tv, me olhava, senti até medo. Parecia dizer:

- Quem decide somos nós, quando tudo acaba, para começar de novo. Antes, lavamos vocês, purificamos o corpo e a alma, vocês dormem tranquilos, na paz, na cama branca, um tempo depois acordam e são encaminhados ao grande jardim.

EU JÁ VI ESSE JARDIM DIVERSAS VEZES, SEI QUE SOU MÉDIUM, AINDA NÃO EXERCITEI, MAS SINTO. EU VEJO, JÁ VI MUITA COISA. POSSO DESCREVER PARA VOCÊS, MAS NÃO DEVO. AGORA ESTOU PRONTO PARA PARTIR, SEM MEDO, PORÉM, MINHA MISSÃO É PROTEGER O ENZO ATÉ A HORA DA MINHA PARTIDA. POR TUDO QUE PASSEI, VIVI, ESTOU VIVENDO, PASSADO E PRESENTE, DAS GUERRAS INTERNAS E EXTERNAS, EU CONHECI A FORÇA DE DEUS E CAMINHO AGORA COM ELE. ENZO, MUITO OBRIGADO. TE AMO MUITO, VOCÊ É METADE DE MIM, A OUTRA, DEUS. OBRIGADO POR APAGAR AS LINHAS VERMELHAS, AFASTAR OS FANTASMAS, ME ESTENDER A MÃO, ME TIRAR DO SUBMUNDO, DAS ENTRANHAS POR ONDE ANDEI. ESTIVE NA MIRA DA MORTE, MAS MINHA MISSÃO É MAIOR, AGORA EU ENTENDI QUE DEUS EXISTE MESMO."

Beijo no coração, do seu Pai que te ama, amigo, irmão, soldado, do seu Alê.

Aonde quer que vá, para ser estrela, a estrela de Davi, você é MEU CHAPA."

ÁREA 51

Área 51 é o código atribuído à uma zona militar de acesso restrito no deserto de Nevada, nos Estados Unidos. Somente em 1994, o governo americano confirmou sua existência oficial, mas nunca se pronunciou sobre criaturas extraterrestres mantidas em cativeiro, destroços de espaçonaves alienígenas ou testes militares proibidos. Restam os livros, as reportagens, os documentários e os filmes para dar asas à nossa imaginação. A cena final do filme "Indiana Jones e os Caçadores da Arca Perdida" mostra o artefato de valor místico e religioso com as tábuas dos 10 mandamentos sendo guardado em um gigantesco galpão de uma base secreta americana.

A área 51 deste livro é o Arquivo X de Alexandre Frota, com dezenas de casos que não foram relatados por falta de espaço, pedidos para que se mantivesse o sigilo, diversas razões, assim como dezenas de relacionamentos que não tiveram maior importância ou relevância. Muitas dessas histórias reforçam ainda mais o seu comportamento explosivo, com rompantes de fúria e desapego total pelos bens materiais. Alexandre Frota já deixou carros no meio da rua apenas porque o GPS não funcionava ou simplesmente porque tinha perdido o interesse. Toda essa instabilidade, claro, decorrente das drogas. Frota tem até hoje advogados sedentos na sua cola com inúmeros processos contra ele. E não é para menos. Estamos falando de alguém que já foi temido nas noites de São Paulo quando andava com sua "gangue" arrumando confusões em série, pancadarias generalizadas com seguranças, lutadores e playboys. Qualquer um que cruzasse seu olhar em um dia errado poderia ser a vítima, bastava um olhar atravessado ou um simples esbarrão. Já escapou tanto de processos quanto de tiros disparados em sua direção. Amigo de polícia, brother de traficante, conhecido de malandro, chegado de bandido, Alexandre Frota tinha passe livre em guetos e quebradas. Entrava e saía de qualquer parada, morro, boca, favela, inferninho, clube privê, puteiro, sempre bem vindo, sempre refém da loucura. Paulo Lucas, jornalista e produtor de tv, listou alguns casos presenciados por ele nos anos 90 que ajudam a entender melhor o comportamento errático e incontrolável de Alexandre Frota:

- **O FROTA JÁ FOI MUITO LOUCO.** Em Londrina, saiu fugido de um hotel sem pagar. Pegou um táxi, sentou na cadeira do motorista, que estava do lado de fora e arrancou em alta velocidade em direção ao aeroporto; em Ribeirão Preto, foi participar da inauguração de uma loja, passou em um puteiro antes, encheu cinco carros com um monte de prostitutas e levou o comboio para o evento, foi aquele burburinho; mais tarde, bateu na porta do quarto do Otávio Mesquita em um hotel na madrugada, quando ele abriu, entraram várias prostitutas, todas nuas e fizeram um "arrastão" no Mesquita, que ficou muito puto; em Marília, depois de outra fuga de um hotel, foi retirado pela polícia federal do avião; no Guarujá, quebrou a cara de um advogado bêbado que o ofendeu em uma discussão trivial; em uma festa em Campinas, foi zoado por um cara duas vezes o seu tamanho e o chamou para brigar na rua. Seu nariz foi quebrado, mas seu oponente foi parar no hospital, todo arrebentado; em um posto de gasolina em Maresias, foi cercado por um grupo de jovens arruaceiros na saída de uma loja de conveniência e não pensou duas vezes: quebrou uma garrafa de vodka na cabeça do primeiro que se aproximou, o restante do grupo correu; em um camarote de carnaval, ao perceber que sua paquera estava sendo assediada por um empresário, já chegou socando a cara do infeliz; em São Vicente, à caminho de um show do Fábio Jr em que iria apresentar, parou o carro em frente a um prédio onde acontecia uma festa de família, tocou a campainha e passou à noite bebendo, comendo salgadinho e contando histórias. Os velhinhos e velhinhas presentes não entenderam nada. O show atrasou muito e por causa disso, fizemos um B.O. na delegacia; também em São Vicente, estávamos negociando um programa de rádio apresentado por ele quando o dono da rádio voltou atrás, depois de tudo combinado de boca. O Frota invadiu a rádio e mandou o dono assinar o contrato senão o encheria de porrada. Em seguida, entrou no estúdio, arrancou da cadeira o locutor que estava ao vivo e anunciou a estreia de seu programa na marra. Esse foi o Alexandre Frota que eu conheci."

Ufa! E teve muito mais. Frota já simulou uma briga com um repórter de tv durante um programa da grande Hebe Camargo em um passado distante. Os dois iniciaram uma discussão ainda no sofá, tudo previamente combinado e se atracaram no chão, para desespero de Hebe e de sua produção. A audiência praticamente dobrou, durante aquele vale tudo. Uma de suas histórias mais inacreditáveis foi durante o carnaval no Rio de Janeiro. Convidado para um camarote de famosos, Frota decidiu ligar para uma "louraça belzebu" que era destaque do cultuado show Básico Instinto de Fausto Fawcett no início dos anos 90.

"A Regininha Poltergeist estava estourada com o Fausto, o Eri já tinha saído com ela, aí pedi seu telefone e a convidei para o camarote comigo. Fui pegá-la no Meier, um bairro da zona norte carioca que eu conhecia bem, namorei várias meninas de lá quando era adolescente. Chegamos na Avenida Marquês de Sapucaí e fomos para o camarote. Em pouquíssimo tempo, ela ficou muito louca de cerveja, sua maquiagem borrou toda e ela foi retocar. Dei uma volta pelo camarote, fiz aquele social e encontrei a Luíza Tomé, nunca a tinha visto de perto. Me apresentei, ficamos conversando e rindo muito. Esqueci completamente da Regininha. Chamei a Luíza para desfilar na Beja-Flor comigo, já saímos do camarote de mãos dadas e rolou um beijaço. Depois do desfile, nem quis mais voltar para o camarote. Pegamos uma van que nos deixou na Lagoa. De repente, a Regininha apareceu e fez o maior barraco na frente de todos, aos gritos. No meio daquela confusão, nem percebi a Luíza indo embora. Ela saiu de fininho, a famosa saída leão da montanha (pela direita, no desenho animado da Hanna Barbera), pegou um táxi e desapareceu. Fiquei muito puto de perder a Luíza Tomé. Tirei a Regininha à força dali, pelo braço, aí fui pensando, avaliando melhor a situação, esfriei a cabeça, e na maior cara de pau, me desculpei com ela. Em seguida, a levei para o meu apartamento. Dias depois, o meu grande amigo Serginho Mattos, o maior descobridor de modelos que já vi, me ajudou e fez uma ponte com a Luíza. E a gente finalmente saiu, adoro a Luíza. Que sufoco! Contei essa história em uma madrugada dentro da Casa dos Artistas e todos racharam o bico."

IDENTIDADE FROTA
A ESTRELA E A ESCURIDÃO
5.0

Alexandre Frota e Regininha Poltergeist por muito pouco não fizeram um filme pornográfico juntos. Regininha fez três filmes pela produtora Brasileirinhas, a mesma de Frota, naquele período. De acordo com o colunista Ancelmo Góis, do jornal O Globo, Regininha decidiu mudar de vida e se tornou evangélica. Frota também teve seu encontro com a fé, mas antes aprontou muito.

"Nos Gloriosos anos 80 e 90, no auge da fama, conheci o José Victor Oliva, meu padrinho de casamento. Eu e o Zé tínhamos uma brincadeira no Gallery, uma batalha de dj, eu e ele, cada um colocava uma música e apostava para ver quem enchia mais a pista de dança, o Zé ganhava sempre. No Gallery, entre um teco e outro, eu conhecia as modelos mais lindas do país. No meu camarote, acontecia de tudo, eu juntava um monte de amigo, com um monte de modelos, artistas, putas, policiais, amigos duvidosos, interesseiros e fazia o bicho pegar. O banheiro era a igreja do sexo, ajoelhou, tem que rezar. Eu levava um monte de mulher para o banheiro e sempre deixava um segurança na porta. A festa começava às dez da noite e ia até a casa fechar às seis da manhã, depois continuava no meu apê na Alameda Lorena até às três da tarde. Nessa época, eu praticamente comi São Paulo, foi foda. Também escalava os taxistas que iam buscar pó, era um entra e sai frenético, muitas vezes eu escolhia quem ia dar para quem."

Foi no Gallery que Alexandre Frota conheceu Roberta Close, o travesti mais famoso do Brasil desde Rogéria. Roberta foi capa da Playboy e a musa inspiradora de Erasmo Carlos na música "Dá um close nela", participando inclusive do clipe.

"ELA ESTAVA NO AUGE DO SUCESSO, A ROBERTA CLOSE SEMPRE JANTAVA NO GALLERY. O ZÉ VICTOR FALAVA PARA MIM QUE TINHA UM MONTE DE GENTE QUE QUERIA A ROBERTA, EU MESMO PRESENCIEI VÁRIOS POLÍTICOS, ATORES, ATRIZES, MODELOS E GENTE RICA QUERENDO A ROBERTA. NOS ENCONTRAMOS DIVERSAS VEZES NO GALLERY EM SÃO PAULO E TAMBÉM NA HIPPO NO RIO, ATÉ QUE EM UMA NOITE, JANTAMOS JUNTOS E COMBINAMOS DE TOMAR UMA SAIDEIRA. O MOTORISTA DO ZÉ A LEVOU PARA SEU HOTEL NO LARGO DO AROUCHE, O SAN RAPHAEL, EU FUI DEPOIS, DE CARRO. ELA ERA CANTADA NA MUSICA DO

ERASMO, ESTAVA EM TODAS AS CAPAS DAS PRINCIPAIS REVISTAS, O FANTÁSTICO FEZ UMA MATÉRIA DE VINTE MINUTOS SOBRE ELA, ENTÃO O BRASIL INTEIRO SÓ FALAVA DA ROBERTA CLOSE. NOS DIVERTIMOS MUITO."

Nascida Luís Roberto Gambine Moreira, a travesti e depois transexual Roberta Close fez a cirurgia de mudança de sexo e conseguiu mudar seu nome para Roberta Gambine Moreira. Longe dos fotógrafos e dos curiosos, Alexandre Frota "deu um close nela" que não resistiu e comentou:

- Você é muito bonito, Alexandre. – e riu em seguida.

Riram a noite toda...

"Na minha lista de conquistas tem promoter famosa, modelos, atrizes, empresárias, filhas de empresários, tem produtoras de tv e várias de capas de Playboy e Sexy. Sei que muita gente ficou preocupada, mas nunca quis expor ninguém, apenas contar minha história, falar das mulheres importantes da minha vida e lógico, alguns casos que ajudam a mostrar a minha loucura, a minha compulsão sexual, que juntava sexo e droga. Tem duas ex-paniquetes amigas minhas, por exemplo, que eu peguei muito nas noitadas, até nos camarins da emissora. Elas sempre conversavam comigo sobre os bastidores do programa, como ganhavam pouco e tinham que fazer trabalhos extras. Cheguei a levar uma delas para sair com um conhecido político de São Paulo amigo meu, ele pagou oito mil reais pela companhia. Também tive um casinho com uma famosa apresentadora de tv quando a conheci, décadas atrás, lá no Rio de Janeiro. Fui seu primeiro homem. Ela morava de frente para o mar, às vezes a gente descia de madrugada para dar um mergulho e voltava para o quarto dela. Uma das lembranças mais loucas que tenho foi com uma apresentadora de um telejornal da Globo, nós íamos muito para Búzios. Foi ela quem me mostrou o haxixe, entortei o cabeçote, dava perda total. Eu chegava a babar, muitas vezes nem conseguia transar com ela, uma pessoa muito querida dentro do jornalismo da Globo, que me apresentou muita gente importante. Fomos juntos à uma festa de Ano Novo na mansão da família Marinho, lembro do Roberto Irineu, um dos filhos do Roberto Marinho, passar por mim e brincar:

IDENTIDADE FROTA
A ESTRELA E A ESCURIDÃO
5.0

- Fica à vontade, Frota. Perde a pose de galã.

Mal sabia ele que eu não estava entendendo nada, estava muito louco."

Hora de fechar os arquivos secretos da área 51 de Alexandre Frota, sua identidade está completa e não foi preciso abrir a caixa de Pandora. Nas palavras de Frota, essa é apenas a versão nova de uma velha história, que poderia ser cantada pelo Barão Vermelho na voz de Cazuza ou Frejat.

"Canibais de nós mesmos
Antes que a terra nos coma
Cem gramas, sem dramas
Por que quê a gente é assim?
Mais uma dose? É claro!
É claro que eu tô a fim
A noite nunca tem fim
Por que quê a gente é assim?"
("Por que a Gente é Assim?", Barão Vermelho, de Cazuza e Ezequiel Neves)

EPÍLOGO

EU TIVE TUDO QUE QUIS E NÃO QUIS, FUI RICO, AMEI, APROVEITEI A VIDA, CONHECI O MUNDO, ESTIVE ONDE QUIS COM QUEM QUIS, DAS MELHORES MANEIRAS. RI MUITO, BEBI MUITO, CURTI TUDO EM TODOS OS MOMENTOS. OS TOMBOS FORAM CONSEQUÊNCIAS, MAS A VIDA PASSA, E VOCÊ ACABA ENTRANDO NA ESCURIDÃO, O SORRISO MUDA. QUANDO FALO DA ESCURIDÃO QUERO FALAR QUE ELA EXISTE SIM, O LADO NEGRO ESTÁ AQUI, NA TERRA ONDE VIVEMOS, EU ESTIVE DO LADO NEGRO , PROCURANDO A MORTE, DE MÃOS DADAS COM MEUS FANTASMAS E ASSOMBRAÇÕES.

A DROGA TE PROPORCIONA UMA EUFORIA MENTIROSA, QUE ACABA COM VOCÊ, ÀS VEZES EM POUCO TEMPO, ÀS VEZES LEVA ANOS, MAS VAI TE CONSUMINDO AOS POUCOS. ELA ASSUSTA. A DROGA TIRA TUDO DE VOCÊ, TUDO QUE CONSTRUIU, PLANEJOU. VOCÊ FICA SOZINHO EM UM QUARTO VAGABUNDO DE HOTEL, ESPERANDO O MINUTO PASSAR,ARDENDO DE SUOR, OLHANDO PARA UMA PUTA, DEITADA NUA, COM OLHOS DE SERPENTE, A BOCA PRETA, UMA CARA QUE SE TRANSFORMA EM BONITA E FEIA A TODO INSTANTE. VEM A SENSAÇÃO DE CULPA POR ESTAR ERRADO, DE ORGULHO POR NÃO PEDIR AJUDA. VOCÊ PENSA QUE VAI MORRER, CRIA ESSA EXPECTATIVA, SERÁ QUE É AGORA? NÃO, ESPERA! VAI SER AGORA! TEM QUE SER AGORA? FOI? MORRI? SERÁ QUE EU MORRI? AO SE VICIAR, VOCÊ ESTÁ COM A MAIOR DAS DOENÇAS, INCURÁVEL, QUE SÓ PODE SER COMBATIDA UM DIA APÓS O OUTRO.

EU SEI COMO É. COISAS PRETAS PASSAM PELO QUARTO VOANDO DE UM LADO PARA O OUTRO, VOZES, GRITOS, SUSSURROS. CHOREI MUITO CAÍDO EM UMA CAMA SUPLICANDO QUE ISSO ACABASSE, QUE EU NÃO FOSSE ENCONTRADO MORTO EM UM HOTEL DE QUINTA OU EM UM 5 ESTRELAS. MAGOEI A MIM MESMO, FERI MINHA ALMA, DEIXEI MUITA GENTE TRISTE, ATÉ PEDI AJUDA, GRITEI AOS 4 CANTOS, MAS QUEM TEM QUE SE AJUDAR SOMOS NÓS MESMOS. A BRIGA É INTERNA, NÃO COMECE, DEPOIS, É MUITO DIFÍCIL PARAR, MAS NÃO IMPOSSÍVEL. EU PAREI. GRAÇAS AO GAROTO, O ANJO, A SALVAÇÃO EXISTE QUANDO SE PASSA A TER FÉ. A IDA PELA ESTRADA DA LUZ PODE DEMORAR, PODE SER CRUEL, ATÉ VOCÊ FICAR LIMPO.

AJUDE SEU FILHO, ELE PRECISA ENXERGAR DE ALGUMA MANEIRA QUE TEMOS OPÇÕES, AS ESCOLHAS SÃO FEITAS POR NÓS MESMOS. A INVEJA, A TRAIÇÃO E A ESCURIDÃO SÓ EXISTEM PORQUE O MAL ESTÁ AQUI, À ESPREITA, AGUARDANDO UMA OPORTUNIDADE. CONVERSE COM SEU FILHO ABERTAMENTE, CONTE O QUE EU PASSEI , O QUE PERDI, COMO PERDI. DEUS EXISTE, ACREDITE, SEJA NA FORMA QUE FOR EXISTE UMA FORÇA ESPIRITUAL QUE TE GUIA, TE ORIENTA. SEJA FORTE COM VOCÊ, SE AME, DÊ VALOR A ESTA PEQUENA PASSAGEM, LOGO IREMOS EMBORA. EU QUERO MUITO PODER AJUDAR AQUELES QUE REALMENTE PRECISAM SAIR COMO EU SAÍ. FÉ E FORÇA ANDAM JUNTAS.

CHEGAR AOS 50 E CONTAR ESSA HISTÓRIA FOI MUITO DIFÍCIL, MAS NECESSÁRIO. EU PRECISAVA DAR A MINHA CONTRIBUIÇÃO.

ENCANTOS E MENTIRAS, SEMPRE OUVI FALAR DA ESTRELA E DA ESCURIDÃO, PASSEI POR ELA, E SOBREVIVI, TALVEZ PARA CONTAR AQUI QUE É POSSÍVEL SOBREVIVER, CONTAR ESSA VERSÃO NOVA DE UMA VELHA HISTÓRIA.

RELATO DO ENCONTRO COM A ESCURIDÃO, AGORA EU VEJO A ESTRELA.

ALEXANDRE FROTA

DEDICADO À LAÍS FROTA, MINHA MÃE.

FIM

"MINHA MÃE SEMPRE ACEITOU MEU JEITO, COMO ERA E COMO SOU."

50
ANOS EM IMAGENS

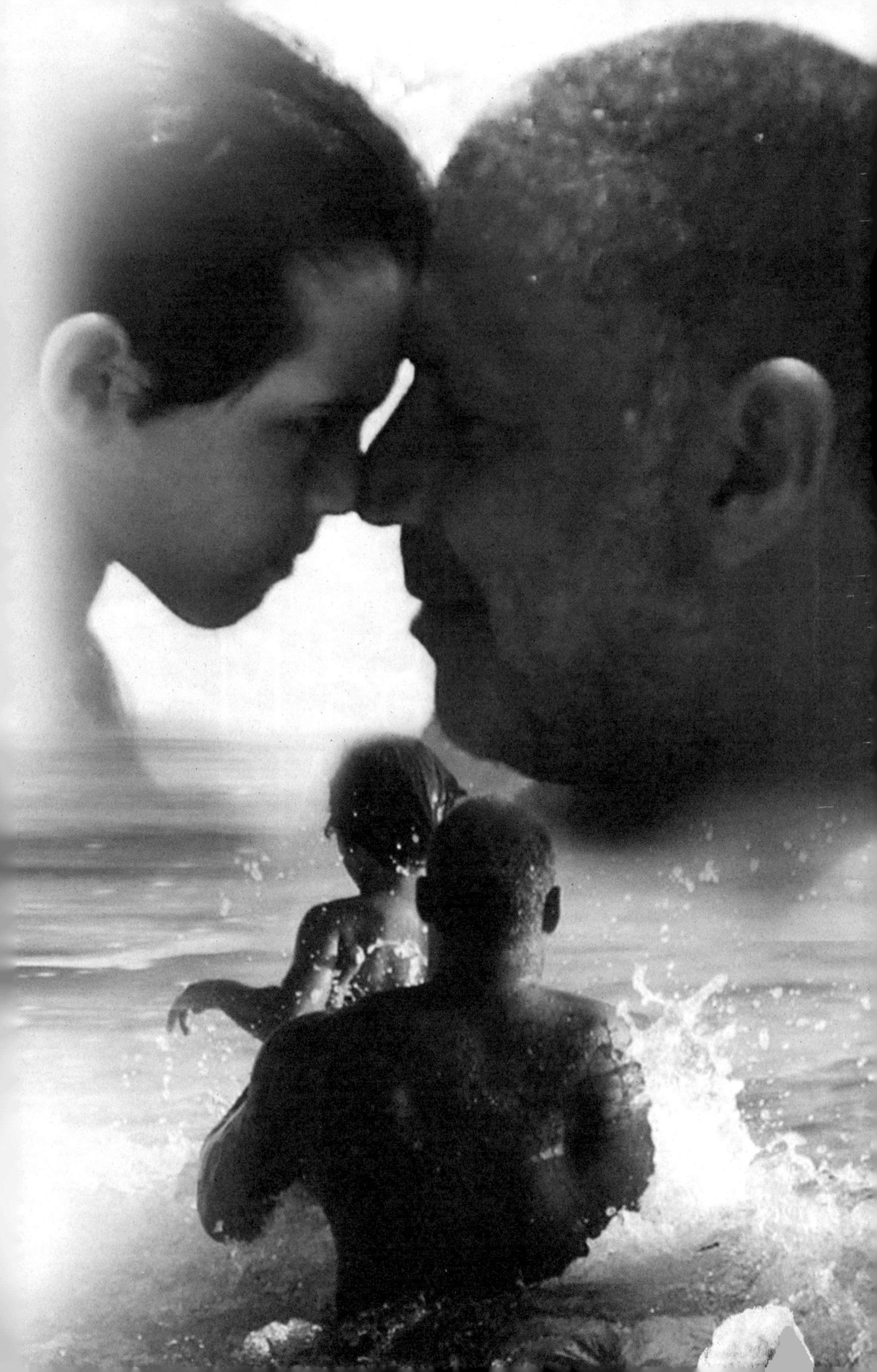

"O ENZO E A FABI ME DERAM A FAMÍLIA QUE EU TANTO QUERIA. O ENZO ME FEZ AMAR MEU FILHO MAYÃ, MOSTROU O TEMPO QUE PERDI, COMO AS COISAS PODERIAM TER SIDO DIFERENTES, ME TORNOU UM CARA RESPONSÁVEL, RACIONAL, ME FEZ ENTENDER A VIDA."

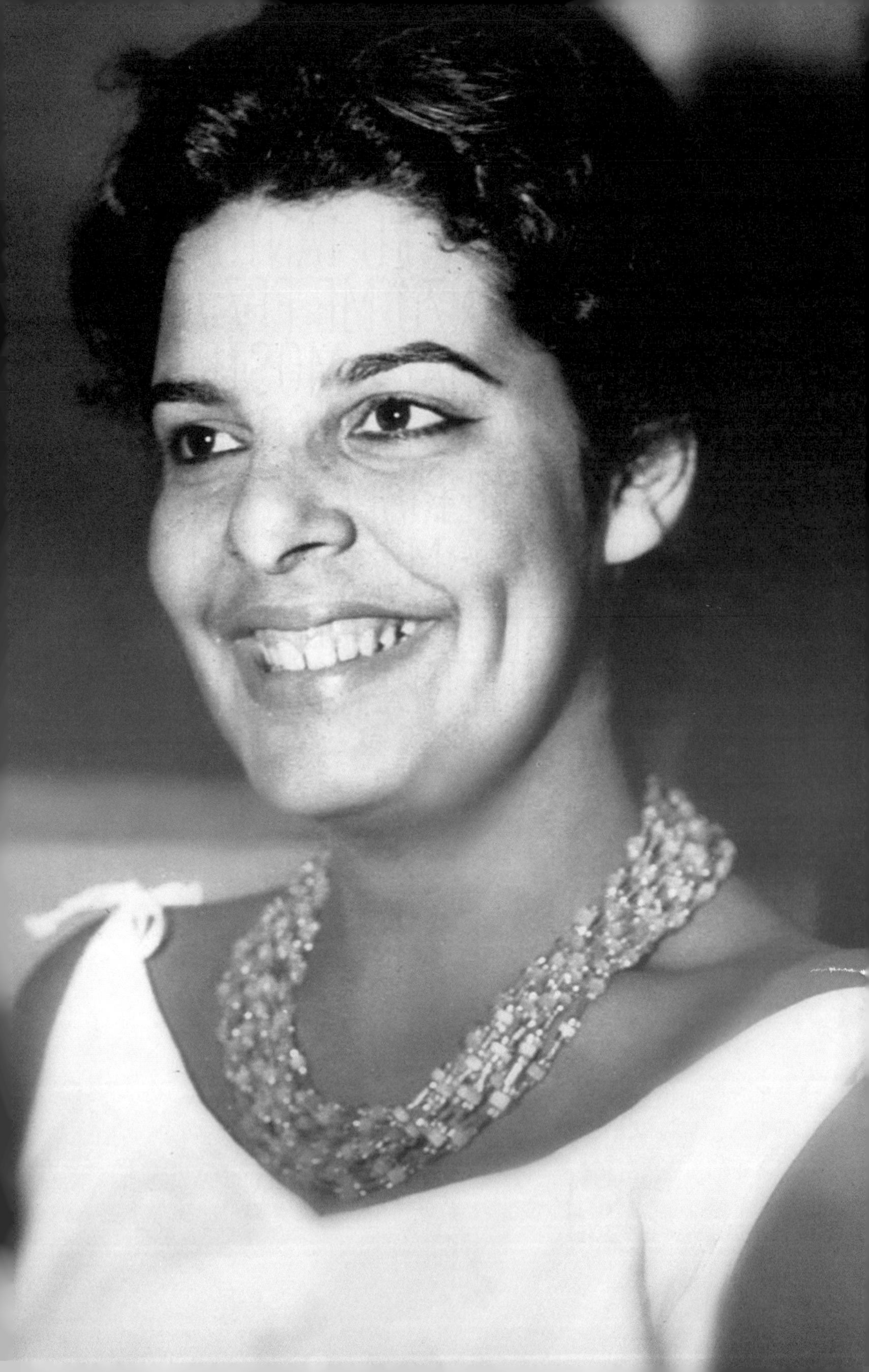

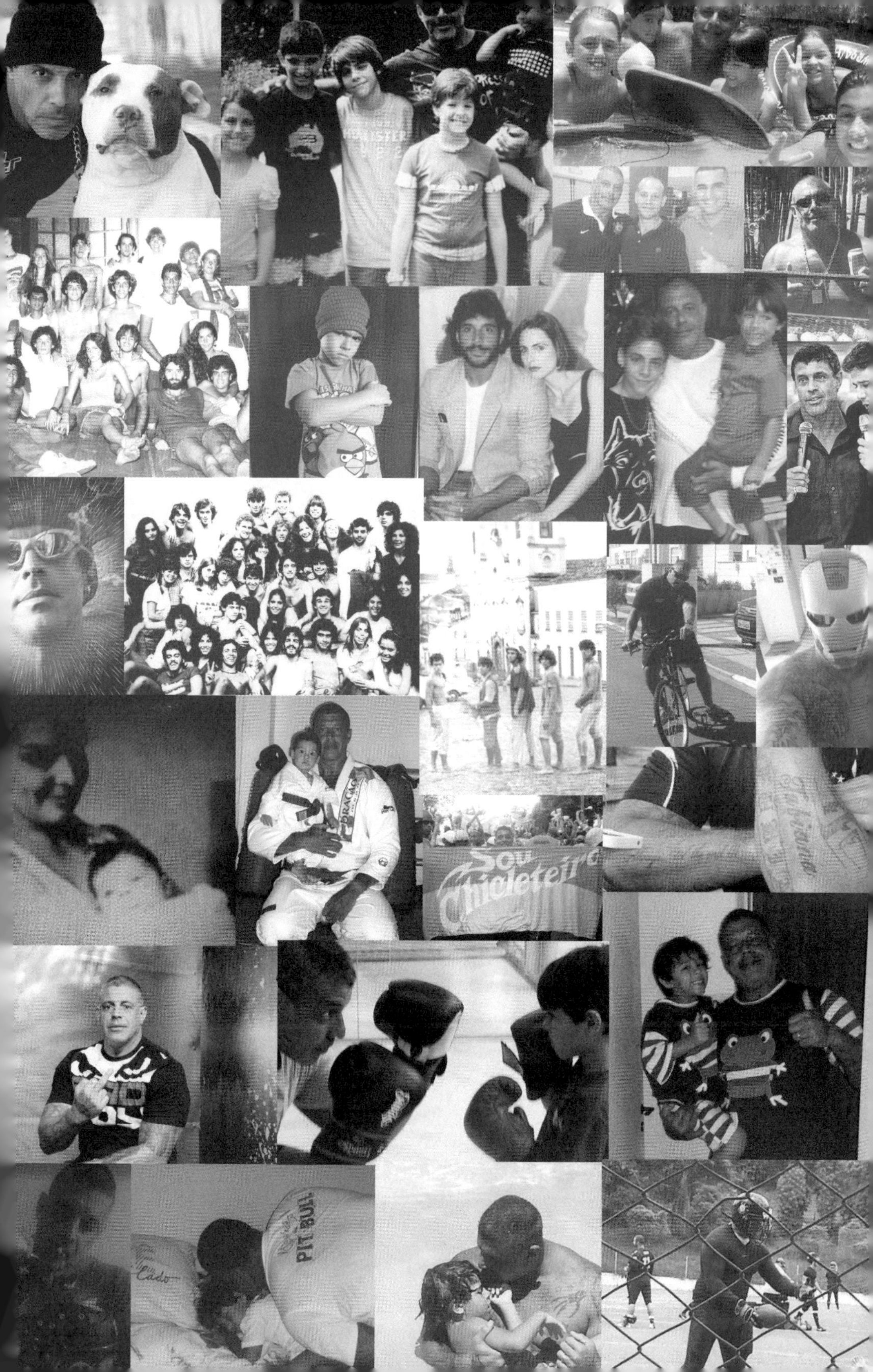
Sou Chicleteiro
PIT BULL

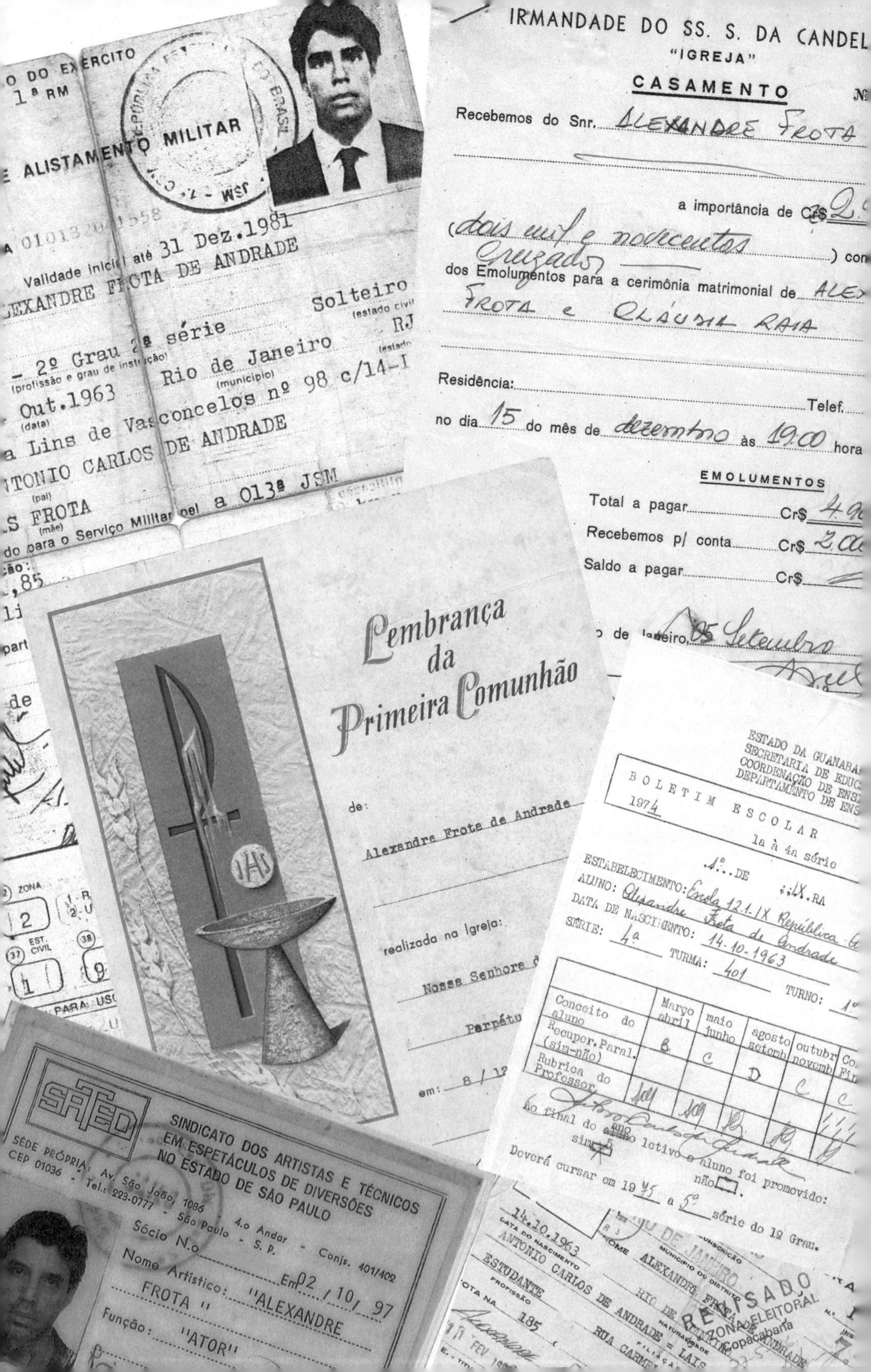

IRMANDADE DO SS. S. DA CANDEL
"IGREJA"
CASAMENTO
Recebemos do Snr. ALEXANDRE FROTA
a importância de Cz$
(dois mil e novecentos cruzados) com
dos Emolumentos para a cerimônia matrimonial de ALEX FROTA e CLÁUDIA RAIA
Residência:
Telef.
no dia 15 do mês de dezembro às 19:00 hora
EMOLUMENTOS
Total a pagar Cr$
Recebemos p/ conta Cr$
Saldo a pagar Cr$
de Janeiro, 05 Setembro
ALISTAMENTO MILITAR
1ª RM
Validade inicial até 31 Dez.1981
ALEXANDRE FROTA DE ANDRADE
Solteiro
(estado civil)
2º Grau 2ª série
(profissão e grau de instrução)
Rio de Janeiro
(município)
RJ
(estado)
Out.1963
(data)
Lins de Vasconcelos nº 98 c/14-I
ANTONIO CARLOS DE ANDRADE
(pai)
FROTA
(mãe)
para o Serviço Militar
a 013ª JSM
Lembrança da Primeira Comunhão
de:
Alexandre Frote de Andrade
realizada na Igreja:
Nossa Senhora
Perpétu
em: 8 / 12
ESTADO DA GUANABARA
SECRETARIA DE EDUC
COORDENAÇÃO DE ENS
DEPARTAMENTO DE ENS
BOLETIM ESCOLAR
1974
1a à 4a série
ESTABELECIMENTO: Escola 12.1.IX República
ALUNO: Alexandre Frota de Andrade
DATA DE NASCIMENTO: 14.10.1963
SÉRIE: 4a
TURMA: 401
TURNO:
Conceito do aluno
Recupor. Paral. (sim-não)
Rubrica do Professor
Março abril
maio junho
agosto setemb
outubr novemb
Ao final do ano letivo o aluno foi promovido:
sim
não
Deverá cursar em 1975 a 5ª série do 1º Grau.
SATED
SINDICATO DOS ARTISTAS E TÉCNICOS EM ESPETÁCULOS DE DIVERSÕES NO ESTADO DE SÃO PAULO
SÉDE PRÓPRIA: Av. São João, 1086 - 4.o Andar - Conjs. 401/402
CEP 01036 - Tel.: 223-0777 - São Paulo - S. P.
Sócio N.o
Em 02 / 10 / 97
Nome Artístico: "ALEXANDRE FROTA"
Função: "ATOR"
14.10.1963
DATA DO NASCIMENTO
ALEXANDRE FROTA
ANTONIO CARLOS DE ANDRADE
ESTUDANTE
PROFISSÃO
RIO DE JANEIRO
RUA CARM
REVISADO
ZONA ELEITORAL
Copacabana

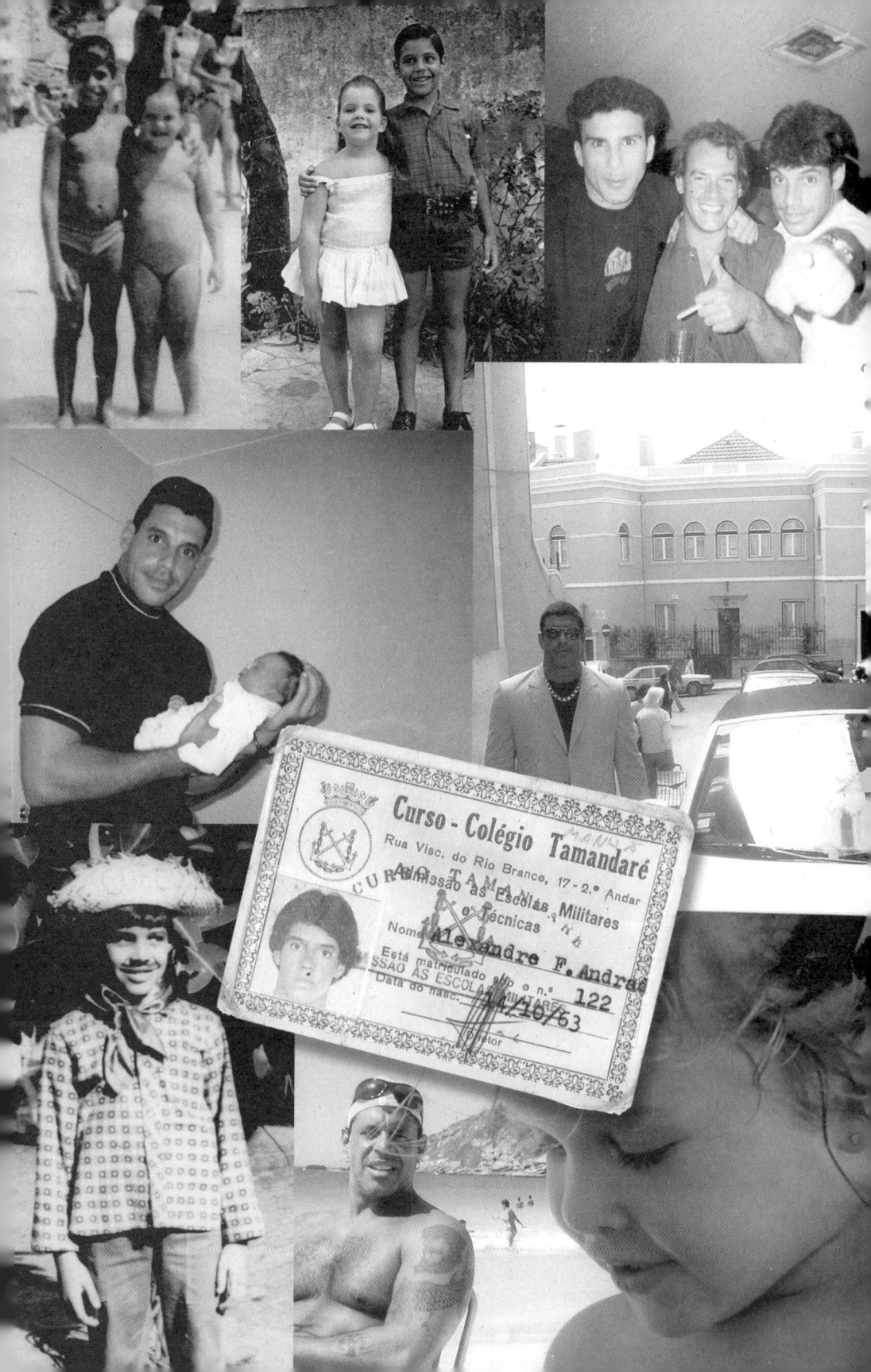